Adriaan Mole en de massavernietigingswapens

Sue Townsend

Adriaan Mole en de massavernietigingswapens

DE FONTEIN

Oorspronkelijke uitgever: Michael Joseph (an imprint of Penguin Books)
Oorspronkelijke titel: *Adrian Mole and the Weapons of Mass Destruction*
Vertaling: Ineke van Bronswijk
Omslag: Studio Eric Wondergem
Zetwerk: V3-Services, Baarn
ISBN 90 261 2225 X
NUR 302
www.uitgeverijdefontein.nl

Ter nagedachtenis aan
John James Alan Ball,
Maureen Pamela Broadway
en Giles Gordon.

Tevens opgedragen aan vier schatten van meiden:
Finley Townsend,
Issabelle Carter,
Jessica Stafford en
Mala Townsend.
Heel veel liefs.

Dankwoord

Ik wil graag mijn echtgenoot Colin Broadway bedanken, voor de praktische én liefdevolle ondersteuning die hij me heeft gegeven terwijl ik dit boek schreef.

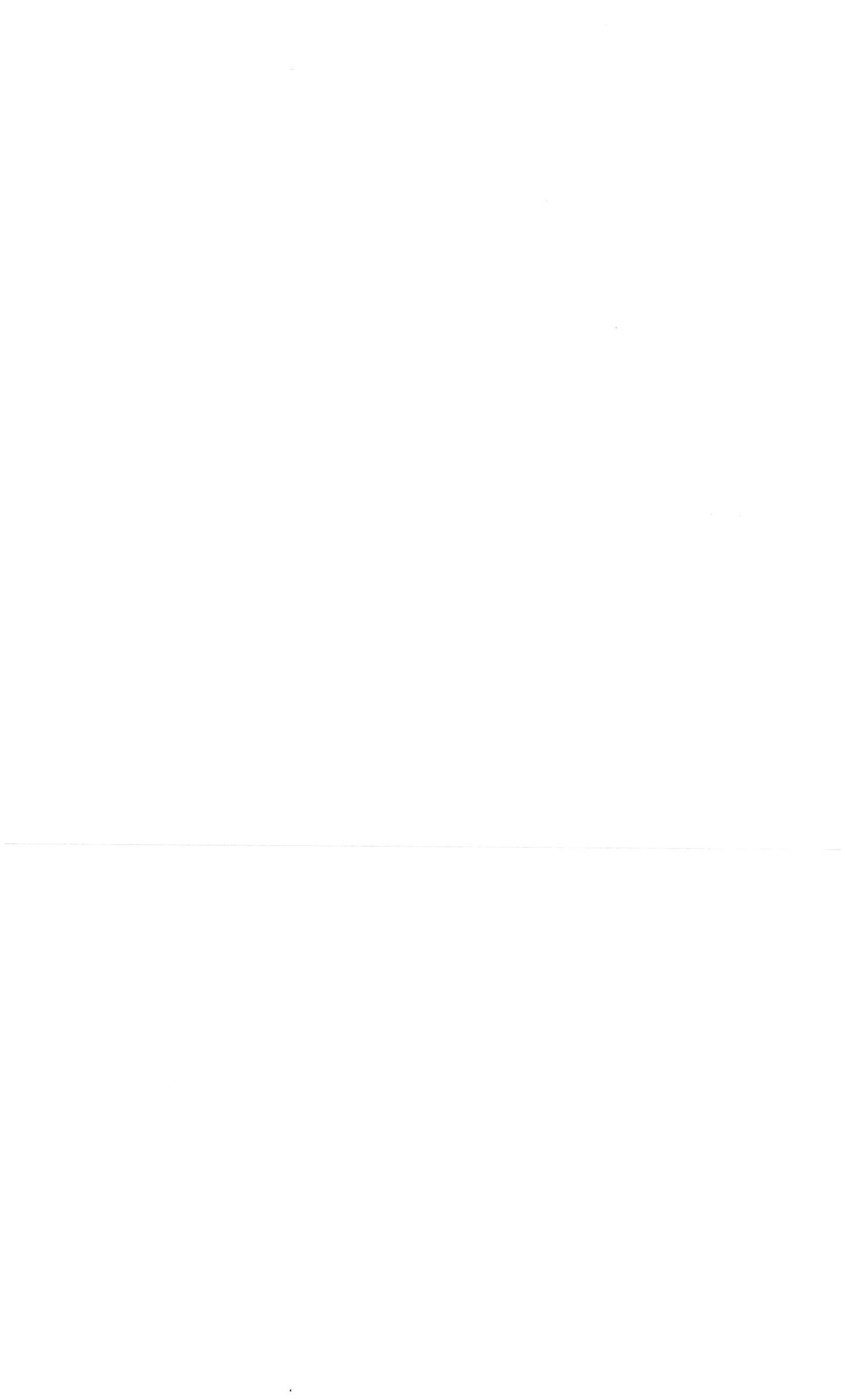

2002

Privé en vertrouwelijk
Zijne Excellentie
Tony Blair, premier
Downing Street 10
Whitehall
Londen SW1A

Wisteria Walk
Ashby de la Zouch
Leicestershire

29 september 2002

Beste heer Blair,

Wellicht kent u mij nog, we hebben elkaar in 1999 ontmoet tijdens een receptie in het Lagerhuis van de Noorse lederindustrie. Pandora Braithwaite, tegenwoordig staatssecretaris van Milieu, heeft ons aan elkaar voorgesteld, en we hebben een kort gesprek gevoerd over de BBC, waarin ik me in scherpe bewoordingen heb uitgelaten over de schandalige manier waarop de staatsomroep provinciale scriptschrijvers behandelt. Helaas werd u weggeroepen omdat men u aan de andere kant van de ruimte dringend nodig had.

Ik schrijf om u te bedanken voor uw waarschuwing dat de massavernietigingswapens van Saddam Hoessein het eiland Cyprus bedreigen.

Ik had voor de eerste week van november een vakantie van een week geboekt in de Athena Appartementen in Paphos, op Cyprus, voor mezelf en mijn oudste zoon. De reissom bedroeg £ 571 plus luchthavenbelasting, en mijn persoonlijke reisadviseur Johnny Bond van Latesun Ltd, verlangde een aanbetaling van £ 57,10, die ik op 23 september heb voldaan. Stelt u zich eens voor hoe erg ik schrok toen ik de volgende dag de televisie aanzette en u in het Lagerhuis hoorde vertellen dat Saddam Hoessein het eiland Cyprus binnen vijfenveertig minuten zou kunnen aanvallen met zijn massavernietigingswapens!

Ik heb Johnny Bond onmiddellijk gebeld om de vakantie te annuleren. (Aangezien de aanval binnen drie kwartier kan plaatsvinden, durfde ik het risico niet aan dat ik op het strand zou zitten, onbereikbaar voor een waarschuwing van het ministerie van Buitenlandse Zaken.)

Mijn probleem, meneer Blair, is dit. Het reisbureau weigert me mijn aanbetaling terug te geven, tenzij ik bewijzen kan overleggen:

a. dat Saddam Hoessein beschikt over een voorraad massavernietigingswapens,
b. dat hij deze wapens binnen vijfenveertig minuten kan inzetten, en
c. dat Cyprus binnen het bereik van voornoemde wapens ligt.

Johnny Bond, die volgens zijn collega's gisteren 'niet op kantoor' was (ik vermoed dat hij meeliep in de demonstratie Stop de Oorlog), heeft de euvele moed om uw verklaring in het Lagerhuis in twijfel te trekken!

Zou het misschien mogelijk zijn dat u me een handgeschreven briefje stuurt waarin u de dreiging voor Cyprus bevestigt, zodat ik hiermee naar het reisbureau kan gaan om mijn aanbetaling terug te krijgen? Ik kan het bedrag van £ 57,10 slecht missen.

Met de meeste hoogachting,

Adriaan Mole

p.s. Wilt u misschien zo vriendelijk zijn om uw vrouw Cherie te vragen of ze op 23 december als gastspreker wil optreden tijdens het literaire diner van onze vereniging van creatieve schrijvers? Will Self heeft afgezegd, nogal bot, eerlijk gezegd. We betalen geen honorarium of onkostenvergoeding, maar we zijn een levendige en stimulerende club mensen en ik weet zeker dat uw vrouw een leuke avond zal hebben.

Hoe dan ook, mijnheer Blair, ga zo door.

Zaterdag 5 oktober 2002

Ik ben vandaag wezen kijken naar een appartement in de voormalige accufabriek aan Rat Wharf, wat je tegenwoordig een 'loft' noemt. Mark B'astard, de makelaar, vertelde me dat appartementen langs het kanaal zeer gewild zijn als investering. De locatie is fantastisch, vijf minuten lopen over het jaagpad vanaf de boekwinkel waar ik werk. De loft bestaat uit een zaal van een ruimte en een badkamer met muren van glazen bouwstenen.

Toen Mark ging plassen kon ik hem vaag zien, dus als ik het appartement koop vraag ik mijn moeder of ze gordijnen voor me wil maken.

Ik ben op het balkon van staaldraad en plaatgaas gaan staan om het uitzicht te bewonderen. Het kanaal lag beneden me, glinsterend in het herfstzonnetje. Een paar zwanen gleden onder me door, een grijze vogel vloog langs en onder de brug kwam een aak in zicht. Toen de boot langs mijn balkon kwam, zag ik een man met een baard en een grijze paardenstaart. Hij zwaaide naar me en riep: 'Weertje, hè?' Ik kon zijn vrouw zien, die in de kombuis de afwas deed. Ze zag mij ook, maar ze zwaaide niet.

Mark had zich tactvol afzijdig gehouden, zodat ik in alle rust kon proeven van de atmosfeer, maar op een gegeven moment kwam hij bij me staan om me op verschillende originele elementen te wijzen: de brandplekken van het accuzuur op de houten vloer, de haken waaraan in de oorlog de verduisteringsgordijnen hadden gehangen.

Het pand ernaast staat in de steigers, en ik vroeg hem wat het gaat worden.

'Een hotel, geloof ik,' zei hij.

Vervolgens vertelde hij me dat Eric Shift, de schroothandelaar die inmiddels multimiljonair is en tevens de eigenaar van mijn loft, de hele Rat Wharf heeft opgekocht en van plan is er de Rive Gauche van Leicester van te maken.

Ik bekende Mark dat ik er altijd van heb gedroomd om nog eens te gaan aquarelleren.

'Leuk,' zei hij met een knikje, maar ik kreeg de indruk dat hij niet wist waarover ik het had.

Mark keek verlangend om zich heen naar de kale ruimte en de witte muren. 'Ik zou hier maar wat graag zelf willen wonen,' zei hij, 'maar ik heb drie kinderen van onder de vijf en mijn vrouw wil per se een tuin.'

Ik leefde met hem mee en vertelde hem dat ik zelf tot heel kort geleden fulltime vader was van twee jongens, maar dat het Britse leger zich inmiddels heeft ontfermd over Glenn van zeventien, en dat de negen jaar oude William inmiddels bij zijn moeder in Nigeria woont.

B'astard keek me afgunstig aan. 'Dat je kinderen nu al het huis uit zijn, terwijl je nog zo jong bent.'

Ik zei dat ik vierendertigenhalf ben en dat het tijd wordt dat ik voor de verandering eens aan mezelf denk.

Nadat Mark me het ingelegde granieten werkblad van het aanrecht had laten zien, liet ik hem weten dat ik het appartement wil kopen.

Voordat we vertrokken, ging ik nog even op het balkon staan. De zon ging onder achter de parkeergarage. Over het jaagpad aan de overkant liep een vos met een plastic tas van Tesco in zijn bek. Een bruin dier (een waterrat, volgens mij) gleed het water in en zwom weg. De zwanen dreven majestueus voorbij. De grootste zwaan keek me recht in de ogen, alsof hij wilde zeggen: welkom in je nieuwe huis, Adriaan.

22.00 uur

Ik ging naar de keuken, zette het geluid van de radio zacht en vertelde mijn ouders dat ik hun logeerkamer zo snel mogelijk zal verlaten, om mijn intrek te nemen in de voormalige accufabriek aan Rat Wharf.

Mijn moeder kon haar blijdschap over dit nieuws niet verhullen.

'De oude accufabriek?' snoof mijn vader. 'Daar heeft je opa ooit nog gewerkt, maar hij moest er weg vanwege een ontstoken rattenbeet. We dachten dat zijn been eraf zou moeten.'

'Rat Wharf?' zei mijn moeder. 'Is dat niet waar volgend jaar dat opvanghuis voor daklozen komt?'

'Je vergist je,' zei ik tegen haar. 'Het hele gebied moet de culturele wijk van Leicester worden.'

Toen ik haar vroeg of ze gordijnen wilde maken voor de glazen muren van de badkamer, zei ze sarcastisch: 'Sorry, maar ik zal wel geen naald en draad in huis hebben.'

Om zeven uur zette mijn vader de radio harder en luisterden we naar het nieuws. De legerleiding wil weten wat hun rol zou zijn als Engeland Irak de oorlog verklaart. De aandelen waren verder gedaald.

Mijn vader sloeg met zijn hand tegen zijn hoofd. 'Ik vermoord die achterlijke financieel adviseur die me heeft overgehaald om mijn pensioen in aandelen te beleggen.'

Toen de herkenningsmelodie van de *Archers* begon, pakten mijn ouders hun sigaretten, ze staken er een op en luisterden met hun mond een eindje open naar het hoorspel over een boerenfamilie. Ze doen allerlei dingen samen in de zoveelste poging om hun huwelijk te redden.

Mijn moeder en vader zijn oudere babyboomers, van respectievelijk negenenvijftig en tweeënzestig. Ik blijf hopen dat ze zich naar hun leeftijd gaan gedragen en zich gaan kleden zoals normale mensen van hun leeftijd. Ik zou ze graag zien in beige windjacks en polyester broeken, en mijn moeder bij voorkeur met een grijs bloemkoolpermanent, maar ze blijven zich koppig verzetten. Ze persen zich nog steeds in stonewashed spijkerbroeken en zwarte leren jasjes.

Mijn vader denkt dat hij door zijn haar te laten groeien aangezien zal worden voor iemand die vroeger in de muziek zat. De arme man houdt zichzelf voor het lapje; hij zal er altijd uitzien als een gepensioneerde handelsreiziger in elektrische kachels.

Tegenwoordig moet hij de hele tijd een honkbalpet dragen, aangezien hij boven op zijn hoofd bijna helemaal kaal is, waardoor een stommiteit uit zijn jonge jaren zichtbaar is geworden: op zijn vrijgezellenavond heeft hij er na tien pinten Everards Bitter in toegestemd om zijn schedeldak te laten kaalscheren en er in groene inkt 'Ik ben een halve gare' op te laten tatoeëren.

Gelukkig werd zijn vrijgezellenavond een week voor de bruiloft gehouden, maar het verklaart wel waarom mijn vader er op de enige trouwfoto uitziet als de boef Abel Magwitch uit *Great Expectations*.

Mijn vader heeft al zijn andere tatoeages op kosten van het ziekenfonds laten verwijderen, maar voor de groene willen ze niet betalen. Die moet in een privé-kliniek weggehaald worden met een laserbehandeling, en dat zou hem meer dan duizend pond kosten. Mijn moeder wil graag dat hij het geld ervoor leent bij de bank, maar mijn vader zegt dat het gemakkelijker en goedkoper is om een pet te dragen. Mijn moeder zegt dat ze er niet tegen kan om 'Ik ben een halve gare' te lezen als mijn vader haar in bed zijn rug toe keert, en dat schijnt hij tegenwoordig vaker wel dan niet te doen.

23.00 uur

Ben in bad geweest met de aromatherapieolie van mijn moeder, kweeperen en abrikozen. Het spul dreef op het water en zag eruit als de stookolie die vrijwel alle dieren in Nova Scotia de das om heeft gedaan. Ik heb wel een kwartier moeten boenen onder de douche voordat ik die rotzooi van mijn lijf had verwijderd.

Met twee spiegels mijn kale plek gemeten; inmiddels zo groot als een King-pepermuntje.

Mijn e-mails bekeken. Er was een mailtje van mijn zus Rosie. Ze schreef dat ze overweegt haar studie aan Hull University op te geven omdat ze is afgeknapt op nanobiologie. Haar vriend Simon schijnt haar dag en nacht nodig te hebben om af te kicken van zijn crackverslaving. Ze vroeg me om onze ouders niet van haar dilemma te vertellen, aangezien ze allebei 'bevooroordeeld' zijn over crackverslaafden.

Verder de gebruikelijke spam, allemaal van klinieken die mijn penis willen vergroten.

Zondag 6 oktober

Nieuwe maan

Mijn moeder heeft vandaag de hele dag in haar ochtendjas rondgelopen. Toen ik haar om drie uur vanmiddag vroeg of ze nog van plan was om haar haar te borstelen en zich aan te kleden, zei ze: 'Waarom zou ik? Het zou je vader nog niet opvallen als ik naakt rondliep met een roos tussen mijn tanden.'

Mijn vader heeft vandaag de hele dag naast zijn antieke grammofoon gezeten en eindeloos zijn oude platen van Roy Orbison gedraaid.

Hun huwelijk is duidelijk naar de knoppen. Het is net alsof je naar een film van Bergman kijkt. Misschien moet ik ze vertellen dat hun allerliefste dochter toch geen Nobelprijs gaat winnen, aangezien ze het laboratorium vaarwel heeft gezegd om haar vriendje van de drugs af te helpen. Dat zou ze flink wakker schudden. Ha ha ha.

De hele middag bezig geweest met brieven schrijven. Ik wilde net de deur uit gaan om ze te posten, toen mijn moeder zei: 'Behalve jou ken ik niemand die nog iets met Tante Pos te maken wil hebben.'

'Behalve jou ken ik niemand die nog denkt dat roken goed is voor je longen,' repliceerde ik.

'Aan wie schrijf je?' wilde ze weten.

Ik wilde haar niet vertellen dat ik Jordan en David Beckham heb geschreven, dus ik maakte me snel uit de voeten, voordat ze de adressen op de enveloppen kon lezen.

Wisteria Walk
Ashby de la Zouch
Leicestershire

Jordan
p/a *Daily Star*
Express Newspaper Group
Lower Thames Street 10
Londen EC3

6 oktober 2002

Beste Jordan,

Ik werk momenteel aan een boek over roem en de schadelijke invloed daarvan op onze beroemdheden. Ik weet waar ik het over heb. In de jaren negentig was ik zelf beroemd, en ik had mijn eigen televisieshow: *Beestachtig goed!* Ik werd toen verpletterd door het gewicht van het beroemd-zijn, zoals ook jij op een dag verpletterd zult worden.

Ik zou graag een afspraak willen maken voor een interview, op een dag dat het ons allebei uitkomt. Maar wel in Leicester, want ik werk fulltime. Een zondagmiddag zou me goed uitkomen.

Mijn vader en ik hadden het trouwens onlangs over je borsten. We waren het erover eens dat ze bijzonder ontzagwekkend zijn. Mijn vader zei dat iemand die in dat decolleté valt dagenlang onvindbaar kan blijven.

Mijn vriend Parvez vergeleek ze met massavernietigingswapens, en mijn chiropractor voorspelt dat je in de toekomst last zult krijgen van pijn in de onderrug ten gevolge van het gewicht dat je meetorst op je ribbenkast.

Volgens de geruchten zou je nog grotere implantaten overwegen. Dat raad ik je af.

Neem alsjeblieft contact met me op. Ik kan je helaas geen honorarium of onkostenvergoeding aanbieden, maar uiteraard ontvang je een gratis presentexemplaar van mijn boek (voorlopige titel: *Roem en waanzin*).

Met vriendelijke groet,

A.A. Mole

David Beckham
p/a Manchester United
Old Trafford
Manchester M16

Wisteria Walk
Ashby de la Zouch
Leicestershire

6 oktober 2002

Beste David,

Neem alsjeblieft even de tijd om deze brief te lezen. Ik verzeker je dat ik geen domme voetbalfan ben die om een gesigneerde foto vraagt.

Ik werk momenteel aan een boek over roem en de schadelijke invloed daarvan op onze beroemdheden. Ik weet waar ik het over heb. In de jaren negentig was ik zelf beroemd, en ik had mijn eigen televisieshow: *Beestachtig goed!* Ik werd toen verpletterd door het gewicht van het beroemd-zijn, zoals ook jij op een dag verpletterd zult worden.

Ik zou graag een afspraak willen maken voor een interview, op een dag dat het ons allebei uitkomt. Maar wel in Leicester, want ik werk fulltime. Een zondagmiddag zou me goed uitkomen.

Voel je alsjeblieft niet beledigd over wat ik nu ga zeggen – jij kunt het ook niet helpen dat je ouders niet genoeg geld hadden om je naar een behoorlijke school te sturen – maar ik hoorde je gisteravond op televisie en je hebt de juiste vervoeging van het werkwoord 'hebben' kennelijk nog steeds niet onder de knie. Het is niet 'elk nadeel héb z'n voordeel' maar 'elk nadeel hééft z'n voordeel'.

Neem alsjeblieft contact met me op. Ik kan je helaas geen honorarium of onkostenvergoeding aanbieden, maar uiteraard ontvang je een gratis presentexemplaar van mijn boek (voorlopige titel: *Roem en waanzin*).

Met vriendelijke groet,

A.A. Mole

Maandag 7 oktober

Belde onderweg naar mijn werk mijn juridisch adviseur David Barwell, maar ik kwam niet verder dan zijn secretaresse Angela. 'Meneer Barwell heeft zijn handen vol aan een astma-aanval ten gevolge van het nieuwe tapijt dat afgelopen weekend is gelegd,' deelde ze me mede.

Ik liet weten dat ze vandaag of morgen bericht kunnen verwachten van Mark B'astard, in verband met de loft in de voormalige accufabriek aan Rat Wharf.

'Het zou verspilde moeite zijn om dat aan meneer Barwell te vertellen,' zei ze verbitterd. 'Ik doe al het werk hier. Het enige wat hij doet, is achter zijn bureau zitten en met zijn inhaler pielen.'

Ik heb tien minuten voor de winkel staan wachten, want meneer Carlton-Hayes kon zijn auto niet kwijt. Ik zag hem aan komen lopen door High Street. Hij zag eruit alsof hij elk moment in kon storten. Ik weet niet hoe lang hij het nog volhoudt met de winkel. Dat moet mij weer overkomen.

'Het spijt me heel erg dat ik je heb laten wachten, lieverd,' zei hij.

Ik pakte de sleutels van hem aan en maakte de deur open. In de winkel leunde hij tegen de kast met biografieën om op adem te komen.

'Als we hier een gezellig bankstel hadden staan, zoals ik heb voorgesteld, zou u nu kunnen gaan zitten om bij te komen,' zei ik tegen hem.

'Dit is Ikea niet, Adriaan, lieve schat, dit is een boekwinkel.'

'Klanten verwachten tegenwoordig dat ze ergens kunnen zitten in een boekwinkel, en ze verwachten ook dat ze er een kop koffie kunnen drinken en naar het toilet kunnen gaan.'

'Iemand die een behoorlijke opvoeding heeft gehad gaat de deur niet uit voordat hij van zijn eigen toilet gebruik heeft gemaakt en een kop koffie heeft gedronken,' wierp hij tegen.

We hebben vandaag weer het gebruikelijke aantal gekken over de vloer gehad. Een liefhebber van stoomtreinen met een rode baard en een met plakband bij elkaar gehouden bril vroeg me of we de Russische dienstregeling van de Transsiberië Expres uit 1954 hadden. Ik heb hem onze afdeling Spoorwegen gewezen en hem uitgenodigd zelf op zoek te gaan tussen het beschimmelde drukwerk over treinen dat meneer Carlton-Hayes per se in voorraad wil hebben.

Een vrouw met gemillimeterd haar en lange oorbellen vroeg of ik belangstelling had voor een eerste druk van *De vrouwelijke eunuch*. Ik zou het niet hebben gekocht, het werkje was ernstig beduimeld, de stofomslag ontbrak, en iemand had met een rode pen kwistig in de tekst zitten kliederen. Maar meneer Carlton-Hayes bemoeide zich ermee en hij bood de vrouw vijftien pond. Soms krijg ik het gevoel dat we een soort Leger des Heils zijn in plaats van Leicesters oudste boekhandel voor gebruikte en antiquarische boeken.

Enfin, vlak voor sluitingstijd kwam er een jonge vrouw binnen, en ze vroeg of we haar konden helpen aan een exemplaar van *Stoffering van uw poppenhuis in regency-stijl*. Voorzover ik het kon zien, had ze een heel aardig figuur en dito gezicht. Ze had de slanke polsen en vingers waar ik van hou. Vandaar dat ik deed alsof ik uitgebreid aan het zoeken was.

'Weet u zeker dat er een boek met die titel bestaat?' vroeg ik haar.

Ze vertelde dat ze het boek ooit had gehad, maar ze had het uitgeleend aan iemand die net als zij poppenhuizen als liefhebberij had, en deze persoon was naar Australië geëmigreerd en had het boek meegenomen. Ik heb haar laten weten dat ik meeleefde en haar een opsomming gegeven van alle boeken die ik zelf door de jaren heen heb uitgeleend en nooit teruggekregen. Ze vertelde me dat ze een verzameling van achttien poppenhuizen heeft en dat ze de stoffering van al deze poppenhuizen grotendeels zelf heeft gemaakt, niet alleen de gordijnen, maar zelfs de bekleding van de miniatuurstoelen. Ik vermeldde tussen neus en lippen door dat ik gordijnen nodig zou hebben als ik naar mijn loft ga verhuizen en vroeg haar of zij die misschien voor me kon maken. Ze zei dat de langste gordijnen die zij ooit heeft gemaakt niet langer waren dan vijftien centimeter.

Haar haar kan wel een kleurspoeling gebruiken, maar ze heeft mooie blauwe ogen achter haar bril. Ik heb haar beloofd dat ik thuis op internet zou kijken en dat ik haar morgen terug zal bellen.

Ik vroeg haar naam en telefoonnummer.

'Ik heet M. Flowers,' zei ze. 'Ik heb geen mobiele telefoon vanwege de gezondheidsrisico's, maar u kunt me bellen op het vaste toestel van mijn ouders.' En ze gaf me het nummer.

'Ze werkt bij Country Organics,' vertelde meneer Carlton-Hayes, 'de natuurwinkel op het marktplein.'

We gingen naar het kantoortje aan de achterkant. Ik telde de inkomsten, en meneer Carlton-Hayes zat achter zijn bureau, rookte een pijp en las een boek met de titel: *Perzië, de geboorteplaats van onze beschaving*.

Ik vroeg hem wat er van Perzië was geworden.

'Dat is Irak geworden, lieverd,' zei hij.

Thuis in Ashby de la Zouch ging ik meteen naar mijn kamer, ik zette mijn laptop aan en liet Google zoeken naar 'Stoffering van uw poppenhuis in regency-stijl'. Er waren 281 hits. Bij Woodbooks hadden ze *Zelf meubels maken voor uw antieke poppenhuis*, maar bij McCurray's Books hadden ze twee titels die me geschikter leken: *Stoffering van uw poppenhuis* voor £ 14,95 en *Miniatuurborduurwerk voor uw poppenhuis in verschillende oude stijlen, zoals Queen Anne en Regency* voor £ 21,95.

Ik belde het nummer dat M. Flowers me had gegeven.

Een man nam op. 'Met Michael Flowers,' dreunde een zware mannenstem. 'Met wie spreek ik?'

Ik vertelde hem dat ik Adriaan Mole van de boekwinkel was en belde voor juffrouw Flowers.

'Marigold!' brulde de man. 'Iemand van de boekwinkel.'

Dus ze heet Marigold Flowers. Geen wonder dat ze haar voornaam niet wilde geven. Het duurde een tijd voordat ze aan de lijn kwam. Terwijl ik wachtte hoorde ik Rolf Harris op de achtergrond 'Jake the Peg' zingen, gevolgd door 'Two Little Boys'. Is het mogelijk dat iemand in Marigolds familie een plaat, bandje of cd van Rolf Harris heeft en er nog naar lúístert ook?

'Hallo,' klonk Marigolds bedeesde stem uiteindelijk. 'Sorry dat het zo lang duurde. Ik zat net in een kritiek stadium met de *shepherd's pie*.'

'Bij het eten of het klaarmaken?' grapte ik.

'O, bij het klaarmaken,' zei ze ernstig. 'Als je de wortelschijfjes niet gelijkmatig verdeelt, raakt het hele gerecht uit zijn evenwicht.'

Dat beaamde ik, waarop ik zei dat ze zo te horen een perfectionist was, net als ik. Vervolgens liet ik haar weten welke titels ik had opgespoord. Ze zei dat ze al in het bezit was van *Stoffering voor uw poppenhuis*, maar ze was enthousiast over het borduurwerk en vroeg of ik het voor haar wilde bestellen.

Om haar aan de praat te houden, vroeg ik of er ook poppenhuizen in de vorm van een loft bestonden. Ze zei dat ze contact zou opnemen met de Nationale Vereniging van Poppenhuisliefhebbers, waar ze lid van is, en dat het misschien haar volgende project zou worden.

Toen ik neerlegde nam ik een bekend gevoel waar, de mengeling van blijdschap en zenuwen die ik altijd ervaar vlak voordat ik verliefd ga worden.

Dinsdag 8 oktober

Wat er gisteravond gebeurde is wel zó toevallig. Mijn moeder ontdooide een shepherd's pie die ze een paar weken geleden had gemaakt. De worteltjes waren uiterst chaotisch verdeeld. Dit moet haast wel een teken zijn. Ik vroeg mijn moeder waarom ze juist dit gerecht uit de vriezer had gehaald. 'Ik had honger,' zei ze.

Woensdag 9 oktober

Een brief van Glenn.

Royal Logistics Corps
Deepcut Barracks
Surrey

Beste pa,

Ik hoop dat het goed met je gaat. Met mij gaat het goed. Ik spijt me dat ik niet eerder heb geschreven. Ik heb het heel druk gehad met mijn basistraining. Ze houden ons dag en nacht bezig, zeven dagen per week. Het is allemaal geschreeuw en pesterige opmerkingen. Sommige jongens huilen als ze 's nachts in bed leggen. Soms wil ik hier het liefst weg en terug naar huis, pa. Ik hoop dat ik het volhou. Kom je naar de parade om het halen van mijn Algemene Militaire Opleiding te vieren, op vrijdag 1 november? Ik zou het leuk vinden als mama en opa en oma ook komen. Ik weet dat William niet kan komen omdat hij in Afrika is. Ik vindt dat echt verkeerd van je, pa, dat je William naar zijn moeder hebt gestuurd. Jij hebt hem grootgebracht. Je had hem bij je moeten houden in Engeland. Ik weet wel dat Jo Jo oké is, maar William spreekt geen Nigeriaans en hij houdt niet van het eten daar. Ik zag Pandora laatst op tv. Ik vertelde een paar jongens dat ze vroeger nog jouw vriendin is geweest, maar niemand geloofde me omdat ze een kakmadam is. Nu maken ze me belachelijk, pa, ze noemen me Baron Bott. Nou, dat was het weer.

Hartelijke groet,
Je zoon Glenn

Voor ik het vergeet, zeg tegen oma Pauline dat ze een hoed op moet. Dat hoort zo.

Waarom zet hij er 'je zoon' bij? Hoeveel andere Glenns ken ik nou die in het leger zitten?

Ik liet mijn moeder Glenns brief lezen.

'Ik zal de nerts dragen die al dertig jaar in de kast hangt,' kondigde ze aan. 'Ik bedoel, bij een parade van het leger hoef ik toch niet bang te zijn voor antibontprotesten?'

Donderdag 10 oktober

Een dikke man van middelbare leeftijd kwam vanochtend de winkel binnen en vroeg om een 'schoon exemplaar' van John Updikes *Couples*.

Ik zei, reuze gevat vond ik zelf, dat een schoon exemplaar van *Couples* een *contradictio in adjectivo* moest zijn.

'Hebben jullie het of niet?' vroeg Dikzak geïrriteerd.

Meneer Carlton-Hayes had ons gesprek opgevangen en was al op zoek tussen de gebonden Amerikaanse fictie. Toen hij het boek had gevonden, drukte hij het Dikzak in handen met de woorden: 'Een fascinerend sociaal document over de seksuele mores van mensen die volgens mij over te veel vrije tijd beschikken.'

Dikzak mompelde dat hij het nam. Toen hij de winkel verliet, keek hij me aan en hoorde ik hem mompelen: 'Uitslover.' Mijn subtiele gevoel voor humor was duidelijk niet aan hem besteed. Of zou ik hem verkeerd hebben verstaan?

Nigel kwam vanmiddag langs nadat hij bij de oogarts in het Royal Hospital was geweest. Hij is zogenaamd mijn beste vriend, maar ik had hem al een halfjaar niet gezien.

De laatste keer dat ik hem had gesproken, was aan de telefoon. Hij zei dat hij allergisch was voor de gay clubs in de provincie, omdat de bezoekers daar alleen maar hunkeren naar het gezelschap van gelijkgezinden, dit in tegenstelling tot de Londense clubs, waar alles draait om 'muziek en seks'.

Ik zei dat er meer is in het leven dan muziek en seks.

'Dat is nou precies het verschil tussen ons, Moley,' antwoordde hij.

Ik schrok ervan dat hij zo is veranderd. Hij is nog steeds knap, maar zijn gezicht is een beetje getekend, en het is duidelijk al een hele tijd geleden dat hij zijn haar heeft laten kleuren.

Hij was nog zichtbaar aangeslagen door het slechte nieuws. 'De oogarts heeft mijn ogen onderzocht, en toen bleef het akelig lang stil voordat hij zei: "Bent u hier zelf naartoe gereden, meneer Hetherington?" Ik bevestigde dat ik met de auto uit Londen was gekomen. Hij zei: "Helaas kan ik u niet terug laten rijden. Uw zicht is zo ernstig achteruitgegaan dat ik u als slechtziend moet registreren."'

Ik zocht koortsachtig naar een of andere positieve opmerking, maar kon niets beters verzinnen dan: 'Je hebt het altijd prettig gevonden om een zonnebril te dragen, Nigel. Nu mag je er het hele jaar een dragen, dag en nacht, zonder dat mensen denken dat je penoze bent.'

Nigel leunde achterover tegen de tafel met koopjes, en een hele stapel *Finnegans Wakes* viel om. Ik zou hem in een stoel hebben geholpen als we die hadden gehad.

'Hoe moet ik nou leven zonder mijn auto, Moley?' zei Nigel. 'Hoe kom ik terug in Londen? En hoe kan ik nou een media-analist zijn als ik die stomme kranten niet eens kan lezen?'

Ik zei dat het me een heel slecht idee leek dat hij over de drukke M1 naar Londen zou rijden als hij slechtziend is.

'Ik heb de laatste tijd veel fouten gemaakt bij mijn werk,' vertelde Nigel. 'Ik kan al maanden geen gewoon drukwerk meer lezen zonder een vergrootglas.'

Ik belde de taxicentrale om een taxi naar het huis van zijn ouders voor hem te bestellen. De medewerker zei dat de meeste taxichauffeurs in de moskee waren om te bidden voor vrede, maar dat hij zsm een taxi zou sturen.

Toen ik had neergelegd, adviseerde ik Nigel om braille te leren.

'Ik ben nooit goed geweest met mijn handen, Moley,' verzuchtte hij.

Ik vroeg of hij nog kleuren kon zien.

'Ik kan bijna niets meer zien,' zei hij.

Het was een hele schrik voor me. Ik had gehoopt dat Nigel me zou willen helpen bij het inrichten van mijn nieuwe loft. Vroeger had hij een goed kleurgevoel.

Ik hielp hem in de taxi en gaf de chauffeur het adres van zijn ouders.

'Ik kan heus nog wel praten, Moley!' viel Nigel geprikkeld uit.

Ik hoop dat hij niet zo'n verbitterde blinde wordt, zoals meneer Rochester in *Jane Eyre*.

Vrijdag 11 oktober

Vanochtend belde ik Johnny Bond van het reisbureau om te onderhandelen over de teruggaaf van mijn voorschot.

'Heeft je vriendje de premier dan nog steeds geen bewijs opgehoest?' vroeg hij honend.

Ik antwoordde dat meneer Blair momenteel op bezoek is bij meneer Poetin in diens jachtverblijf, in de hoop dat hij hem over kan halen om samen met Engeland en Amerika de aanval op Saddam Hoessein te openen.

'Hij krijgt Rusland, Duitsland en Frankrijk nooit zo gek dat ze meedoen aan zijn illegale oorlog,' zei Bond.

Zaterdag 12 oktober

Vanochtend werd *Miniatuurborduurwerk voor uw poppenhuis in verschillende oude stijlen* door FedEx bezorgd. meneer Carlton-Hayes was diep onder de indruk.

'Als we hier een computer hadden, meneer Carlton-Hayes,' zei ik, 'zouden we online boeken kunnen bestellen en zo onze omzet kunnen verdubbelen.'

'Maar, Adriaan, schat,' zei hij, 'we doen het toch heel aardig? Jij en ik verdienen genoeg om van rond te komen, we dekken de kosten, en we zijn de hele dag omringd door de boeken waar we zo van houden. Wat wil je nou nog meer?'

Het was geen retorische vraag, hij wilde het echt weten. Ik mompelde dat ik van mijn werk houd maar, dagboek, ik zou de winkel maar wat graag willen moderniseren. We hebben niet eens een elektrische kassa.

In mijn lunchpauze liep ik naar het marktplein. Marigold was aan het werk in Country Organics, schreef limabonen voor aan een uitgebluste vrouw met een lichte depressie. Toen de vrouw weg was, het papieren zakje tegen haar borst geklemd, zei ik tegen Marigold: 'Het leek me leuk om het je zelf te komen brengen.'

Ze haalde het boek uit de envelop van FedEx en riep: 'Mama, het is er!'

Een grote vrouw met een gezicht dat me aan een biggetje deed denken, kwam naar de toonbank. Ik heb nog nooit iemand met zo'n roze huidskleur gezien. Misschien heeft ze een of andere huidziekte, of anders heeft ze onlangs een ongelukje gehad met een hoogtezon.

'Hoe maakt u het, mevrouw Flowers?' zei ik met uitgestoken hand.

'Ik geef u geen hand, als u het niet erg vindt,' zei ze.

'Mama vindt handen geven ouderwets,' verklaarde Marigold, duidelijk slecht op haar gemak.

Mevrouw Flowers pakte het boek aan en begon erin te bladeren, haar kleine oogjes nog verder dichtgeknepen. Marigold keek haar angstig aan, alsof ze op haar oordeel wachtte. Ik begon zelf ook een beetje nerveus te worden. Ik voel me altijd ongemakkelijk in het bijzijn van vrouwen die groter zijn dan ik.

'Ik wist niet dat het boek voor u was, mevrouw Flowers,' zei ik.

'Het is niet voor mij,' antwoordde ze, 'maar er zijn vaak mensen die misbruik maken van Marigolds goedgelovigheid. Hoeveel vraagt u voor dit boek?'

Ik zei dat het boek $ 21,95 kostte, plus $ 25 voor het verpakken en verzenden.

'Hoeveel is dat in ons eigen Engelse geld?' wilde mevrouw Flowers weten.

Ik overhandigde haar de bon.

'£ 29,75! Voor een boekje van maar 168 bladzijden?'

'Het is binnen drie dagen overgevlogen uit Amerika, mevrouw Flowers.'

Ze smeet het boek op de toonbank en zei tegen Marigold: 'Als jij je geld wilt verspillen, ga dan vooral je gang, maar dan kunnen je vader en ik net zo goed niet op alles beknibbelen omdat we de winkel open willen houden.'

'Zal ik het maar terugnemen?' vroeg ik Marigold.

'Dat is misschien wel beter,' zei ze zacht. 'Het spijt me.'

Toen ik terugkwam in de winkel, vertelde ik meneer Carlton-Hayes dat *Miniatuurborduurwerk voor poppenhuizen in verschillende oude stijlen* door de klant was afgewezen.

'Het geeft niet, Adriaan,' zei hij. 'Er is in Leicester vast nog wel iemand met belangstelling voor miniatuurborduurwerk in verschillende oude stijlen.'

Zondag 13 oktober

Eerste kwartier van de maan

Een mailtje van Rosie:

Aidy, heb je het nieuws gezien over die bom op Bali? Mijn vriendin Emma is via Bali onderweg naar Australië. Zou jij alsjeblieft het informatienummer voor me kunnen bellen? Ik heb geen beltegoed. Ze heet Emma Lexton en ze is twintig.

Ik mailde terug:

Informatie wordt alleen verstrekt aan de naaste familie. Ik stuur je tien pond per aangetekende post. Geef het niet aan Simon. Bel mama een keer. Ze maakt zich zorgen.

Maandag 14 oktober

Geen antwoord van Zijne Excellentie Tony Blair, noch van Jordan of Beckham.

Beste heer Blair,

Mijn brief van 29 september is in de verwarring van deze turbulente tijden wellicht over het hoofd gezien of zoekgeraakt. Ik sluit een kopie bij en zou een spoedig antwoord bijzonder op prijs stellen. Mijn reisbureau, Latesun Ltd, wil nog steeds het door mij betaalde voorschot van £ 57,10 niet teruggeven.

Inmiddels verblijf ik,

Hoogachtend,

A.A. Mole

Voor de bijeenkomst van de plaatselijke Vereniging van Creatieve Schrijvers waren vanavond maar vier leden komen opdagen. Ik was er, en verder waren er Gary Milksop, Gladys Fordingbridge en Ken Blunt. We kwamen zoals gewoonlijk bij elkaar in Gladys' voorkamer, ingeklemd tussen kattenprullaria en foto's van haar immense familie.

Ik opende de bijeenkomst door voor te lezen uit mijn dramatische monoloog 'Moby Dick Spreekt', waarin we van de walvis horen hoe het is om aan een harpoen te worden gespiesd.

Al vrij snel werd ik door Gladys onderbroken. 'Ik kan er geen touw aan vastknopen. Wat is dit? Is het zogenaamd de vis die praat of zo?'

Ken Blunt drukte zijn sigaret uit in een kattenasbak. 'Gladys, een walvis is geen vis maar een zoogdier.'

Ik las verder, maar merkte dat mijn toehoorders er niet meer bij waren.

Aan het eind van mijn verhaal kwetterde Gary: 'Knap gevonden hoor, kapitein Ahab die eruitziet als een man die zonder ziel is geboren.'

Gladys las haar nieuwste kattengedicht voor, iets onzinnigs over poezen die liggen te soezen. Omdat ze zesentachtig is, kreeg ze uiteraard wel applaus.

Gary Milksop volgde met het laatste hoofdstuk van de proustiaanse roman die hij al vijftien jaar aan het schrijven en herschrijven is. Hij had er tweeduizend woorden voor nodig om zijn vroegste jeugdherinnering te beschrijven: het eten van een kaakje.

Milksop gaat altijd huilen als hij kritiek krijgt.

'Goed gedaan, Gary,' zei Ken Blunt. 'Heel levensecht, hoe dat kaakje oplost in de thee.'

Ik deelde de groep mede dat ik nog geen gastspreker voor ons diner van 23 december heb weten te strikken, maar dat ik meerdere ijzers in het vuur heb.

Ken vertelde dat hij er niet aan toe was gekomen om voor deze bijeenkomst iets te schrijven, omdat hij dubbele diensten moest draaien in de chipsfabriek waar hij werkt. Ze introduceren een nieuwe smaak.

'En welke smaak is dat?' vroeg Gladys.

'Ik heb ervoor getekend dat ik geen vertrouwelijke informatie naar buiten breng,' zei Ken.

'Het gaat toch niet om spionage,' wierp ze tegen. 'Het zijn gewoon stomme chips!'

Ik schakelde op een ander onderwerp over door ze te vertellen dat ik ging verhuizen naar een loft in de voormalige accufabriek aan Rat Wharf, en dat we onze bijeenkomsten in de toekomst daar zouden kunnen houden.

'Mijn man heeft er ooit gewerkt,' vertelde Gladys. 'Hij morste een keer accuzuur. Het heeft zijn manlijkheid op een haar na gemist.'

Ik heb de groep niet opgezet met iemand als Gladys in gedachten.

Dinsdag 15 oktober

Tussen de middag kwam Marigold in de winkel om *Miniatuurborduurwerk voor poppenhuizen in verschillende oude stijlen* te kopen, maar ze vroeg of ik het niet aan haar moeder wil vertellen. Ze zou het boek meenemen naar de zolder, waar ook de meeste van haar poppenhuizen staan. Ze vertelde dat haar ouders er nooit komen; ze komen de zoldertrap niet op.

Ik zei dat ik graag haar poppenhuizen een keer wil zien en dat ik geen enkel probleem heb met het beklimmen van zoldertrappen.

Haar ouders doen 'moeilijk' over bezoekers.

'Zijn ze nooit weg?' vroeg ik.

Alleen op vrijdag, vertelde ze. Dan gaan ze naar de repetitie van het Madrigaal Ensemble.

'Dat is ook toevallig,' zei ik. 'Vrijdag is de enige avond dat ik vrij ben.' Ik glimlachte om haar te laten zien dat het een grapje was en dat ik haar op haar gemak wilde stellen.

Ik heb totaal geen belangstelling voor poppenhuizen. Het laatste poppenhuis dat ik heb gezien was van Rosie; het was van plastic, zo'n ordinair ranch-achtig geval, en het werd bewoond door Barbie en haar vriend Ken.

Ik vroeg Marigold of ze zin had om na het werk iets te gaan drinken. Ze zei dat ze niet goed tegen alcohol kan.

'Koffie dan?' opperde ik.

'Koffie?' herhaalde ze, alsof ik vers varkensbloed had voorgesteld.

Ik zei dat ik had gehoord dat rode wijn goed is voor de bloedsomloop.

'Goed,' zei ze. 'We gaan een glas rode wijn drinken, maar vanavond kan ik niet. Ik moet het mijn ouders van tevoren laten weten.'

'Morgen dan?' vroeg ik.

'Goed,' zei ze, 'maar dan moet je me wel thuisbrengen. We wonen in Beeby on the Wold en de laatste bus gaat om halfzeven weg uit Leicester.'

Om de een of andere reden hadden we bijna gefluisterd. Marigold gedraagt zich alsof ze een spion op vijandelijk terrein is. Haar huid is prachtig. Mijn vingers jeukten om haar gezicht te strelen.

Toen ik thuiskwam in Ashby de la Zouch lieten mijn ouders weten dat ze het huis gaan verkopen. Een of andere idioot heeft ze £ 180.000 geboden, inclusief overname van de afzichtelijke vloerbedekking en gordijnen. Ik merkte op dat ze hetzelfde bedrag kwijt zijn als ze iets soortgelijks willen kopen.

'Aha!' riep mijn vader triomfantelijk. 'Maar we gaan niet iets soortgelijks kopen. We kopen een bouwval en die knappen we op.'

Ik liet ze alleen met de huizenbijlage van de *Leicester Mercury*, waarin ze de meest vervallen huizen in de armoedigste wijken met pen omcirkelden.

Hun vermoeide oude gezichten straalden van enthousiasme. Ik kon het niet over mijn hart verkrijgen om hun bespottelijke plannen een koude douche te geven.

Ze hebben allebei twee linkerhanden.

Woensdag 16 oktober

Vanochtend zorgvuldig kleren in natuurlijke kleuren uitgekozen. Meneer Carlton-Hayes complimenteerde me met mijn aftershave. Ik vertelde dat ik de fles vier jaar geleden met Kerstmis van Pandora heb gekregen en dat ik het spul alleen voor heel bijzondere gelegenheden gebruik. Hij zei dat hij in het vakblad voor de boekenbranche had gelezen dat Pandora een boek had geschreven, *Uit de doos*. Het moet in juli 2003 uitkomen.

Ik vroeg meneer Carlton-Hayes of hij enkele exemplaren wil bestellen. Pandora maakt immers deel uit van de regering en ze is voortdurend op televisie.

Hij vroeg of het waarschijnlijk was dat Pandora's boek door iemand anders was geschreven. Ik antwoordde dat dat hoogst onwaarschijnlijk was, Pandora is een *control freak* die een keer door het lint is gegaan toen ik de zender van haar autoradio had veranderd.

Ik had met Marigold afgesproken in de Euro Wine Bar – vroeger zat er een filiaal van de Barclays Bank – en we zaten waar je vroeger in de rij stond voor de loketten. Ik vroeg de wijnkaart. De ober brulde boven de salsamuziek uit dat ze geen wijnkaart hadden en dat we konden kiezen tussen rood of wit, zoet of droog.

Marigold nam zoete rode omdat haar bloedsuiker laag was. Ik bestelde droge witte.

Vanwege het kabaal viel het niet mee om een gesprek te voeren. Vlak boven ons hing een box. Ik keek naar de andere klanten. De meesten waren jong en deden zo te zien aan liplezen. Misschien was het een uitje van de Nationale Vereniging van Doven en Slechthorenden.

Na een tijdje gaven Marigold en ik het op en bekeken we de tientallen zilveren bedeltjes van haar bedelarmband.

Een groep vriendinnen (duidelijk een vrijgezellenavondje) kwam binnen – een verzameling vrouwen verkleed als verpleegsters in minirokjes en netkousen – en ging aan het tafeltje naast het onze zitten. Een van hen haalde een opwindbare penis tevoorschijn. Het ding draaide rondjes, maar op een gegeven moment ging het mis en viel het speeltje tegen Marigolds been. Ik betaalde de rekening en we maakten ons snel uit de voeten.

Ik vroeg Marigold of ze van Chinees eten hield.

'Ik ben een beetje huiverig voor ve-tsin,' antwoordde ze.

Toen we langs de klokkentoren liepen, keek ik om me heen naar alle jonge mensen die zich daar hadden verzameld, en ik besefte dat ik met mijn vierendertigenhalf waarschijnlijk de oudste persoon in de wijde omgeving was. Zelfs de agenten in het geparkeerde Transitbusje zagen eruit als kinderen.

Donderdag 17 oktober

Het duurde eindeloos voordat ik gisteravond in slaap viel. Ik lag wakker in het donker en dacht aan Marigold. Ze is een broos en gevoelig schepsel. Ze heeft iemand nodig die haar zelfvertrouwen kan geven en haar bevrijdt van haar bemoeizieke ouders.

Ik nam haar mee naar Wongs restaurant en bestelde Menu C. We aten kroepoek, wontonsoep, knapperige pekingeend met pannenkoekjes, kip met citroen en honing, en zoetzure gehaktballetjes met gebakken rijst.

Ik vroeg de ober, Wayne Wong, die ik nog ken van de middelbare school, om het bestek weg te halen en ons eetstokjes te geven, en ik vroeg of hij tegen de kok wilde zeggen dat hij zuinig moest zijn met de ve-tsin.

Volgens mij was Marigold onder de indruk van mijn zelfverzekerde en kosmopolitische optreden.

Wayne had ons de beste tafel gegeven, naast het enorme aquarium, waar Koikarpers van vijfhonderd pond per stuk in rondzwemmen.

'Ik vind ze een beetje griezelig,' zei Marigold.

Ik legde mijn hand op de hare. 'Wees maar niet bang. Ze kunnen er echt niet uit.' Ik vroeg of ze liever aan een ander tafeltje wilde zitten.

'Nee hoor. Ze zijn alleen zo groot. Ik houd meer van kleine dingen.'

Dit is de eerste keer sinds ik seksueel actief ben dat ik me zorgen maak dat een vrouw mijn jongeheer te groot zal vinden. Ik verheug me nu al op onze afspraak van morgen.

Vrijdag 18 oktober

Rosie stuurde een tekstbericht:

M is veilig in Woolgoolga.

Ik was al bijna in Leicester toen ik besefte wat haar bericht betekende.

Ik vertelde meneer Carlton-Hayes dat ik die avond naar Marigolds huis zou gaan om haar poppenhuizen te bewonderen.

'Ga je naar het huis van Michael Flowers?' vroeg hij verbaasd. 'Wees alsjeblieft voorzichtig, lieverd. Het is een vreselijke man.'

Ik vroeg hem waar hij hem van kende.

'Flowers was vroeger vice-voorzitter van de Literaire en Filosofische Vereniging hier. We hebben knallende ruzie gehad over Tolkien. Ik zei dat zelfs een kerngezonde man misselijk wordt van de openingsalinea's van *In de ban van de ring*. Het liep zo hoog op dat we op het parkeerterrein van de bibliotheek met elkaar op de vuist zijn gegaan.'

'Met u als overwinnaar, hoop ik,' zei ik.

'Volgens mij wel,' zei hij bijna dromerig.

Ik legde uit dat Michael Flowers en zijn vrouw niet thuis zouden zijn tijdens mijn bezoek, wegens een repetitie van het Madrigaal Ensemble.

Toen hij zich even terugtrok in het kantoor, pakte ik *In de ban van de ring* en las ik de eerste bladzijde. Ik snap niet waar ze zich zo over hebben opgewonden, laat staan dat ik begrijp waarom ze zelfs met elkaar op de vuist zijn gegaan, hoewel het woord *eleventy* misschien een beetje vergezocht is.

Ik keek door het raam naar meneer Carlton-Hayes in zijn slobbertrui. Ik kon me hem onmogelijk vechtend op een parkeerterrein voorstellen.

Marigold droeg me op om in de hoofdstraat van Beeby on the Wold te parkeren. Daarna liepen we door de velden naar het gotische huis waar ze haar hele leven heeft gewoond, en we gingen via de achterdeur naar binnen. Ze wilde niet dat de buren me zagen. Ik keek om me heen. Er waren geen buren.

Binnen was het ijskoud en aardedonker. Blijkbaar gelooft Michael Flowers niet in centrale verwarming. Hij gelooft in het dragen van vele lagen wol en bezig blijven.

Marigold was duidelijk erg zenuwachtig.

'Misschien is dit geen goed idee,' zei ik.

'Ik ben een vrouw van dertig,' zei ze. 'Waarom zou ik mijn poppenhuizen niet aan een vriend kunnen laten zien?'

We liepen door een sombere hal. Er lag een stapel bibliotheekboeken en bandjes op een tafel, wachtend tot iemand ze terug zou brengen. Een van de bandjes was *Rolf Harris Life.*

'Rolf Harris en madrigalen?' vroeg ik.

'Mijn vader heeft een onvoorspelbare smaak.'

Als inbrekers slopen we twee trappen op. Ik ging voor op de ladder naar de zolder, want Marigold droeg een rok. Vervolgens deed Marigold de lichten in de poppenhuizen aan. De eerste paar vond ik betoverend.

Ik was diep onder de indruk van het priegelige borduurwerk op de stoffering, en toen Marigold demonstreerde dat je de wc echt kon doortrekken, stond ik werkelijk paf. De volgende vond ik ook nog wel leuk, maar eerlijk gezegd, dagboek, verveelde ik me suf tegen de tijd dat het achttiende exemplaar aan de beurt was. Ik bleef echter belangstelling veinzen.

Ik was opgelucht toen we door de velden terugliepen naar de auto. Ik hield haar slanke hand in de mijne. Ik wilde haar ten huwelijk vragen, maar die opwelling heb ik onderdrukt.

We hebben nog een tijdje in de auto gezeten en over onze jeugd gepraat. We hebben het allebei moeilijk gehad. Ze vertelde dat het haar grootste angst is dat ze nooit het huis uit zal gaan en voor altijd de gevangene van haar ouders zal blijven. Haar twee oudere zussen Poppy en Daisy, zijn jaren geleden al gevlucht.

Om tien uur zei ze dat ze beter naar huis kon gaan om nog iets te eten voor haar ouders klaar te maken. Ik streelde haar gezicht. Haar huid is zo zacht als het zijden overhemd dat ik vroeger had. Als ze glimlacht, is ze bijna mooi. Ze heeft mooie tanden.

Eenmaal weer thuis vertelde ik mijn moeder een paar dingetjes over Marigold.

'Zo te horen is ze een nachtmerrie,' zei ze. 'Geloof me, blijf zo ver mogelijk uit de buurt van mensen die je nodig hebben. Ze zuigen je mee in hun ellende.'

Zij kan het weten, ze is met mijn vader getrouwd.

Zaterdag 19 oktober

In mijn lunchpauze ben ik naar Country Organics gelopen om Marigold een boekje te geven, *Welke kleren u beter kunt laten hangen* van Trinny Woodall en Susannah Constantine. Ik heb het nog niet eerder gezegd, dagboek, maar Marigold draagt absoluut de verkeerde kleren. Om de een of andere reden begrijpt ze niet dat je onder een halflange rok beter geen pantykousjes kunt dragen. Of dat limoengroene schoenen niet echt kunnen.

Toen ze de titel las, begon haar onderlip te trillen en kreeg ze tranen in haar ogen. Ze was duidelijk geroerd.

Achter de toonbank stond een grote bombastische man in een pluizige trui met bomen, duidelijk handgebreid door een bekende van hem, wellicht een vijand. Met luide stem lichtte hij een ouder echtpaar voor over genetisch gemanipuleerde gewassen. 'Laten we eerlijk zijn, ik weet waar ik het over heb, maar over vijftig jaar wil er in dit hele land geen boom meer groeien. Als we genetisch gemanipuleerde landbouw toestaan, kunnen we onze zangvogels en vlinders vaarwel zeggen. Is dat wat u wilt?'

Het oudere echtpaar schudde het hoofd.

Zijn kale schedel glom als een biljartbal onder het tl-licht. Zijn gele baard moest nodig bijgeknipt worden. Het was Michael Flowers. Ik had meteen op het eerste gezicht een hekel aan hem. Het liefst had ik willen schreeuwen: 'Ja, meneer Flowers, ik verheug me er nu al op dat we straks geen bomen en vogels en vlinders meer hebben.' Maar dat deed ik natuurlijk niet.

Kennelijk voelde Marigold mijn stemming goed aan, want ze stelde me niet aan haar vader voor. Somber verliet ik de winkel.

Zondag 20 oktober

Omdat mijn ouders 'tijdelijk' zonder auto zitten, vroegen ze me of ik hun een lift wilde geven naar Harrow Street, in een erbarmelijk armoedige wijk van Leicester, om te kijken naar wat mijn vader nogal hoogdravend een villa noemde. Op de foto van de makelaar stond een rijtjeshuis met dichtgetimmerde ramen en een schoorsteen waar gras uit groeide.

Ik waarschuwde dat Harrow Street in een wijk is waar de politie weigert te komen, maar ze zeiden dat ze na het bekijken van het huis thee zouden gaan drinken bij Tania Braithwaite en Pandora, die bij haar moeder op bezoek is vanwege de sterfdag van haar vader. Ik krijg nog steeds knikkende knieën als ze het over Pandora hebben, dus ik was als was in hun handen.

Het huis in Harrow Street was verspilde energie. Mijn vader was te bang om uit de auto te komen. Mijn moeder was dapper genoeg om door de brievenbus te gluren. Ze zei dat de huiskamer werd bewoond door een hele zwerm duiven. Zo te horen zaten ze er gezellig thee te drinken voor de televisie.

Toen mijn moeder weer instapte, kwam er een jongen met een capuchon over zijn hoofd naar haar toe. 'Yo, dame, wil je iets te roken scoren?'

'Vandaag niet, bedankt,' zei mijn moeder, alsof ze een gratis krant afsloeg.

Ze draaide zich om naar mijn vader, die op de achterbank zat. 'Weet je nog, dat we vroeger op zaterdagavond vaak een stickie rookten, George?'

'Stil!' siste mijn vader. 'Niet waar Adriaan bij is, Pauline.'

'Wanneer was dat?' vroeg ik. 'Was ik toen al geboren?'

'Het was in de jaren zestig, Adriaan,' antwoordde mijn moeder. 'In die tijd deed iedereen het.'

'Iedereen?' snoof ik. 'Oma Mole? Winston Churchill?'

Ik walgde van ze en heb de hele rit naar Tania's huis geen woord meer tegen ze gezegd.

Pandora zag er adembenemend mooi uit in een roomkleurig broekpak. Ik zal altijd van haar blijven houden.

Op het buffet stond een grote foto van Ivan, met een brandende kaars en een vaas met rode bloemen ernaast. De foto is genomen toen hij nog met Tania getrouwd was. Niemand had het over het feit dat hij op huwelijksreis was met mijn moeder toen hij verdronk. Of dat mijn vader samenwoonde met Tania toen het tragische ongeluk plaatsvond.

Toen Pandora naar buiten ging om in de tuin een sigaret te roken, ging ik haar achterna en vroeg ik haar of ik haar mocht interviewen voor mijn boek *Roem en waanzin*.

Ze schudde haar stroopkleurige haren naar achteren en bitste: 'Hoe dúrf je me een beroemdheid te noemen? Ik ben een serieuze politicus met een verpletterende werkdruk.'

Ik zei dat ik haar vaak genoeg in de *Hello!* heb zien staan, altijd in de armen van een of ander ouder type.

Ze zei dat ze machteloos stond tegenover de roddelpers. Zwijgend rookte ze haar sigaret, terwijl ik haar mooie gezicht bewonderde. Toen zuchtte ze diep. Ik vroeg wat er was.

Ze zei dat ze haar vader miste en voegde eraan toe: 'Praat je moeder er wel eens over?'

Ik vertelde dat ik alleen wist wat er in de kranten had gestaan en dat mijn moeder een zwaar trauma aan het drama had overgehouden.

'Zo zwaar dat ze jouw vader een week nadat mijn vader was begraven bij mijn moeder heeft weggelokt,' zei ze verbitterd.

'Dit soort gedrag is typerend voor de babyboomers, Pandora,' betoogde ik. 'Die hele generatie is moreel corrupt.'

Ik vertelde haar dat mijn ouders in de jaren zestig verslaafd waren geweest aan drugs. Ze lachte en zei dat je een paar jointjes op zaterdagavond niet bepaald een verslaving kunt noemen.

Ik vertelde haar van arme blinde Nigel. Ze wist het al en had hem in contact gebracht met de topman van het nationale blindeninstituut.

'Voor hulp?' vroeg ik.

'Nee, om geld in te zamelen,' zei ze. 'Nigel heeft goede contacten met de flikkermaffia. Hij is de aangewezen persoon om de roze ponden binnen te slepen.'

Tania riep ons binnen voor de aangeklede thee. Het werd een ongemakkelijk uurtje voor ons allemaal. We aten de sandwiches en we dronken de thee en haalden herinneringen op aan Ivan, hoewel er met geen woord over de omstandigheden rondom zijn waterige dood werd gerept.

Om de spanning te doorbreken vertelde ik Pandora dat ik Tony Blair een brief heb geschreven waarin ik hem verzoek om schriftelijke bewijzen dat er binnen drie kwartier massavernietigingswapens kunnen worden ingezet.

Mijn moeder zei: 'De krent windt zich erover op dat hij de aanbetaling voor een reisje niet terugkrijgt.'

Pandora vertelde dat ze meneer Blair tegenwoordig nog maar heel zelden ziet omdat hij voortdurend het land uit is. Ik vroeg haar of oorlog tegen Irak onvermijdelijk is.

'Ik heb geruchten gehoord dat het ministerie van Defensie medisch reservisten wil oproepen.'

'Dan zijn er straks nog minder artsen en verpleegsters in de ziekenhuizen,' concludeerde mijn moeder.

Mijn moeder had duidelijk zitten roddelen toen ik buiten was met Pandora, want Tania zei: 'Ik hoor dat je een nieuwe vriendin hebt, Adriaan.'

'Hoe heet ze?' vroeg Pandora.

Ik haalde diep adem. 'Marigold Flowers.'

Pandora gierde het uit, waarbij een half gekauwde sandwich met brie en cranberry's zichtbaar werd. 'Je zal toch Goudsbloem Bloemen heten! Je moet haar gauw een keer aan me voorstellen, dan nodig ik haar op de thee in het Lagerhuis.'

Dat zal ik doen, dagboek, maar eerst moet Marigold de kans hebben gehad om *Welke kleren u beter kunt laten hangen* te bestuderen en de adviezen in praktijk te brengen.

Maandag 21 oktober

Volle maan

Mijn juridisch adviseur David Barwell gaf telefonisch door dat hij de papieren van de makelaar en de hypotheekbank heeft ontvangen, en waarschuwde dat er een tekort van achtduizend pond is. Hij vroeg hoe ik het gat wilde dichten.

'Ik heb op mijn rekenmachine berekend dat er maar drieduizend pond in contanten ontbrak,' wierp ik tegen.

'Misschien waren de batterijen leeg,' opperde hij.

'Het is een rekenmachine op zonne-energie.'

'Maar zo veel zon hebben we de laatste tijd niet gehad, hè, meneer Mole? Hoe dan ook, uw berekening klopt niet.' En hij vroeg nogmaals hoe ik het tekort wilde aanvullen.

Ik vertelde hem dat ik vierduizend pond aan zuurverdiend spaargeld op de bank heb staan, en dat ik hoopte dat ik de rest zou kunnen lenen.

'De wet kan niets beginnen met hoop, meneer Mole. Alleen zekerheid telt. U dient het gehele bedrag voor het einde van de week af te geven op mijn kantoor, anders gaat de koop niet door.'

Vervolgens vroeg hij of hij me de naam van een onafhankelijk financieel adviseur moest geven. Ik vertelde hem dat mijn vader op aanraden van een onafhankelijk financieel adviseur zijn pensioen in aandelen had belegd.

Het bleef een hele tijd stil voordat Barwell reageerde. 'Touché.'

Ik belde meteen mijn bank in Calcutta en legde de vrouw aan de andere kant van de lijn mijn probleem uit. Ze zei dat ze me een formulier voor het aanvragen van een lening zou sturen.

Ik vroeg of dat in Calcutta op de bus zou worden gedaan.

'Nee,' zei ze. 'In Watford.'

Dinsdag 22 oktober

Geen spoor van een formulier.

Had met Marigold afgesproken na het werk. Ze droeg een rood geruit plastic diadeem.

Woensdag 23 oktober

Calcutta gebeld. Een of ander type vertelde me dat de bank op 21 oktober een formulier voor de aanvraag van een lening had gestuurd naar ene A. Vole in Leicester, North Carolina, VS.

Ik verzocht om een nieuw formulier en gaf mijn naam en het juiste adres. Ik benadrukte dat het dringend is.

Het leven van Pi heeft gisteravond de Booker Prize gewonnen. Mijn moeder vroeg waar het boek over gaat. Ik vertelde dat het gaat over een hindoestaans christelijk islamitisch jongetje dat samen met een Bengaalse tijger een jaar in een reddingsboot ronddobbert op de Stille Oceaan.

'Waarom heeft die tijger dat jongetje niet opgegeten?' wilde ze weten.

'Als de tijger dat jongetje had opgegeten, zou er nu geen boek zijn,' betoogde ik.

'Maar dat kan helemaal niet,' hield ze vol.

Mijn vader, beroemd vanwege zijn scherpzinnige literaire kritieken, deed ook een duit in het zakje. 'Een kind houdt het nog geen vijf minuten vol tegen een hongerige tijger.'

'Het verhaal is een allegorie,' zei ik en ik liep de keuken uit voordat ze me technische vragen over de reddingsboot konden gaan stellen.

Donderdag 24 oktober

Mijn pak van Hugo Boss naar de stomerij gebracht en de witte vlekken op de broek aangewezen. Ik heb de dame achter de toonbank uitgebreid uitgelegd dat het vlekken waren van overgekookte melk, en dat ze er al sinds vorig jaar Kerstmis zitten.

Mijn moeder belde me op mijn werk en vertelde dat ik post had van Barclays. Ik vroeg of ze de brief open wilde maken om voor te lezen wat erin stond. Na eindeloos wachten (hoe lang duurt het nou helemaal om een envelop open te scheuren?) vertelde ze me dat het een overzicht van mijn betalingen met de Barclaycard betrof. Er zat ook een blanco cheque bij, en een brief die luidde: 'Beste meneer Mole, De bijgesloten cheque kunt u gebruiken waar uw Barclaycard niet wordt geaccepteerd, denk bijvoorbeeld aan de betaling van het gas en licht, de huisschilder, de loodgieter of het schoolgeld. De voorwaarden staan op de achterzijde van deze brief.'

Ik vroeg mijn moeder wat de voorwaarden waren.

Ze bekeek de achterkant en las: 'Er staat iets over... "voor elk bedrag, mits u binnen uw kredietlimiet blijft."'

Ik informeerde naar het rentepercentage.

'Twee procent voor kasopnames. Er staat hier ook dat je een kredietlimiet hebt van 10.000 pond. Hoe heb je dat voor elkaar gekregen?'

Ik vertelde haar dat ze in de jaren negentig erg royaal waren geweest bij Barclaycard, in de tijd dat ik mijn televisieshow *Beestachtig goed!* presenteerde.

'Maar daar heb je geen cent mee verdiend,' wierp ze tegen.

'Nee,' zei ik, 'maar het gaat om vertrouwen. Kennelijk hebben ze veel vertrouwen in me.'

Ik vroeg haar of ze zo lief wilde zijn om de brief naar de winkel te komen brengen, zodat ik de cheque onmiddellijk kon tekenen en afgeven bij de notaris. Met tegenzin stemde ze toe, maar pas nadat ik had verteld dat ik mijn loft kwijt dreigde te raken.

'Goed,' zei ze. 'Dan kan ik meteen schoenen kopen voor Glenns AMO-parade.'

Wat hebben vrouwen toch met schoenen? Waarom hebben ze voor elke gelegenheid nieuwe nodig? Zelf heb ik drie paar: een zwart paar, een bruin paar en een paar slippers voor als ik op vakantie ben. Voor mij is dit meer dan genoeg.

22.00 uur

Barwell heeft de vloerbedekking waar hij astma van krijgt laten verwijderen en vervangen door laminaat.

Een cheque ter waarde van £ 8.000, ten name van David Barwell en ondertekend door A. Mole is in goede orde afgegeven.

Angela liet me stapels papieren tekenen. Ze vroeg of ik alles wilde lezen voordat ik tekende.

Ik bekeek ze vluchtig. 'Het is toch allemaal abracadabra voor me.'

'Voor meneer Barwell is het ook abracadabra,' meesmuilde ze en ze wierp een buitengewoon onvriendelijke blik op de deur van zijn kantoor. 'Nu klaagt hij weer over het laminaat. Hij vindt het te glad.'

Volgens Angela kan ik al over een week naar mijn loft verhuizen!

Vrijdag 25 oktober

21.45 uur, Wisteria Walk

Voordat ik alle papieren opborg in mijn brandvrije kast, las ik zelf de brief van Barclaycard waarin ze me uitnodigen om hun cheque te gebruiken. Tot mijn grote verbijstering en ontzetting las ik dat ik 21,4 procent rente betaal over het bedrag van de cheque, en niet 2 procent zoals mijn moeder me abusievelijk liet weten. Die 2 procent is het percentage dat ze in rekening brengen voor het verwerken van de cheque (£ 160).

De afgelopen dagen heeft de zon niet één keer geschenen, dus pakte ik niet mijn rekenmachine maar de telefoon om mijn vriend Parvez te bellen. Hij heeft een opleiding tot accountant gedaan en is net geslaagd voor het examen.

Hij liet weten dat hij me voor de eerste tien minuten telefonisch advies vijfentwintig pond in rekening zou brengen, en daarna twee pond per minuut. Snel gaf ik hem de cijfers, en ik vroeg hoeveel ik uiteindelijk over mijn achtduizend pond zou gaan betalen.

Na elf minuten – Parvez stelde me allerlei tijdrovende en onnodige vragen – zei hij: 'Het gaat je niet één maar alle ribben uit je lijf kosten. Minimaal £ 162,34 per maand. Als je elke maand het minimumbedrag aflost, doe je er dertien driekwart jaar over om de schuld af te lossen, en dan heb je £ 26.680,88 aan rente betaald, als de rente tenminste niet omhoog gaat. Je hebt je lelijk in de nesten gewerkt, Moley. Ik neem momenteel nieuwe klanten aan,' voegde hij eraan toe. 'Wil je een afspraak maken?'

'Kunnen we niet ergens iets gaan drinken en er dan over praten?' opperde ik.

'Boekhouden is niet mijn hobby, Moley.'

Zuchtend stemde ik erin toe om bij hem langs te komen.

Zaterdag 26 oktober

De auto naar de garage gebracht voor een beurt. Ik vertelde Les de monteur dat ik af en toe geklop hoor in de motor.

'Wat voor geklop?' vroeg hij.

'Het is net alsof een opgesloten mensje mijn aandacht wil trekken.'

Les mompelde dat het eerder klonk als tromgeroffel voor het einde.

Ik vertelde Les dat ik vrijdag met de auto naar Deepcut Barracks ga om de parade bij te wonen als mijn zoon officieel zijn Algemene Militaire Opleiding afsluit.

'Dat hóópt u,' verbeterde hij me.

Zondag 27 oktober

Pandora had gelijk: reservisten met een medisch beroep worden opgeroepen. Engeland staat op voet van oorlog.

Belde Marigold vanavond.

Haar moeder nam op. 'Met Netta Flowers.' Ik vroeg naar Marigold, maar Netta zei: 'Ze is op zolder. Ik durf haar niet te storen.'

Ze doet alsof Marigold de verknipte echtgenote van meneer Rochester is.

Ik heb een begin gemaakt met het inpakken van mijn weinige bezittingen. Ik heb geen verhuiswagen nodig. De inhoud van mijn leven past in de achterbak van een stationcar, inclusief boeken en kleren.

Maandag 28 oktober

Om halfzeven opgestaan en met de bus van Ashby de la Zouch naar Leicester gegaan. Het was eigenlijk heel aangenaam om voorin te zitten, met uitzicht over het landschap. Tijdens de rit kon ik nadenken over mijn leven. Waar wil ik over tien jaar zijn? Vind ik het de moeite waard om te trouwen en weer een gezin te stichten? Of moet ik me erop richten om mijn werk uitgegeven te krijgen?

Ik dicteerde een brief aan parlementslid Clare Short op mijn handzame Philips dictafoon:

Beste Clare,

Vergeef me dat ik je bij je voornaam noem, maar je bent zo aardig en benaderbaar, dus je vindt het vast niet erg. Ik zou je willen vragen of je zin hebt om naar Leicester te komen en geïnterviewd te worden voor mijn nieuwe boek *Roem en waanzin*. Mijn stelling is dat alle beroemdheden op een gegeven moment gek worden en gaan denken dat ze supermensen zijn.

Ik kan geen honorarium betalen of onkosten vergoeden, maar dat zal met een ministerssalaris als het jouwe geen problemen opleveren, neem ik aan. Een zondagmiddag zou me goed uitkomen.

Aangezien je bekendstaat om je eerlijkheid en oprechtheid, zul je het niet erg vinden dat ik geen blad voor de mond neem. De sjaals die je sinds enige tijd draagt, zijn minder succesvol dan je denkt. Ik ben van mening dat alleen Franse vrouwen weten hoe ze een sjaal moeten dragen. Neem de volgende keer dat je ergens buitenlandse tijdschriften ziet eens een keer de Franse *Vogue* mee.

Ik hoop spoedig van je te horen.

Met de meeste hoogachting,

A.A. Mole

Toen ik uit de bus stapte, zei een vrouw tegen me: 'Dat was een rake opmerking, over die sjaals.'

Dinsdag 29 oktober

Laatste kwartier van de maan

Vanmiddag stond Sharon Bott opeens in de winkel. Ze had kleren gekocht voor Glenns AMO-parade. Ze haalde de kledingstukken uit de tassen en hield die voor haar enorme gestalte omhoog. Er was een roze jasje maat nijlpaard, en een broek met zulke wijde pijpen dat een olifant erin zou passen.

Ik stelde Sharon voor aan meneer Carlton-Hayes. Op dat moment botsten mijn twee werelden. Sharon Bott, de moeder van mijn eerste, buitenechtelijke zoon Glenn, vertegenwoordigt de omkoopbaarheid en zwakte van mijn vlees, terwijl meneer Carlton-Hayes mijn intellectuele en verstandelijke zelf personifieert.

Sharon keek om zich heen. 'Al die boeken!' zei ze met een lachje, alsof ze vindt dat het werk van meneer Carlton-Hayes en mijzelf van nul en generlei waarde is.

Ik vertelde haar dat Glenn ons vrijdagavond heeft uitgenodigd voor een feestje om zijn promotie te vieren.

'Dan zul je heel laat nog terug moeten rijden,' zei ze.

Ik liet haar weten dat ik gezien mijn nachtblindheid volstrekt niet van plan ben om in het holst van de nacht van Surrey naar Leicester te rijden, en stelde voor om een hotel te nemen.

Sharon begon te stralen van blijdschap. 'Een hotel,' zei ze met een zucht, 'wat énig.' Toen betrok haar gezicht. 'Maar Aidy, ik heb helemaal geen geld voor een hotel. En bovendien vind ik het eng om in mijn eentje op een kamer te slapen.'

Voordat ze wegging, lukte het me om haar een stapel Barbara Cartlands in de maag te splitsen, meneer Carlton-Hayes wil er al een tijd vanaf.

Ik belde Les en vroeg naar mijn auto.

'Het kleine mensje zit nog steeds in de motor,' zei hij.

Woensdag 30 oktober

Alweer een busrit.

Belde Les vanochtend, en hij zei dat het kleine mensje dood was, of anders ontsnapt.

Ik hoorde rauw mannengelach op de achtergrond.

'Bedoel je,' vroeg ik, 'dat mijn auto is gerepareerd en dat ik hem kan ophalen?'

'Op dit moment is hij weg voor een proefrit,' zei Les. 'Bel vanmiddag om vijf uur nog maar eens.'

Vanmiddag om drie uur waren meneer Carlton-Hayes en ik bezig met het inrichten van een nieuwe etalage, met het Midden-Oosten als thema. Ik keek om en zag dat mijn eigen auto op een invalidenparkeerplaats werd gezet, waarna een jongeman in een overall uitstapte en zich naar de Foot Locker aan de overkant begaf.

Ik pakte de telefoon en belde Les, die zei dat een van zijn hulpjes was getipt over een partij nieuwe Adidas-schoenen, zolang de voorraad strekt. 'Kom op, meneer Mole,' zei hij. 'U bent zelf toch ook jong geweest.'

Ik deelde hem ijzig mee dat ik pas vierendertig ben.

'Sorry,' zei Les. 'Ik had u altijd voor een veel oudere heer aangezien.'

Door mijn werk met antiquarische boeken ben ik duidelijk voor mijn tijd oud geworden.

Onderweg naar huis de auto opgepikt. De rekening bedroeg £ 399, minus de benzine voor de Adidas-expeditie. Ik heb met mijn Visacard betaald.

'Ik heb er een gratis luchtverfrisser met kerstgeur bij gedaan,' zei Les.

Ik kon mijn mond haast niet openkrijgen om hem te bedanken.

De hele avond bezig geweest om drie goedkope hotelkamers in de buurt van Deepcut te zoeken, maar er waren alleen belachelijk dure te krijgen. Uiteindelijk was ik genoodzaakt om twee tweepersoonskamers te reserveren, een voor mijn ouders en een voor Sharon en mij. Ik slaap wel op de grond als het moet. We logeren in het Lendore Spa Hotel.

Belde Pandora, en kreeg haar te pakken toen ze net wilde gaan stemmen over een wetsvoorstel dat de werktijden van parlementsleden moet reguleren.

'Wat wil je?' snauwde ze.

'Mocht je Tony Blair toevallig tegenkomen,' zei ik tegen haar, 'dan zou ik je dankbaar zijn als je hem erop wilt wijzen dat hij mijn twee brieven nog steeds niet heeft beantwoord.'

'Ik moet hangen,' zei ze.

Ik vroeg of ze voor of tegen de nieuwe wet zou stemmen.

'Tegen, natuurlijk!' zei ze. 'De enigen die de werktijden willen aanpassen, zijn de pappies en de mammies die hun koters willen instoppen. Alle vrouwelijke leden van het parlement,' voegde ze er bits aan toe, 'zouden hun baarmoeder moeten laten verwijderen voordat ze hun *maidenspeech* houden.'

Vrijdag 1 november

Allerheiligen

Glenns grote dag.

Zaterdag 2 november

Gisteren bij het krieken van de dag opgestaan, een douche genomen, thee gezet, ouders thee op bed gebracht. Op het nachtkastje van mijn vader stond een fles wijn met twee glazen. De televisie stond nog aan van de vorige avond. Het duurde een hele tijd om ze wakker te krijgen.

Ik was bang dat ze door een of ander verbijsterend toeval simultaan in coma waren geraakt. Ik zei dat ze op moesten schieten omdat ik om halfnegen weg wilde rijden, aangezien ik mijn pak op moest halen bij de stomerij en daarna helemaal naar de andere kant van de stad moest om Sharon op te pikken.

Toen ik hun deur dichtdeed, hoorde ik mijn vader zeggen: 'Ik zit natuurlijk voorin, naast Adriaan.'

We stopten voor Sharons huis, en haar nieuwe partner, een jongeman van zevenentwintig, Ryan, kwam naar de deur en staarde naar mijn auto en de inzittenden. Hij hield Sharons nieuwste worp in zijn armen.

Sharon kwam naar buiten met een enorme koffer, een sigaret, een handtas, een hoed van zwart fluweel, een paraplu, een beautycase en een paar handschoenen.

'Jezus,' zei mijn vader, 'ze ziet eruit als een deelnemer aan *Crackerjack*.'

Ik stapte uit en deed de kofferbak open.

Ryan kwam naast me staan. 'Hoe laat breng je haar morgen terug?' wilde hij weten.

Ik antwoordde dat het afhing van de weersomstandigheden en het verkeer.

'Ik moet haar om halfeen weer hier hebben,' zei hij. 'Ik heb een optreden in Cooper House.'

Hij zei het alsof hij Fat Boy Slim was die in Springfellows speelde, terwijl ik weet dat hij een keer in de veertien dagen acht pond vangt voor het draaien van een paar Vera Lynn-plaatjes in een bejaardenhuis.

De rit naar Deepcut Barracks duurde langer dan ik had gehoopt, dit ten gevolge van de vele rookstops die mijn passagiers eisten. Ik moest me op het parkeerterrein van de legerplaats achter in de auto verkleden.

Toen ik uitstapte, slaakte mijn moeder een kreet. 'Wat is dat witte spul op je broek?' Ze spuugde op een zakdoek en probeerde de vlekken te verwijderen, maar ze zijn door de chemische vloeistoffen in de stof gebrand.

Bijna de hele dag moest ik mijn handen plat tegen mijn dijen houden – als ik het tenminste niet vergat – als iemand die zich wil gaan bukken om over het hoofdje van een kind te aaien.

Een uitzonderlijk lange en beschaafde man, generaal Frobisher-Nairn, gekleed in een gala-uniform met rijen onderscheidingen, vertelde de aanwezige familieleden en vrienden op de paradeplaats dat we trots mochten zijn op onze zoons en dochters, die nu hun koningin en hun land gingen dienen.

Vervolgens marcheerden de jonge soldaten heen en weer, begeleid door het muziekkorps van het regiment. Eerst zagen we Glenn nergens, maar toen kreeg Sharon hem in het oog en barstte ze in tranen uit. Ik sloeg een arm om haar heen.

Mijn vader filmde de hele plechtigheid met zijn minuscule videocamera.

Mijn borst zwol van trots toen generaal Frobisher-Nairn tijdens de inspectie een volle minuut met Glenn bleef praten.

Toen Glenn naar ons toe kwam in Tela Hall, waar een uitgebreide thee werd geserveerd, vroeg ik hem wat de generaal had gezegd.

'Hij vroeg waar ik vandaan kom. Ik zei: "Uit Leicester, meneer." Hij zei: "Uit Leicester? Worden de chips van Walkers daar niet gemaakt?" Ik zei: "Ja, meneer." Hij zei: "Houd je van chips, Bott?" Ik zei: "Ja, meneer." "En welke smaak vind je het lekkerst, Bott?" Ik zei: "Kaas en ui, meneer." Toen zei hij: "Mooi zo, Bott." En ik zei: "Bedankt, meneer."'

Ik heb het niet tegen Glenn gezegd, maar eerlijk gezegd, dagboek, was ik teleurgesteld over het banale karakter van hun gesprekje. Vooral in deze tijd, met alle geruchten over een naderende oorlog.

We zijn niet lang gebleven op het feestje, dat werd gehouden in de achterkamer van een pub. Mijn ouders hebben zichzelf volkomen belachelijk gemaakt door te dansen op 'Let's Twist Again', en volgens mij was Glenn opgelucht toen we aankondigden dat we naar ons hotel gingen.

'Ik wil nog graag op de foto met m'n pa en ma,' zei hij voordat we vertrokken.

Een van zijn vrienden, een verlegen uitziende soldaat die Robbie heette, nam de foto. Glenn stond in het midden, en Sharon en ik sloegen allebei een arm om zijn schouders. Glenn straalde.

Ik voelde een steek van verdriet bij de gedachte dat Glenn is opgegroeid zonder een moeder en een vader die samen in hetzelfde huis woonden en van elkaar hielden. Hij vliegt morgenochtend vroeg van Gatwick naar Tenerife voor een week verlof met een paar bevriende soldaten.

Het Lendore Spa Hotel is eigendom van het echtpaar Len en Doreen Legg. Aangezien geen van de anderen over een geldige creditcard beschikte, haalde Len Legg de mijne door het apparaat.

Mijn vader vroeg of de bar nog open was. Len zuchtte en sloeg zijn ogen ten hemel, waarna hij een enorme bos sleutels uit zijn zak haalde en het rolluik boven de bar openmaakte.

'U bent een geboren gastheer,' zei mijn vader en hij vroeg of er een fles koude champagne was.

'Geen koude,' antwoordde Len. 'Maar ik kan hem wel een halfuurtje in de vriezer leggen.'

'Nee, dat is niet de moeite,' zei mijn vader. 'Over een halfuur heb ik becijferd dat er een winstmarge van driehonderd procent op zit, en dan hoef ik al niet meer. Met champagne is het nu of nooit.'

Nadat onze drankjes waren geserveerd, kwam Doreen Legg de bar binnen. 'Ik dacht dat je naar bed zou komen, Len,' zei ze met een jankerig stemmetje.

'Je ziet dat ik bezig ben, Dore.'

Ze keek ons beschuldigend aan. 'Hij is al op sinds halfzes vanochtend.'

'Als gasten van dit hotel,' zei mijn moeder, 'hebben we volgens de Europese wetgeving het recht om de hele dag en de hele nacht in deze bar te zitten drinken, als we dat willen.'

Ik vroeg Doreen of ze iets te eten hadden.

'Niet na halfelf 's avonds,' zei ze.

Sharon schoof naast me op het bankje nerveus heen en weer. Het was kwart over elf, en ze moet om de twee uur iets eten.

Mijn vader bood aan om in de buurt op zoek te gaan naar iets eetbaars.

Doreen vertelde ons dat alles al dicht was, maar dat er noten en chocola in de minibar op de kamer lagen.

Mijn moeder hield op luide toon een verhaal over de hotels in het buitenland, hoe gastvrij het personeel daar was, en hoe goed het eten.

Len Legg stond achter de bar te luisteren en maakte met een afgekloven lucifer zijn nagels schoon.

Toen we in de schuddende lift naar boven gingen, waarschuwde ik mijn ouders dat de inhoud van de minibar niet gratis was.

Ik had gehoopt dat onze kamer twee bedden zou hebben, maar dat was helaas niet het geval. Een groot bed met een roze chenille sprei nam vrijwel de gehele kamer in beslag.

Sharon liep rond alsof ze een toerist was. Ze vond de pantalonpers fascinerend en raakte niet uitgepraat over het televisietoestel op een steun aan de muur. Ze bewonderde de diepe plooien van de groezelige vitrage, opende elke la en elk kastje, en zei toen ze een bijbel vond: 'Iemand heeft zijn boek laten liggen.'

In de garderobekast met schuifdeur vond ze de minibar. Ik kon het niet over mijn hart verkrijgen om haar ervan te weerhouden een blikje gemengde nootjes open te maken. Ik keek op de prijslijst.

'Mijn hemel,' zei ik. 'Die noten kosten £ 8,50.'

Ik ging naar de badkamer om mijn pyjama aan te doen.

Toen ik terugkwam, knabbelde Sharon op een notenreep van Nestlé. Met haar tong haalde ze een brokje chocola uit haar mondhoek. 'Aidy,' zei ze, 'ik wil niet rot doen, maar ik ben niet meer zo wild, dus verwacht er alsjeblieft niets van.' Ze ging naar de badkamer, en toen ze er na vijf minuten weer uit kwam, zag ze eruit als een soort bijbelse figuur. Ze kroop in bed en zei slaperig: 'Het is de mooiste badkamer die ik ooit heb gezien. En vind je het niet aardig van die mensen om van die kleine zeepjes en flesjes voor hun gasten neer te zetten?'

Ik lag een tijdje wakker en vroeg me af wat Marigold zou zeggen als ze mij en Sharon naast elkaar in bed zag liggen. Zou ze het begrijpen of is ze juist het jaloerse type?

Toen Sharon en ik de ontbijtzaal binnen kwamen, hoorde ik mijn moeder al. Ze had een toastruzie met Doreen Legg. Het was een monoloog die ik al vele malen eerder heb gehoord.

'Ik heb het Engelse ontbijt besteld, met toast. Ik heb mijn ontbijt gekregen, maar de toast kwam een kwartier later. En toen was het niet eens toast, het was een koude, ongeroosterde boterham. Die zogenaamde toast van u was beslist niet geroosterd. Het was een boterham die hooguit dertig seconden in de rooster heeft gezeten. Ik vind het niet onredelijk om u te vragen of u de zogenaamde toast weer mee wilt nemen naar de keuken om deze alsnog te roosteren.'

'Niemand anders heeft zich beklaagd, mevrouw,' zei Doreen en ze keek veelbetekenend om zich heen naar de andere gasten, die schaapachtig hun ongeroosterde toast zaten te eten.

'Ik heb geen probleem met ongeroosterde toast,' zei mijn vader kruiperig, 'maar mijn vrouw houdt er nu eenmaal niet van.'

'George, dit is géén toast,' zei mijn moeder en ze zwaaide met de slappe witte boterham voor zijn neus heen en weer.

Tijd om in te grijpen. 'Mevrouw Legg,' zei ik, 'we betalen elk vijfennegentig pond voor onze kamer. Is het nou echt onmogelijk om een paar witte boterhammen aan beide kanten bruin te roosteren, zonder dat u er een melodrama van maakt?'

Ik nam Sharon mee naar het ontbijtbuffet en legde uit dat ze naar hartelust kon nemen van de cornflakes, het sap en de gistende fruitsalade.

Ik moet zeggen dat ik erg trots op haar was. Ze moet een of ander record hebben gebroken, en daarna werkte ze toch nog het uitgebreide Engelse ontbijt met gebakken brood en extra toast naar binnen.

Toen we weer naar boven gingen om onze spullen te pakken, leegde ik alle gratis toiletartikelen in Sharons koffer, en ik deed er ook de extra rol wc-papier en een washandje bij.

In het daglicht zag de kamer er goor uit. De vlekken in het kleed gaven te denken.

Een geschaarde vrachtwagen zorgde voor oponthoud. We stonden tweeënhalf uur in de file, en mijn vader moest zijn plas in een leeg flesje Cola light doen.

Sharon belde Ryan met mijn gsm om hem te vertellen dat we later zouden komen. Ze babbelde opgewonden over het hotel, maar hij snoerde haar de mond. De rest van de rit zat ze beteuterd te zwijgen.

Vlak voordat ze uit de auto stapte, zei ik tegen haar: 'Het is misschien beter om niet tegen Ryan te zeggen dat we op een kamer hebben geslapen, ook nog eens in hetzelfde bed. Hij begrijpt het misschien niet.'

'Maak je nou niet te sappel, Aidy,' zei ze. 'Ryan en ik hebben beloofd dat we elkaar alles vertellen.'

Ik droeg de koffer naar de deur. Ryan keek ons door het raam aan de voorkant woedend aan. De baby krijste in zijn armen. Ik smeekte Sharon om te liegen en tegen hem te zeggen dat ze een eigen kamer met een eigen bed had gehad.

Terwijl ik dit schrijf, begin ik me steeds ongemakkelijker te voelen.

Zondag 3 november

Aangezien Cherie Blair zo onvriendelijk is om niet in te gaan op mijn uitnodiging om op 23 december een praatje te houden voor ons clubje, heb ik Ruth Rendell geschreven.

Beste mw. Rendell,

Als schrijvers onder elkaar: waar haalt u uw ideeën toch vandaan? Schrijft u met de hand of gebruikt u een computer? Hoe lang doet u over het schrijven van een boek? Schrijft u uit persoonlijke ervaring of zijn uw romanfiguren en plots volledig verzonnen?

Maar nu terzake.

Ik ben secretaris van de plaatselijke Club van Creatieve Schrijvers. Inmiddels is gebleken dat Cherie Blair ons op akelige wijze in de steek laat. Ik had haar uitgenodigd om een praatje te komen houden bij ons kerstdiner op 23 december aanstaande, maar ze heeft helaas niet teruggeschreven.

Ik weet dat het kort dag is, maar mogen we misschien op u rekenen?

We betalen geen honorarium of onkostenvergoeding, maar we zijn een levendige en stimulerende club mensen en ik weet zeker dat u een leuke avond zult hebben.

Ik hoop dat u op onze uitnodiging wilt ingaan. Mocht mevrouw Blair uiteindelijk toch willen komen, dan reken ik op uw begrip als we u op het laatste moment teleur moeten stellen. Zij is immers onze *first lady*.

Inmiddels verblijf ik,

Hoogachtend,

A. A. Mole

Maandag 4 november

Nieuwe maan

Het was een rustige ochtend in de winkel. Meneer Carlton-Hayes zat op het kantoortje een pijp te roken, en hij las het dagboek van Tony Benn, dat sinds verleden week in de winkel ligt.

Ik was bezig met het catalogiseren van oude almanakken toen Sharons partner Ryan de winkel binnen kwam stormen. Hij begon me uit te schelden en beschuldigde me ervan dat ik tijdens ons verblijf in het Lendore Spa Hotel met Sharon had 'gevoosd'.

Ik heb tegen hem gezegd, naar waarheid, zoals jij kunt getuigen, dagboek, dat we elkaar de hele nacht met geen vinger hebben aangeraakt.

Ik doe echt alles om fysiek geweld te voorkomen, maar als iemand me een duw tegen mijn schouder geeft, duw ik terug. Na enig rommelig geschermutsel kwam meneer Carlton-Hayes uit het kantoortje en gebood hij Ryan op luide, autoritaire toon het pand te verlaten.

Toen Ryan zei: 'Lazer op, stomme ouwe zak, voordat ik je pijp in je reet ram', gaf meneer Carlton-Hayes zijn pijp aan mij en gaf hij Ryan een rake kaakslag.

Ryan vertrok, met de mededeling dat hij terug zou komen met zijn broer.

Toen hij weg was, pakte meneer Carlton-Hayes zijn pijp weer van me aan. 'Wat heb je toch een bizar dramatisch romantisch leven, Adriaan,' zei hij tegen me. 'Ik benijd je.'

Dinsdag 5 november

Belde Marigold gisteravond om te vragen of ze zin had om mee te gaan naar een feestelijk avondje van de brandweer – uiteraard met een groot vreugdevuur – waarvan de opbrengst bestemd is voor hun stakingskas. Marigold zei dat ze bang is voor vuurwerk en zich op zou sluiten in huis, samen met de huisdieren. Ik vind haar broosheid zowel spannend als irritant.

Mijn ouders hebben twee varkensstallen gevonden aan de rand van Mangold Parva. De kotten staan allebei op een stukje onaantrekkelijk land ter grootte van een postzegel, niet ver van een of ander karrenpad. Er is een bouwvergunning om er twee woningen van te maken, hoewel water, gas, elektriciteit en riolering ontbreken.

Ze lieten me een foto zien, en mijn moeder wees enthousiast op de plek waar ze openslaande deuren hebben gepland. Ik heb het ze afgeraden, maar ze zijn compleet gek geworden. Ze hebben last van *folie à deux*.

Ze zijn van plan om in een tent te gaan wonen en de verbouwing zelf ter hand te nemen.

'In een tent?' vroeg ik.

'We hebben hem vandaag bij Millets gekocht,' vertelde mijn moeder. 'Er zijn drie slaapkamers, en er is een kookgedeelte en een overdekte patio voor als het misschien een keer regent.'

'En een integraal grondzeil,' voegde mijn vader eraan toe.

'Maar dat overleven jullie nooit, een winter in een tent in Mangold Parva,' wicrp ik tegen.

'Je vergeet een ding, knul,' zei mijn vader. 'Je moeder en ik zijn babyboomers. We zijn vlak na de oorlog geboren. We zijn opgegroeid zonder centrale verwarming, toiletpapier, vitaminen, warm kraanwater. We liepen zeven kilometer naar school en zeven kilometer terug naar huis, in een korte broek, zelfs als het sneeuwde. Er is meer nodig om ons onder de groene zoden te krijgen dan bivakkeren in een tent.'

Ik wilde weten wat ze met hun meubels gaan doen, en ze zeiden dat ze alles wegdoen. Mijn moeder vroeg of ik de paar beste stukken wil hebben voor mijn nieuwe loft. Ik heb haar bijna in haar gezicht uitgelachen.

Woensdag 6 november

Ik belde David Barwell om te vragen wanneer het koopcontract getekend kan worden. Angela zei dat ze hem de papieren heeft gegeven, maar hij is allergisch voor de lijm waarmee ze het laminaat hebben geplakt, dus hij is voorlopig niet op kantoor.

Meneer Carlton-Hayes had zijn kleine draagbare radio afgestemd op Five Live voor het vragenuurtje met de minister-president. We hoorden meneer Blair het parlement vertellen dat hij net een telefoongesprek had gehad met president Bush, die hem heeft verteld dat er vanmiddag om halfvier een VN-resolutie aangenomen zal worden waarin staat dat het in orde is om Irak de oorlog te verklaren.

Meneer Carlton-Hayes vroeg hoe ik over Tony Blair denk. Ik heb geantwoord dat ik hem bewonder en steun en dat ik hem onvoorwaardelijk vertrouw.

Marigold gebeld en gevraagd of ze iets wilde afspreken na het werk. Ze klonk vermoeid en zei dat ze vannacht slecht had geslapen door het 'afzichtelijke kabaal' van het vuurwerk. Ze vindt het de hoogste tijd dat wij, als een beschaafd land, alle vuurwerk verbieden.

Ik heb haar maar niet verteld dat ik gisteravond met een sterretje haar naam heb geschreven in de donkere lucht.

Donderdag 7 november

Mijn juridisch adviseur gebeld. Angela vertelde dat het hele kantoor overhoop ligt. Het laminaat wordt eruit gesloopt. Ik benadrukte dat ik een datum wil weten.

Langsgegaan bij Parvez. Hij heeft van de logeerkamer een kantoor gemaakt. De kantoorinrichting en een zwart leren draaistoel komen van Ikea, maar op een van de muren zit nog Pooh-behang.

Tot mijn verbazing droeg hij traditionele islamitische kleding. Hij vertelde dat hij sinds kort weer naar de moskee gaat.

Ik complimenteerde hem met zijn nieuwe baardje; het staat hem goed en zijn gezicht lijkt er smaller door.

Hij bood me een stoel aan en hoorde me uit over mijn financiële situatie. Ik vertelde hem dat ik £ 1.083,33 per maand verdien.

Vervolgens maakte hij aan de hand van een uitgebreide vragenlijst een overzicht van mijn uitgaven, en de antwoorden voerde hij in op zijn laptop. Ik moest onder andere opgeven hoeveel ik per week uitgeef aan kranten (£ 8), hoeveel aan drankjes buiten de deur (een verbijsterende £ 15 aan twee cappuccino's per dag, vijf dagen per week), hoeveel mijn auto kost (£ 100 per maand), mijn breedband internetverbinding (£ 35 per maand). Ik wist niet wat ik zag. Tegen de tijd dat we klaar waren, zag ik dat ik per jaar bijna 5.000 pond meer uitgeef dan er binnenkomt.

Parvez zei afkeurend: 'Weet je dan niet meer dat we *David Copperfield* deden op school, Moley?'

Ik zei dat het een van mijn lievelingsboeken is.

'Weet je meneer Micawber nog? "Jaarinkomen twintig pond, uitgaven per jaar negentien zestig. Resultaat: geluk. Jaarinkomen twintig pond, uitgaven per jaar twintig zestig. Resultaat: tobben." Verplichte schuldsanering, curatele, faillissement en dakloosheid.'

We staarden naar de harde waarheid op het scherm van de laptop.

'Wat moet ik doen?' vroeg ik.

'Je kunt niet naar dat nieuwe appartement verhuizen, Moley,' zei Parvez. 'Je hebt gewoon geen loft-salaris.'

Ik vertelde hem dat het te laat was, dat ik de papieren al had getekend en dat het geld al was overgemaakt.

'Wil je dat ik je financieel advies geef, Moley?' vroeg Parvez.

'Nee,' zei ik. 'Dat kan ik niet betalen.' En ik ging naar huis.

Vrijdag 8 november

Een overwinning voor meneer Blair! Nadat wekenlang is geprobeerd om buitenlandse leiders ervan te doordringen dat Saddam Hoesseins massavernietigingswapens een ernstige bedreiging voor de wereld vormen, werd resolutie 1441 unaniem aanvaard. Zelfs Syrië stemde met de andere veertien landen mee.

Mijn moeder probeerde mijn vader wakker te schudden uit zijn matineuze lusteloosheid door dit met hem te bespreken.

Mijn vader zei: 'Is 1441 niet de naam van het luchtje dat mijn moeder vroeger gebruikte?'

Mijn moeder zuchtte en keek verdrietig. 'Nee, George, dat was 4711.'

Toen hij weg was uit de keuken zei ze tegen me: 'Was ik maar getrouwd met iemand die belangstelling heeft voor politiek.'

Ze stak haar eerste sigaret van die dag op en we keken in de keuken naar het journaal. meneer Blair was bijzonder indrukwekkend. Hij keek streng in de camera en richtte zich rechtstreeks tot Saddam Hoessein. 'Ontwapen of reken op een inval.' Zijn stem trilde van emotie.

'Hij kijkt alsof hij elk moment in tranen kan uitbarsten,' zei mijn moeder. 'Kop op, Tony!' schreeuwde ze tegen het scherm.

16.00 uur

Marigold kwam vanochtend naar de winkel. Ze kon niet lang blijven, want ze was op weg naar het Karma Health Centre waar ze een afspraak had voor een Indiase hoofdmassage. Ze heeft al van kleins af aan last van migraine. Ik wist niet wat ik hoorde toen ze me vertelde dat het vijfentwintig pond kost om een halfuur lang over je hoofd geaaid te worden. Ik heb haar aangeraden om een doosje paracetamol-plus te kopen; bij mij werkt dat altijd. Migraine is het enige wat we gemeen hebben.

Ze vroeg of ik zin had om mee te gaan naar een concert van het Madrigaal Ensemble in de kathedraal van Leicester. Haar vader zingt een solo. Hij heeft een contratenor.

17.30 uur

Meneer Carlton-Hayes is naar huis gegaan, en ik zit op Marigold te wachten. Ik weet niet waar het met deze relatie naartoe gaat. Ik kan me niets vreselijkers voorstellen dan een vrijdagavond in een ijskoude kathedraal zitten luisteren naar Michael Flowers die zingt met een vrouwenstem.

Middernacht

Marigold en ik liepen arm in arm naar de kathedraal. Ze droeg een rode baret en een kaki broekpak. Ik heb er niets van gezegd, maar ze zag eruit als een commando met verlof. Misschien dat ze zich onbewust op een oorlog voorbereidt.

Je zou toch denken dat Michael Flowers voor de gelegenheid iets anders aangetrokken zou hebben, maar nee hoor; bij mijn weten draagt hij nu al twintig dagen achter elkaar de bomentrui. Toen ik er iets over zei tegen Marigold, vertelde ze me dat wasmiddelen funest zijn voor onze rivieren en meren.

Michael Flowers begon het concert met wat hij een kort overzicht van de geschiedenis van het madrigaal noemde, maar hij bleef wel vijfentwintig minuten doorzagen, klaarblijkelijk zonder te merken dat zijn toehoorders rusteloos werden van verveling. Uiteindelijk begon het kattengejammer.

Netta Flowers torende boven alle andere koorleden uit. Ook vocaal was ze overheersend. Het bankje waarop Marigold en ik zaten, leek mee te vibreren met haar alt.

Na afloop, toen er werd nagepraat in de sacristie, zag ik me uit beleefdheid gedwongen om de heer en mevrouw Flowers te complimenteren met hun optreden.

Meneer Flowers zei: 'Gaan de jongelui straks nog naar een rockclub?'

Bijna proestte ik het uit. Hij ruikt naar natte wol.

Later, bij Wong, vroeg ik Marigold of ze ooit heeft overwogen om het huis uit te gaan. Ze bewoog tussen haar eetstokjes een spriet taugé heen en weer door haar kom en zei dat ze had verwacht inmiddels al hoog en breed getrouwd te zullen zijn.

Zaterdag 9 november

Vanochtend vroeg belde Marigold om te vertellen dat haar ouders mij een keurige jongeman hadden genoemd. Ze klonk verheugd. Ik heb haar maar niet verteld dat ik de halve nacht wakker heb gelegen, piekerend over een manier om deze relatie te beëindigen.

Zondag 10 november

De herdenkingsdag voor de gevallenen uit de twee wereldoorlogen

Gekeken naar de stoet van oudjes die langs het gedenkteken trokken. Sommigen zagen eruit alsof het de laatste keer zou zijn, anderen hadden geen benen en werden geduwd in een rolstoel. Mijn vader vroeg waarom ik snotterde. Ik vertelde dat ik allergisch ben voor klaprozen.

'Je opa Arthur heeft nog in de Tweede Wereldoorlog gevochten,' zei hij.

Ik vroeg hem waar.

'Hij wilde niet over de oorlog praten, maar als hij "Lili Marleen" op de radio hoorde, huilde hij als een baby. Je oma Mole stuurde hem dan met een schone zakdoek naar de tuin, totdat hij zichzelf weer in de hand had. Ze was een harde vrouw.'

Mijn moeder heeft adreswijzigingen gemaakt op haar Apple Mac. Dit wordt hun nieuwe adres: De Varkensstallen, Het Laatste Veld, Karrenpad, Mangold Parva, Leicester.

'Is dit niet een beetje voorbarig?' vroeg ik.

'Nee,' zei ze. 'We hebben de varkensstallen gistermiddag op een veiling gekocht.'

Niemand vertelt me ooit iets in dit huis. Ik zal blij zijn als ik hier weg ben.

Ik belde Nigel bij zijn ouders. Sinds hij zijn flat in Londen te koop heeft gezet, woont hij in hun gastenverblijf. Zijn gezichtsvermogen is nog verder achteruitgegaan. Ik vroeg of hij zin had om mee te gaan naar *The Lord of the Rings*.

'Nee, dat speelt zich allemaal in het halfdonker af,' zei hij. 'Bovendien zijn elfen en kabouters geen knip voor hun neus waard.'

Ik vroeg hem of zijn gehoor is verbeterd sinds hij blind is geworden.

'Ja,' zei hij. 'Inmiddels kan ik het horen als er aan de andere kant van Engeland een bladzijde wordt omgeslagen. Heb ik even mazzel.'

Maandag 11 november
Eerste kwartier van de maan

Meneer Carlton-Hayes en ik waren volgens mij de enigen in High Street die om elf uur de één minuut stilte in acht namen, afgezien van een paar bejaarden en een zwarte buschauffeur die uit zijn bus kwam en zijn hoofd boog.

Barwell gebeld. Angela vertelde dat alles klaarlag voor de ondertekening. Uit nieuwsgierigheid informeerde ik wat voor soort vloerbedekking meneer Barwell nu overweegt.

Ze vertelde dat meneer Barwell vanmiddag om vier uur een afspraak heeft met zijn allergieadviseur.

Ik vroeg meneer Carlton-Hayes of ik een uurtje weg mocht. Hij zei dat ik zo lang moest nemen als ik nodig had.

Het had een blijde gebeurtenis moeten zijn, maar terwijl ik mijn handtekening zette onder het contract dat me verplicht om £ 723,48 per maand te gaan betalen, moest ik onwillekeurig denken aan de waarschuwing van Parvez: 'Verplichte schuldsanering, curatele, faillissement en dakloosheid.'

Barwell zat tijdens de hele overdracht te hoesten en te proesten. Ik merkte op dat het nogal muf was in zijn kantoor en bood aan om het raam open te zetten.

'Het raam kan niet open,' zei hij piepend hijgend. 'Met het oog op stuifmeel.'

Ik wees hem erop dat zijn kozijnen waren gemaakt van ultraviolet pvc en adviseerde hem deze kunststof door gewoon hout te laten vervangen. Ik vertelde hem enkele details uit een documentaire die ik gisteravond op Radio Four heb gehoord, over het sickbuildingsyndroom. Aanvankelijk leek hij geïnteresseerd, maar hij kon zich niet lang concentreren en keek de hele tijd op zijn horloge.

Vrijdag krijg ik de sleutels van mijn loft.

Dinsdag 12 november

Tijdens de bijeenkomst van ons clubje van creatieve schrijvers, gisteravond, vroeg Ken Blunt of ik al een spreker had voor ons kerstdiner, en of ik een geschikte locatie had opgesnord. Ik vertelde hem dat tot nu toe noch mevrouw Blair noch Ruth Rendell heeft gereageerd.

Gary Milksop meldde dat hij heeft gesolliciteerd als docent Creatief Schrijven voor Achterstandsvolwassenen bij het kenniscentrum.

'Maar, Gary,' zei ik, 'je bent helemaal niet opgeleid als docent creatief schrijven.'

Hij zei dat hij de PA heeft gedaan en dat hij bijna klaar is met zijn roman. Hij vertelde ook nog dat het om een parttime baan gaat en dat het £ 10.000 per jaar schuift, en hij liet me de advertentie zien. Onderaan stond: 'Onze voorkeur gaat uit naar een schrijver met publicaties op zijn naam.'

Ik heb hem er zo vriendelijk mogelijk op gewezen dat hij nog nooit een stuiver heeft verdiend met iets wat hij heeft geschreven en dat hij de schoorsteenmantel van zijn zit-slaapkamer heeft behangen met brieven van uitgevers die zijn werk niet goed genoeg vonden.

Gladys las ons haar nieuwste kattengedicht voor:

God heeft het leven van Blackie genomen,
haar gevraagd naar de hemel te komen.
Hij zei: geef nu maar gerust de geest,
het is hier alle dagen feest.

Al je poezenvriendjes zijn hier bij elkaar in Dover,
Ze spelen gezellig haasje-over,
En flaneren keuvelend langs de zee.
Kom maar hier en doe gezellig met ze mee.

Ze vertelde ons dat Blackie verleden week donderdag is overreden door een vrachtwagen.

Ken Blunt noemde het gedicht een mislukking omdat het niet waarheidsgetrouw was. Hij zei dat Dover duidelijk was gekozen omdat het rijmt op over (en vice versa), en dat het idee dat katten langs de zee flaneren volstrekt absurd is.

Dit gedicht is een gedrocht
en heel erg vergezocht:
Malle oudewijvenpraat
Van een verknipte kattenfanaat.

Ik heb tegen Ken gezegd dat zijn eigen rijmpje niet veel hoogstaander was.

Gary vindt dat Gladys haar kattengedichten moet bundelen en ermee naar een uitgever moet gaan.

'Waarvoor?' zei Ken. 'Voor in de kattenbak?'

Gladys zei dat we de spot dreven met Blackies dood en ze vroeg ons weg te gaan. Ik was blij toe. Ik zat van top tot teen onder de kattenharen.

Ken vroeg of Gary en ik zin hadden om iets te gaan drinken. We gingen naar de Red Cow, niet ver van de universiteit. Het zat er vol met studenten die meezongen met nummers van Rolf Harris. Gary vertelde me dat Rolf Harris een cultfiguur is in studentenkringen. Waarom weet ik dit niet?

We bespraken de toekomst van ons clubje en kwamen schoorvoetend tot de conclusie dat Gladys onze ontwikkeling in de weg staat.

De bijeenkomsten draaien zo ongeveer om haar kattengedichten. Ken concludeerde dat royement de enige oplossing is.

Ik werd afgevaardigd om Gladys Fordingbridge mede te delen dat ze niet langer lid is van onze club.

Ik vroeg Ken waar hij momenteel aan werkt. 'Nergens aan,' antwoordde hij.

Marigold belde. Volgens haar bericht op mijn voicemail maakt ze zich 'zorgen' omdat ik niets van me laat horen. 'Ben je soms niet lekker?' vroeg ze ook nog. Ik heb geen zin om haar te spreken, dus krabbelde ik een briefje:

Beste Marigold,

Vergeef me dat ik de laatste tijd niets heb laten horen. Ik denk voortdurend aan je. Nog steeds gaat mijn hart sneller kloppen als ik je slanke polsen voor me zie, en de manier waarop je bril naar het puntje van je neus zakt.

Als je een mobiele telefoon had, zou ik je regelmatig sms'en. Ik heb het deze week razend druk. Op vrijdag verhuis ik naar mijn nieuwe appartement, en ik denk dat ik echt wel een tijdje bezig ben met inrichten e.d. maar ik neem contact met je op zodra ik een gaatje heb.

Hartelijke groet,

Adriaan

p.s. Je vader zal wel in alle staten zijn nu president Bush toestemming heeft gekregen om Star Wars-raketten in ons prachtige Engeland te plaatsen. Zelf denk ik dat het de prijs is die we voor onze vrijheid moeten betalen.

Woensdag 13 november

Ik heb mijn ouders eraan herinnerd dat de brandweer vanavond om zes uur in staking gaat. Ik heb ze gesmeekt om niet te roken in bed en ook geen smeulende sigaretten in asbakken te laten liggen terwijl ze hun teennagels knippen enzovoort. Het zou een ramp zijn als dit huis in vlammen opgaat voordat ik naar Rat Wharf verhuis en zij hun intrek nemen in de bungalowtent.

Donderdag 14 november

Meneer Carlton-Hayes heeft me drie dagen vrij gegeven voor de verhuizing. Ik neem het oude goedkope grenen bed waar ik al in slaap sinds ik klein ben niet mee naar mijn avant-gardistische loft; het zou net zoiets zijn als een antimakassar op een bank van Terence Conran. Ik moet een futon kopen, nieuw beddengoed, eenvoudige maar strakke keukenapparatuur, een televisie en gordijnen voor de glazen wand van mijn badkamer. Het probleem is dat ik helemaal geen geld heb.

Toen ik mijn moeder mijn penibele situatie uitlegde, keek ze op van haar boek *Huizen renoveren voor beginners*. 'Tegenwoordig gebruikt niemand nog geld,' zei ze. 'In feite bestaat geld helemaal niet. Iedereen die ik ken leeft op krediet. Open gewoon een rekening bij een groot warenhuis.'

Ik heb een klein bedrijfje gevonden dat me morgen gaat helpen verhuizen. Het heet Laat u rijden door twee meiden.

Een verwarrende en demoraliserende middag aan de telefoon doorgebracht, naar Vivaldi en meerdere robots geluisterd. Het gas voor mijn nieuwe appartement blijkt te worden geleverd door Severn Trent Waters, de elektriciteit door het gasbedrijf, en mijn water door een Frans bedrijf waarvan ik de naam niet kan uitspreken. Het kabelbedrijf NTL verzorgt de telefoon. Morgenmiddag om twee uur sluiten ze me aan op meer dan tweehonderd verschillende televisiezenders.

De twee meisje van Laat u rijden door twee meiden zijn geen meisjes. Het zijn potige dames van middelbare leeftijd, en ze heten Sian en Helen. Vanmiddag kwamen ze langs om te beoordelen hoeveel ritten er nodig zijn tussen Ashby de la Zouch en Leicester.

Het antwoord is: één.

Ik kreeg een stapel kartonnen dozen van ze, en ze lieten me boven achter om mijn boeken in te pakken. Zij gingen weer naar beneden om thee te drinken met mijn moeder.

Niet lang daarna kwam mijn vader naar mijn kamer. Ik kon vrouwen horen lachen in de keuken. Ik vroeg mijn vader waar ze het over hadden.

'Ach, het gewone vrouwengeklets,' zei hij. 'De prijs van rode kool, of prinses Diana is vermoord, of Hans Blix massavernietigingswapens zal vinden, katten, de menopauze, *Sex and the City*, en dat mannen niet meer nodig zijn.' Hij liet zijn stem dalen. 'Helen probeert zwanger te raken. Sian doet het insemineren met zo'n kwastje om kalkoen te bedruipen en een flesje sperma dat ze van een homoseksuele vriend hebben gekregen.' Triest schudde hij zijn hoofd. 'Wat hebben we toch verkeerd gedaan, Adriaan? We laten ze buiten de deur werken, we laten ze zelfs preken in de kerk, ze rijden auto, we hebben godbetert een vrouwelijke kapitein bij de marine, we hebben ze allerlei apparaten gegeven om het huishouden gemakkelijker te maken, en toch haten ze ons nog steeds, en hebben ze liever seks met een keukenkwastje dan met een man.'

Mijn vader gaf een schop tegen mijn dozen en zei: 'Veel om trots op te zijn heb je niet, hè, na vierendertig jaar?'

Toen hij weg was, ben ik op mijn tienerbed gaan liggen en heb ik ongeveer anderhalve minuut gehuild.

Vrijdag 15 november

Sian en Helen hebben me vanochtend naar Rat Wharf verhuisd. Tegenwoordig heb ik een indrukwekkend adres: The Old Battery Factory, Unit 4, Rat Wharf, Grand Union Canal, Leicester. Het is helemaal naar mijn smaak: heel kaal, en heel manlijk en rauw.

Toen de 'meiden' de zware dozen met boeken naar boven zeulden, deed ik de schuifdeur open en ging ik op het stalen balkon staan om uit te kijken over het kanaal. Een bende zwanen zwom meteen op me af en begon agressief te blazen. De grootste, die me om de een of andere reden doet denken aan sir John Gielgud, de beroemde klassieke acteur, was uitzonderlijk vals. Een ouderwetse zwerver, met een touw om zijn broek, wankelde langs aan de overkant. Om de paar stappen nam hij een teug uit een blikje bier.

Vanaf mijn hoge uitkijkpost boven het water zag ik op de oever van het kanaal meerdere winkelwagentjes, melkkratten en honderden blikjes bier liggen. Het water had iets merkwaardig fosforachtigs, en er steeg een smerige stank van op die er beslist niet was geweest toen ik het pand in oktober bekeek. Ik had best langer op het balkon willen blijven staan, maar om je eerlijk de waarheid te vertellen, dagboek, ik werd naar binnen gedreven door de kwaadaardige blik van Gielgud, de grootste zwaan.

Ik vroeg Sian wat ze van mijn loft vond.

'Het kan heel gezellig worden met wat kleur op de muren en een paar leuke meubeltjes,' zei ze.

Ik zei dat 'gezellig' wel het laatste was wat ik wilde, en legde uit dat ik een simpel leven wil gaan leiden, een beetje zoals Mahatma Gandhi.

Helen wees op de doos met mijn kleren. 'Wat zit daar dan in, lendendoeken?'

Ik vertelde dat Tarzan de man van de lendendoeken was, terwijl Gandhi een dhoti droeg, iets geheel anders.

Voordat ze weggingen, vertelde Helen me dat ze een aantal zwanen hadden gezien op het parkeerterrein, toen ze de dozen uit de auto haalden. 'Een opdringerige horde,' volgens haar, en ze voegde er waarschuwend aan toe: 'Wist je dat een zwaan iemands arm kan breken?'

Ik heb ze tachtig pond betaald, geld dat ik eigenlijk niet kan missen. Ik was blij toen ze weggingen. Ik wilde rondlopen in mijn schitterende ruimte en luisteren naar mijn eigen voetstappen op de brede houten vloerdelen.

Ik pakte mijn boeken uit en legde ze op alfabetische volgorde op stapeltjes terwijl ik wachtte op de monteur van NTL. De zwanen bleven buiten voortdurend herrie maken. Af en toe vloog Gielgud langs mijn raam. Ik was vergeten dat zwanen kunnen vliegen. Ik had het akelige gevoel dat hij me bespioneerde en de spot met me dreef omdat ik maar zo weinig spullen heb.

Om vier uur belde ik NTL om te vragen waar de monteur bleef. Een dame beloofde me te bellen op mijn gsm als ze hun 'veldwerker' had gesproken.

Marigold belde om te vragen of ik genoot van de eerste middag in mijn nieuwe appartement. Ik vertelde haar van de zwanen. 'Pas maar op, Adriaan,' zei ze. 'Wist je dat een zwaan iemands arm kan breken?'

Ik zei, nogal geïrriteerd wellicht, dat ik dat al wist sinds ik vier was.

Ze bedankte me voor mijn krabbeltje en voegde er met een lachje aan toe. 'Je briefje heeft iets dubbelzinnigs. Je kunt het op twee manieren lezen, en op allebei de manieren lijkt het alsof je me de bons geeft.' Weer een kort lachje. 'Je geeft me toch niet de bons, hè, Adriaan?'

Waarom heb ik niet naar waarheid geantwoord, dagboek? Waarom heb ik haar niet verteld dat ik na elk samenzijn met haar het gevoel heb dat we in een uitzichtloze en vreugdeloze wereld leven? Morgen komt ze langs na haar werk.

Om halfzes ging mijn telefoon, en een NTL-persoon liet me weten dat de veldwerker een poging had gedaan om zich op mijn adres te melden, maar dat hij op het parkeerterrein was aangevallen door zwanen. 'Wist u dat een zwaan iemands arm kan breken?' voegde ze eraan toe.

Ik heb afgesproken dat ik morgenochtend om tien uur op het parkeerterrein zal zijn om de NTL-monteur naar mijn appartement te escorteren.

Aangezien ik nu nog bedloos ben, heb ik een platform gemaakt van boeken, en daar ben ik op gaan liggen in mijn slaapzak. Het werd een onrustige nacht; *Frankenstein* prikte in mijn ribben en hield me uit mijn slaap.

Zaterdag 16 november

Nog steeds geen NTL. De monteur weigerde uit zijn auto te komen omdat Gielgud en de andere zwanen rondliepen over het parkeerterrein als koppensnellers op het oorlogspad. Voordat hij wegreed, zei hij nog: 'Wist u dat een zwaan iemands arm kan breken?'

Ik kwam de eigenaar van Unit 2 tegen op de trap. Hij is hoogleraar in golfbaanbeheer aan de Montfort University. Hij heet Frank Green. Hij bevestigde dat de zwanen een plaag zijn en vertelde dat hij overweegt zijn appartement te verkopen en om te zien naar een locatie bij elke vorm van water uit de buurt.

Ik ging naar Debenhams en biechtte een aardige dame achter de toonbank van de meubelafdeling op dat ik geen geld heb. Ze was het met mijn moeder eens dat een klantenkaart mijn probleem zou oplossen en maakte me erop attent dat ik tien procent korting zou krijgen op al mijn aankopen als ik de kaart vandaag nog in gebruik nam. Binnen een kwartier – na een leugen over mijn salaris en het tonen van mijn paspoort en Visacard – had ik een bestedingslimiet van £ 10.000.

Het was beter geweest als ik iemand bij me had gehad, een verstandig iemand. Heb ik nou echt een witte badstof badjas nodig? Is een witte bank met niet-afneembare bekleding een verstandige aankoop? En heb ik nou echt een thuisbioscoop nodig, met een bioscoopscherm en dolby surround geluid?

Ik heb nog nooit op een futon geslapen, maar ik was te verlegen om het bed in de winkel uit te proberen. Ik heb het toch maar gekocht. Verder heb ik boekenkasten aangeschaft, een aluminium bistrotafel met bijpassende stoelen voor op het balkon, een design broodrooster en dito espressoapparaat (allebei een absolute must voor loftbewoners).

Ik belde Sian en Helen en vroeg of ze tijd hebben om al deze spullen op te halen bij het magazijn van het warenhuis. We spraken om vier uur af.

In het tussenliggende uur heb ik een zeskantig zwart servies gekocht, een wijnrek en een fles olijfolie extra-extra vierge, die Debenhams importeert van een bedrijfje waar een goede vriend van Gore Vidal de scepter zwaait.

Toen Sian en Helen er eindelijk waren, zat ik als een moderne Howard Hughes tussen al mijn nieuwe aankopen, een slachtoffer van de consumptiemaatschappij.

'Ik dacht dat je krap bij kas zat,' merkte Sian op.

Ik vertelde haar van de klantenkaart, en Helen vroeg hoeveel rente ik zou gaan betalen. Toen ik zei dat het rentepercentage negenentwintig procent bedroeg, zei ze: 'Laat die spullen hier staan, lever die kaart weer in, en stap in de auto, dan geef ik plankgas.'

Maar, dagboek, dat kon ik onmogelijk doen. Wat heeft het nou voor zin om in een loft te wonen als je niet in je witte badjas over je houten vloeren kunt lopen, als je niet op je witte bank kunt zitten terwijl het espressoapparaat opwarmt, als je vervolgens niet met je geurige verse koffie aan de gegalvaniseerde tafel op je balkon kunt gaan zitten, waar al een zeskantig zwart bordje met een knapperige verse croissant erop klaarstaat?

Marigold heeft het gepresteerd om mijn prachtige houten vloer onder de zwanenstront te smeren. Ze vroeg om een emmer en een dweil om de boel schoon te maken, en toen ik haar geërgerd liet weten dat ik nog niet in de gelegenheid ben geweest om dat soort platvoerse artikelen aan te schaffen, zei ze tegen me: 'Het leven bestaat niet alleen uit witte banken en olijfolie extra-extra vierge, weet je.'

Ze had een cadeautje voor mijn nieuwe huis bij zich: een verzameling bungelende veertjes, die zij een 'droomvanger' noemde. Het schijnt de bedoeling te zijn dat de veertjes mijn dromen vangen en zorgen dat ze uitkomen. Ik heb Marigold maar niet verteld dat ik met enige regelmaat droom dat Pandora Braithwaite zich voor me op haar knieën laat vallen en me smeekt om de liefde met haar te bedrijven.

We hebben een tijdje op het balkon gezeten en koffie gedronken. Marigold droeg een regenboogvariant op de bomentrui die haar vader nu al een maand elke dag aanheeft, maar na een tijdje begon ze te rillen. 'Ik vat altijd snel kou,' zei ze. 'Nu wil ik graag weer naar binnen.'

Toen ze vroeg of ze gebruik kon maken van mijn toilet, voelde ik me verplicht haar te vertellen dat ik haar door de glazen bouwstenen vaag zou kunnen zien, waarop ze zei dat ze dan liever wachtte tot ze weer thuis was. Ik hoopte dat dit haar bezoek zou bekorten.

Ze zat erbij toen ik mijn thuisbioscoop uitpakte en was hevig verontwaardigd over de berg verpakkingsmaterialen. Op drammerige toon begon ze de gevaren van piepschuim op te sommen, waarop ik het spul onwillekeurig in bescherming nam. Ik zei dat het heel bijzonder materiaal is, buitengewoon praktisch en licht. Al snel hadden we een verhitte discussie over natuurlijke hulpbronnen. Op de een of andere manier kwamen we zo op de brief die ik haar op 12 november schreef, en die ze woord voor woord uit haar hoofd bleek te kennen.

'Vroeg of laat krijg ik van al mijn vriendjes zo'n soort brief,' zei ze.

Ze raapte een stuk piepschuim op en verkruimelde het tussen haar vingers. Tot mijn ergernis blies een tochtvlaag de balletjes door de hele kamer. Ik had haar op dat moment moeten vertellen dat ik het uitmaakte, het was per slot van rekening de eerste dag van mijn nieuwe leven. Maar het ontbrak me aan de moed, en ik hoorde mezelf ja zeggen op een uitnodiging om morgen, zondag, bij haar en haar ouders in Beeby on the Wold thee te komen drinken.

Rosie belde en smeekte om minimaal tweehonderd pond. Ze zei dat Simons dealer dreigde Simons beide benen te breken. Ik heb haar naar waarheid verteld dat ik duizenden ponden rood sta.

Ik vroeg of ze al was begonnen met het schrijven van haar dissertatie.

'Stik de rotmoord,' zei ze.

Ik nam aan dat dit 'nee' betekende.

Ik adviseerde haar om het uit te maken met Simon.

'Dat kan ik niet doen,' zei ze. 'Hij heeft me nodig. Zijn vrienden willen niet meer met hem praten. Hij heeft vannacht in een cel op het politiebureau gezeten omdat hij een collectebus van de kankerstichting had gestolen.'

Zondag 17 november

Onwennig geslapen op mijn nieuwe futon. Ik ben het niet gewend om zo dicht bij de grond te liggen. Ik werd om vijf uur wakker en heb een uur lang liggen tobben over de thee bij de familie Flowers. Daarna heb ik een half hoofdstuk van John Majors autobiografie gelezen. Daar val ik altijd bij in slaap.

Later werd ik wakker van mijn vader, die schreeuwde: 'Achteruit, smerige loeders, achteruit!'

En mijn moeder die krijste: 'George, George, pas toch op! Wist je dat een zwaan iemands arm kan breken?'

Ik deed mijn witte badjas aan, ging naar het balkon en keek naar beneden. De zwanen hadden mijn ouders omsingeld op het jaagpad. Mijn vader stak een opgerolde krant uit alsof het een rapier was en hij de graaf van Monte Cristo. Terwijl ik stond te kijken, trokken de zwanen zich terug, om zich in het midden van het kanaal te hergroeperen. Ook nu weer staarde Gielgud me aan. Ik zweer het je, dagboek, dat beest grijnsde. Wat heeft hij toch tegen me?

De schoenen van mijn ouders zaten onder de zwanenstront, dus die hebben ze uitgedaan voordat ze binnenkwamen.

Zwijgend liepen ze rond. '190.000 pond voor zoiets,' zei mijn vader. 'Het is gewoon een grote kamer met een glazen plee!'

'Als je straks vloerbedekking hebt, ziet het er meteen een stuk gezelliger uit,' zei mijn moeder.

Ze staken allebei een sigaret op, maar ik vertelde dat er in mijn loft niet gerookt mag worden en nam ze mee naar het balkon. De zwanenveren wapperden in een stijve bries.

Mijn moeder gaf me een ansichtkaart van een maanlandschap. Ik begreep er niets van, totdat ik hem omdraaide. Het was een kaart van Glenn op Tenerife.

Beste Pa,

De jongens en ik hebben het te gek leuk hiero. Het is bloedheet en ik ben bruin geworden. Ik kreeg een telefoontje van mama. Ze vertelde dat jij en Ryan hebben gevochten in de winkel. Ik hoop dat je hem flink te grasen hebt genomen, pa. Je hoeft er niet meer over in te zitten dat onze vakantie niet doorging. Binnenkort ga ik met het leger naar Cyprus. Ha ha ha.

Hartelijke groet,

Je zoon, Glenn

Ik zette koffie en bracht mijn ouders een kopje op het balkon.

'Zie je die hoge brug daar in de verte, Pauline?' zei mijn vader net. 'Nou, onder die brug heb ik het voor het eerst gedaan, met Jean Arbuthnut. Ik was zeventien en ik had het gevoel dat ik de loterij had gewonnen.'

'Toch wel met condoom?' zei ze.

'Een condoom?' herhaalde hij. 'Niemand gebruikte condooms in de jaren vijftig.'

'Dan is het een wonder dat ze niet zwanger is geraakt,' merkte mijn moeder afkeurend op.

'We hebben het staand gedaan, Pauline,' legde hij uit alsof hij het tegen een mongool had. 'Je kunt niet zwanger raken als je het staand doet, niet de eerste keer.'

Toen ze hun sigaret op hadden, zochten ze naar een asbak. Die is er niet, dus gooiden ze hun peuken in het kanaal.

Mijn moeder hielp me bij het opzetten en installeren van mijn thuisbioscoop terwijl mijn vader de krant las en zich af en toe beklaagde over het gebrek aan seksuele moraal bij de jeugd van tegenwoordig.

Toen hij opstond om naar de wc te gaan, gaf ik hem de gebruikelijke waarschuwing, maar dat bleek hem volstrekt niet te deren. 'Ik heb niets wat je moeder en jij niet al eens eerder hebben gezien,' zei hij.

Toch heb ik wel de andere kant op gekeken, al kon ik het oorverdovende klateren van zijn urine duidelijk horen. Hij urineert, poept, hoest, niest en boert luider dan alle andere mannen die ik ken. Ik begrijp niet hoe mijn moeder het uithoudt.

Toen de geluidsinstallatie was geïnstalleerd en de boxen waren aangesloten, ging ik op zoek naar mijn cd van *Phantom of the Opera*. Het geluid stond per ongeluk op zijn hardst, en Sarah Brightmans openingskreten bliezen ons haast naar buiten. Ik zette snel het geluid zachter, maar de vloerdelen en de glazen bouwstenen van de badkamer bleven meetrillen. Professor Green in het appartement beneden me bonkte tegen mijn vloer. Iemand anders in het appartement boven me bonkte tegen mijn plafond. Ik werd me pijnlijk bewust van mijn buren.

Mijn moeder vertelde me dat ze Rosie gisteren heeft gebeld.

'Hoe klonk ze?' vroeg ik.

Mijn moeder grijnsde van oor tot oor. 'O, geweldig. Het gaat echt zó goed met haar. Ze is bijna klaar met haar proefschrift en ze heeft een schat van een vriend, Simon. Ze had tweehonderd pond nodig om een nieuwe printer voor haar computer te kopen, zodat ze haar proefschrift kan printen.'

Wat weten onze ouders toch weinig van ons. Liegen mijn kinderen ook tegen me?

Vlak voordat ze weggingen, vertelde mijn vader dat hij bij Ladbrokes had gewed dat Hans Blix, de wapeninspecteur van de VN, geen massavernietigingswapens zal vinden als hij morgen teruggaat naar Irak.

'Een zot en zijn geld,' snoof mijn moeder. 'Tony Blair weet iets wat wij niet weten. Hij heeft inzage in geheime documenten, George. Hij leest alle verslagen van de inlichtingendiensten. Hij staat in rechtstreeks contact met de buitenlandse veiligheidsdienst, de binnenlandse veiligheidsdienst, de CIA, de FBI, de Mossad en Rupert Murdoch.'

'Wij hebben tegen Adriaan gelogen over elfjes toen hij aan het wisselen was, Pauline,' betoogde mijn vader. 'Hij was al elf toen hij ontdekte dat ík een pond onder zijn kussen legde voor elke tand die loskwam, en niet dat stomme elfje Tinkelbel.'

'En wat wil je daarmee zeggen?' vroeg mijn moeder.

'Dat de mensen die we vertrouwen tegen ons liegen!' brulde hij. 'Denk eens aan Jeffrey Archer.'

Mijn vader was een groot fan van Archer, en hij voelde zich bedrogen toen bleek dat Archer tijdens zijn eerste proces had gelogen.

Toen ik stopte voor Huize Flowers in Beeby on the Wold, stormde Marigold naar buiten om me te begroeten.

'Een paar tips,' zei ze nerveus. 'Vertel niet dat je in een loft woont, of dat je vader vroeger elektrische kacheltjes verkocht, dat je ouders roken, dat je zoon in het leger zit of dat je vroeger optrad met beesten. En alsjeblieft, ik smeek het je, zeg niets over Mexico.'

Ik zei dat ik nog nooit in Mexico ben geweest, dat ik geen Mexicanen ken en zelfs geen Mexicaans spreek, dus dat het hoogst onwaarschijnlijk was dat ik Mexico ter sprake zou brengen. Ik wierp tegen dat ik door al deze aanwijzingen gedwongen zou zijn om tijdens het gehele bezoek te zwijgen.

Marigold zei: 'Beperk je nou maar tot boeken en hoe geweldig ík ben.'

Met sombere voorgevoelens en Marigold zwaar hangend aan mijn arm ging ik naar binnen.

Ik had een bosje bloemen voor Netta gekocht bij het BP-station. Toen ik haar de bloemen gaf, zei ze: 'Wat leuk, een bezineboeket. Ik weet zeker dat ze nog te redden zijn als ik ze nu meteen in het water zet. Ik ben zo terug.'

Ze snelde weg met het boeket alsof het een levensbedreigende situatie betrof en ze het naar de intensive care moest brengen.

Michael Flowers zat in zijn werkkamer. Hij deed alsof hij zo compleet verdiept was in een groot, in leer gebonden boek dat hij het niet merkte toen Marigold op de halfgeopende deur klopte en naar binnen liep, met mij op haar hielen. De bomentrui zag er verschrikkelijk uit. Hij schoof zijn bril boven op zijn hoofd en kwam overeind.

'Welkom in mijn heiligdom, jongeman,' zei hij. 'Ik bestudeerde net de verschillende betekenissen van je achternaam. Het schijnt, Adriaan, dat een mol een in de grond levend zwart spitssnuitig zoogdier is, dat zich voornamelijk voedt met larven en regenwormen. Verder slaat "mol" op het ondergrondse gedeelte van een molploeg, op pelswerk afkomstig van de mol, of op een infiltrant/spion. Welk van deze beschrijvingen is op jou van toepassing?'

Door het raam zag ik Netta, die de helft van het boeket dat ik haar net had gegeven op een grote composthoop achter in de tuin gooide.

Marigold schoot me te hulp. 'Volgens mij is Adriaan een soort spion. Hij doet altijd zo geheimzinnig.'

'Integendeel, Marigold,' wierp ik tegen. 'Mijn leven is een open boek.'

'Ach ja, boeken,' zei Michael Flowers. 'Marigold vertelde me dat je werkt voor die vreselijke oude libertijn Hugh Carlton-Hayes.'

Ik dacht aan meneer Carlton-Hayes' vriendelijke gezicht, zijn truien en zachte zilvergrijze haar, en voelde me verplicht hem te verdedigen. 'Meneer Carlton-Hayes is de fatsoenlijkste man die ik ken.'

'Voorlopig laat ik je in die waan, Adriaan,' zei Flowers.

Een chagrijnig meisje met onvoorstelbaar lang haar en een T-shirt met het woord 'Bitch' erop beende de kamer binnen en snauwde: 'Ik heb opdracht gekregen om jullie te laten weten dat de thee bijna klaar is.'

Het was Poppy, Marigolds middelste zus, die tijdelijk terug is bij haar ouders om bij te komen van een ongelukkige liefdesrelatie met een collega-wiskundeleraar.

Ik werd meegenomen naar de zitkamer, waar ik plaatsnam en werd voorgesteld aan de katten Saffron en Fleur.

Poppy heeft het langste haar dat ik ooit heb gezien. Het schijnt dat ze het al sinds haar twaalfde laat groeien. Ze friemelde ermee, trok het over haar schouders, streek het naar achteren, ging erop zitten, draaide het boven op haar hoofd in een knot en liet het weer vallen. Ik wist dat er van me werd verwacht dat ik iets over de lengte van haar haar zou zeggen, en over het feit dat ze haar hele persoonlijkheid om deze lange manen had opgebouwd, maar ik kon mezelf er niet toe brengen.

Marigold zei: 'Poppy heeft er vierenhalf uur voor nodig om haar haar te drogen.'

Afgezien van een kort knikje, heb ik niet gereageerd.

Ik kon kiezen tussen verschillende soorten thee: appel en zwarte bessen, brandnetel, pepermunt of basilicum en bernagie.

'We kweken en drogen onze eigen kruiden,' zei Netta wervend. 'Er zijn geen smaak- of kleurstoffen toegevoegd. Alles is volkomen zuiver.'

Ik kreeg een bordje met kleverige bruine klonten aangereikt. Dit bleken scones te zijn die Netta zelf had gebakken van op een molensteen gemalen meel dat haar wordt opgestuurd vanuit een windmolen in Somerset.

'We proberen zo veel mogelijk te eten zoals in de Middeleeuwen,' legde Michael Flowers uit. 'Toen werd er tenminste nog niet met al ons voedsel geknoeid.'

Ik had flinke trek en had heel wat willen geven voor een schaal kunstmatig gekleurde en gezoete bokkenpootjes, maar moest genoegen nemen met een scone, waar ik nu en dan een hapje van nam. Het ding smaakte alsof het in 1307 voor Christus was gebakken boven een vuurtje van twijgjes en gedroogde koeienstront.

Na enige tijd kwam het gesprek op de afwezige Daisy, Marigolds oudste zus, die haar ouders een week geleden een brief heeft geschreven waarin ze hen van alles en nog wat verwijt en hun de schuld geeft van een ongelukkige jeugd.

'Arme Daisy,' verzuchtte Michael Flowers. 'Ze is altijd al een vreemd kind geweest.'

Netta, Marigold en Poppy begonnen af te geven op Daisy, die in Londen iets in de public relations doet.

Hoe meer ze op haar afgaven, des te aardiger ik haar vond overkomen. Het schijnt dat ze haar gezondheid en haar voeten in gevaar brengt door op naaldhakken en veel te bloot gekleed allerlei premières en boekpresentaties af te lopen.

'Zo'n oppervlakkig leven,' zei Michael hoofdschuddend. Hierop begon mijn verhoor. 'We weten zo weinig van je, Adriaan. Vertel eens wat over je ouders.'

Ik vertelde dat de ouders van mijn moeder, de Sugdens, aardappelboeren waren geweest in Norfolk.

'Ja,' beaamde hij, 'je hebt wel iets van een aardappeleter.'

Vervolgens vertelde ik dat de ouders van mijn vader uit een familie van ongeschoolde fabrieksarbeiders in Leicester kwamen.

'Daar hoef je je heus niet voor te schamen,' zei hij.

Waarop ik hem liet weten dat ik me in de verste verte niet schaam.

'Onze stamboom gaat terug tot aan de Magna Carta,' vertelde Flowers me. 'Heeft jouw familie een stamboom?'

Ik weet werkelijk niet waarom ik het heb gezegd, dagboek. Zodra de woorden over mijn lippen waren had ik er spijt van, vooral toen ik zag hoe verdrietig Marigold keek. Als excuus kan ik aanvoeren dat ik tot het uiterste op de proef werd gesteld. Ik wilde Michael Flowers in verlegenheid brengen.

'De Sugdens waren kleine landeigenaren, en ze worden al vermeld in het Domesday Book van 1086, en de Moles waren naar alle waarschijnlijkheid Mexicaanse vluchtelingen die in hun eigen land vanwege hun geloof werden vervolgd en naar Engeland zijn gekomen toen de *Mayflower* naar huis terugkeerde.'

Flowers trok aan zijn baard en mompelde: 'Mexicanen.' Toen stond hij op en verliet hij de kamer. 'Ik moet hout hakken.'

Zwijgend liep Marigold met me mee naar de auto.

Vlak voordat ik wegreed zei ze: 'Dat was ontzettend gemeen van je. De *Mayflower* is nooit naar huis teruggekeerd.' Ze schoof haar slanke vingers onder haar bril en veegde haar ogen af.

Ik bood mijn excuses aan en hoorde mezelf voor de zoveelste keer een afspraak met haar maken.

Toen ik door het zacht glooiende landschap van Leicestershire reed, dacht ik na over meneer Carlton-Hayes. Ik weet niets over zijn leven. Af en toe heeft hij het over zijn partner, Leslie. Ik heb geen idee of Leslie een man of een vrouw is.

Het was al donker toen ik het parkeerterrein naast mijn huis op reed, maar achter enige rietstengels kon ik een witte vorm ontwaren. Het was Gielgud, die me begluurde toen ik uit mijn auto stapte en naar de ingang van de oude accufabriek rende.

Het beest heeft een ongezonde belangstelling voor mijn doen en laten.

Maandag 18 november

Vandaag over het jaagpad naar mijn werk gelopen. Nergens zwanen te bekennen, maar wel een schrikbarend aantal ratten. Op een gegeven moment voelde ik me net de Rattenvanger van Hamelen.

Dinsdag 19 november

We waren bezig met de reorganisatie van de afdeling reisboeken toen ik meneer Carlton-Hayes vroeg of hij kinderen had. Hij vertelde dat hij een zoon heeft, Marius, die in een gesloten psychiatrische inrichting verblijft, en een dochter, Claudia, die in Ethiopië werkt, waar ze voedsel distribueert voor UNICEF. 'Leslie en ik zijn ongelooflijk trots op ze,' zei hij en hij voegde er zacht aan toe: 'Op allebei.' Nu weet ik nog steeds niet of Leslie de moeder van zijn kinderen is of een mannelijke zielsverwant.

Vanavond kwam Parvez onverwacht langs. Toen ik de deur opendeed kwam hij hijgend en zwetend binnen, na een wilde achtervolging door 'een of ander groot wit ding' over het parkeerterrein.

Ik vertelde hem dat het vermoedelijk Gielgud was geweest, de zwaan.

Parvez zei: 'E.Z.K.I.A.B.W.J.'

Hij keek om zich heen in mijn appartement en bewonderde mijn nieuwe meubels, waarna hij me allerlei pijnlijke financiële vragen begon te stellen. Uiteindelijk sloeg ik door en bekende ik dat ik een klantenkaart had. Theatraal sloeg hij met een hand tegen zijn hoofd. 'Waar is die kaart?'

Ik haalde de kaart uit mijn portefeuille en gaf die aan hem. Hij grabbelde in zijn zak, haalde er een klein zakmes uit, peuterde net zolang totdat het minischaartje uitklapte, en daarmee knipte hij mijn kaart doormidden. 'Op een dag zul je me dankbaar zijn,' voorspelde hij.

Ik heb hem niet verteld dat ik op die kaart nog maar £ 89 te besteden heb en de firma Debenhams £ 9.911 schuldig ben.

Parvez vroeg of ik zaterdag naar de reünie van onze middelbare school ga, het Neil Armstrong Lyceum.

Ik zei dat wilde paarden me nog niet naar zo'n reünie konden sleuren, en dat ik gruwde bij de gedachte dat ik Bolleboos Henderson en mijn andere dodelijk saaie klasgenoten terug zou zien.

Ik zit dringend om geld verlegen, dus heb ik Latesun Ltd geschreven en met juridische stappen gedreigd als ze me niet onmiddellijk mijn voorschot van £ 57,10 teruggeven. Ik heb gezegd dat Engeland op het punt staat Irak binnen te vallen, op grond van het feit dat Saddam Hoessein over massavernietigingswapens beschikt. Welk bewijs kan nou zwaarder wegen dan dit?

Woensdag 20 november

Volle maan

Na het werk met Marigold een hapje gaan eten bij Wong. Ze droeg iets wat eruitzag als een veel te groot kruippakje van roze fleece.

Wayne Wong vroeg of ik naar de reünie ging.

Ik zei dat ik andere plannen had, en Marigold glimlachte en kneep in mijn hand.

'Pandora komt er speciaal voor uit Londen,' voegde Wayne eraan toe. 'Ze overhandigt een onderscheiding aan juf Fossington-Gore, die aan het eind van dit trimester met pensioen gaat. Barry Kent komt ook. Hij heeft een minibus voor de school gekocht.'

'Je bedoel toch niet dé Barry Kent, de schrijver en dichter?' zei Marigold hijgend.

'Adriaan zat op school in Barry's vriendenclub,' vertelde Wayne.

'Een week maar,' corrigeerde ik.

'O, ik ben gek op zijn werk,' verzuchtte Marigold. 'Ik ken al zijn gedichten uit mijn hoofd. Kun je misschien aan hem vragen of hij mijn boeken van hem wil signeren?'

Ik mompelde iets over de onwaarschijnlijkheid dat ik hem zou tegenkomen.

'Waarom gaan we zaterdag niet samen?' opperde Marigold.

Ik kreeg de rillingen bij het idee. Ik wil Marigold niet aan mijn vrienden voorstellen, vooral niet aan Pandora.

Ik zei dat ik zaterdagavond aan mijn boek *Roem en waanzin* moest werken, maar dat was een leugen. Ik laat me nergens door weerhouden als ik Pandora kan zien, zelfs al zijn daar dan andere oudere jongeren van mijn jaar bij.

Ik bracht Marigold thuis. Ze hield haar hoofd weggedraaid en keek uit het raampje naar buiten, al was er niets te zien. Af en toe snufte ze en snoot ze haar neus. Op een gegeven moment vroeg ik of ze huilde.

'Ik heb nog niet één van je vrienden ontmoet,' zei ze. 'Schaam je je soms voor me?'

'Je hebt Wayne Wong toch ontmoet,' merkte ik op.

'Alleen maar omdat jij van Chinees eten houdt en hij je tien procent korting geeft,' voerde ze aan. 'Wanneer neem je me mee naar je ouders?'

'Dat zou slecht zijn voor je gezondheid, Marigold,' waarschuwde ik. 'Het zijn allebei kettingrokers.'

'Dan neem ik van tevoren een snuifje van mijn inhalator.'

Dit keer was ik zo voorzichtig om geen afspraak met haar te maken.

Donderdag 21 november

Vanochtend werd ik gewekt door het geluid van steigerpalen die in een vrachtwagen werden gesmeten. Het pand naast het mijne moet binnenkort opgeleverd worden. Toen ik erlangs liep onderweg naar de boekwinkel, werd er net een bord opgehangen boven de deur. Zo te zien komt er een restaurant op de benedenverdieping, Casablanca.

Ik vroeg een van de bouwvakkers of hij wist wanneer de opening werd verwacht.

'Twee maanden geleden,' zei hij.

Ik vind het cynisme van de Engelse arbeiders werkelijk enorm deprimerend.

Vrijdag 22 november

Een sms'je gestuurd naar Bolleboos Henderson, die de reünie organiseert, om hem te laten weten dat ik kom, en tevens bereid ben tien pond bij te dragen aan het buffet en het afscheidscadeau voor juf Fossington-Gore.

Glenn belde om te vertellen dat hij naar een geheime locatie is overgeplaatst en binnenkort met zijn woestijntraining zou beginnen.

Toen ik hem vroeg of hij in Engeland was, zei hij: 'Ja. Maar meer kan ik er niet over loslaten.'

Hij vertelde me dat Ryan er nog steeds van droomt om mij in elkaar te slaan.

'Bedankt voor de informatie, Glenn,' zei ik sarcastisch.

'Graag gedaan, pa,' zei hij. 'Ik vond dat je het moest weten.' Hij voegde er 'Het beste, pa' aan toe en hing op.

Uit nieuwsgierigheid belde ik 1471, en een robot gaf me het nummer waardoor ik net was gebeld. Ik draaide het, en na een paar keer overgaan zei een stem: 'Aldershot Barracks.' Hoezo geheime locatie? Ha!

Het was een drukke dag in de winkel. Sommige mensen zijn al met hun kerstinkopen begonnen. Ik heb voor £ 25 *A Christmas Carol* verkocht, en meneer Carlton-Hayes kocht voor £ 30 een bijzondere uitgave van *Scoop* van een oude man die zijn verzameling Waughs verkoopt om zijn gasrekening te kunnen betalen.

Ik vroeg meneer Carlton-Hayes of hij wist waarom Michael Flowers iets tegen Mexico en Mexicanen heeft. Hij grinnikte zacht en vertelde dat Flowers' eerste vrouw Conchita een Mexicaanse was geweest. Ze kon niet aarden in Leicestershire en schijnt er uiteindelijk met een slager uit Melton Mowbray vandoor te zijn gegaan, terug naar Mexico.

Zaterdag 23 november

Ik wist niet wat ik aan moest naar de reünie en belde Nigel om advies te vragen. Hij zei: 'Draag gewoon de kleren waar je je prettig in voelt, Moley.'

Dat was niet het moment om hem te vertellen dat ik me in geen van mijn kleren ooit prettig voel. Het is geen kwestie van coupe of kleur; het is een kwestie van stijl. Wie ben ik? En wat wil ik over mezelf uitdragen?

Ik vroeg Nigel wat hij aan zou doen, en hij zei: 'Paul Smith.'

Ik zou ook op zoek moeten gaan naar een ontwerper die bij mijn persoonlijkheid past.

Na lang aarzelen mijn marineblauwe pak van Next aangedaan, met een wit overhemd en een das van rode zijde. Ik heb met het nagelschaartje mijn pony bijgeknipt en mezelf royaal met Boss-aftershave besprenkeld.

Onderweg Nigel opgehaald. Ik moest frustrerend lang wachten terwijl hij rondstrompelde door zijn appartementje, op zoek naar zijn sleutels, zijn jas en de witte stok die hij is gaan gebruiken nadat hij op straat als een stripfiguur in een kuil van het kabelbedrijf is gekukeld. Ik bood niet aan hem te helpen, want ik heb blinde mensen op de radio vaak genoeg horen zeggen hoe ergerlijk ze het vinden dat andere mensen hen voortdurend alles uit handen nemen.

Na minutenlang vruchteloos zoeken viel Nigel nijdig uit: 'Jezus, Moley, je kunt me toch wel even helpen!'

In de auto zei ik tegen hem dat hij echt iets aan zijn slordigheid moet doen en dat hij moet leren om zijn spullen steeds op dezelfde plek te leggen, zodat hij ze gemakkelijk terug kan vinden. Ik vroeg hem hoe hij financieel rondkomt nu hij geen werk meer heeft.

Hij vertelde dat hij een arbeidsongeschiktheidsuitkering krijgt. Ik probeerde hem op te vrolijken door een grapje te maken. 'Dus Paul Smith is exit, en nu ga je helemaal voor Zeeman?'

Nigel glimlachte niet eens. Volgens mij is hij tegelijk met zijn gezichtsvermogen ook zijn gevoel voor humor kwijtgeraakt.

Ik hielp hem uit de auto en begeleidde hem over het parkeerterrein naar de aula van de school. Hij liep als een slak en struikelde telkens over zijn witte stok. 'Jezus, man,' bitste hij op een gegeven moment. 'Je sleurt me mee alsof ik een vuilniszak ben.'

Bij de deur van de aula werden we begroet door een of andere kale oude knar met een uilenbril en een Charlie Chaplin-pak. Het was Bolleboos Henderson, die er op zijn vijfendertigste oud en afgeleefd uitziet.

We betaalden tien pond, en Henderson gaf ons lootjes voor de loterij. De eerste prijs was een rondleiding door het Lagerhuis en thee op een terrasje met Pandora. De tweede prijs was een gesigneerde eerste druk van Barry Kents *Aden Vole*. Als derde prijs was er een reusachtige teddybeer, gedoneerd door Elizabeth Sally Stafford (meisjesnaam Broadway), die tegenwoordig haar eigen bedrijf heeft als interieurontwerpster.

Een aantal van mijn vroegere klasgenoten is onherkenbaar veranderd. Claire Nelson, die vroeger warrige blonde krullen en prachtige zoenlippen had, is nu een gespannen, nerveuze vrouw. Ze keek de hele tijd op haar horloge en vroeg zich hardop af of de kinderen wel in bed lagen.

Craig Thomas zwaaide vanachter de apparatuur van zijn mobiele disco Funk Down Sounds. Hij droeg een honkbalpet achterstevoren en was de enige die danste op Michael Jacksons 'Billy Jean'.

Barbara Bowyer en Victoria Louise Thomson stonden aan de geïmproviseerde bar en gaven af op de afwezige Pandora; ze klaagden dat Pandora sinds ze is gekozen nog niets voor vrouwen heeft gedaan.

Toen ze mij en Nigel zagen, krijsten ze: 'Aidy! Nige!' En ze renden naar ons toe om ons te omhelzen. Ik vroeg Victoria Louise wat ze deed voor de kost, en ze zei: 'Ik trouw met steeds oudere mannen, schat.'

Ze is momenteel bezig om te scheiden van nummer drie en maakt plannen voor een huwelijk met nummer vier. Later die avond hoorde ik haar zeggen: 'Ik kan me niet herinneren wanneer ik voor het laatst groente heb schoongemaakt. In 1995, geloof ik.'

Barbara Bowyer was veruit de mooiste vrouw in de aula. Vroeger was ze hoofdzuster op de hartafdeling van het Royal Hospital, maar tegenwoordig volgt ze een opleiding tot verwarmingsmonteur.

'Het zijn allemaal pijpen en pompen en klepjes, maar dan voor twee keer zoveel geld,' legde ze uit.

'Je mag mij pijpen wanneer je maar wilt,' grapte ik, maar ik geloof niet dat ze me hoorde, want ze draaide zich net om en spiesde een stukje worst aan een tandenstoker.

Een groepje oudere mensen zat aan een hoektafeltje. 'Moet je ze eens zien,' zei Claire. 'Hoe is het mogelijk dat we vroeger zo bang waren voor dat stelletje seniele bejaarden?'

Deze oudere mensen waren onze leraren: Juf Fossington-Gore (aardrijkskunde), meester Jones (lichamelijke opvoeding), juf Elf (toneel) en meester Dock (Engels). Bij hen zat de huidige rector Roger Patience, die ooit voorspelde dat Glenn 'nooit iets zal bereiken'.

Meester Dock staarde verlangend naar de bar, dus ik wenkte hem en trakteerde hem op een biertje. Hij begon te stralen toen ik hem vertelde dat ik voor meneer Carlton-Hayes werk.

'Ik herinner me je nog heel goed, Mole,' zei hij. 'Jij bent de enige leerling die ik ooit heb gehad die huilde toen Lenny het meisje vermoordde in *Of Mice and Men*.'

'Moley is zo sentimenteel als een oud wijf,' zei Nigel vinnig. 'Ik heb hem een keer betrapt toen hij zat te snotteren om een dode hamster in het programma *Dierenziekenhuis*.'

Meester Dock ging terug naar zijn tafeltje, en ik liep mee om een babbeltje te maken met de andere docenten.

Meester Jones zei dat hij niet meer wist wie ik was. Ik vertelde hem dat ik bijna altijd ziek was op de dagen dat we gym hadden. 'Maar dat waren er zoveel,' zei hij.

Ik zei: 'Weet u nog, de voetbalcompetitie tussen het lyceum van Bedfordshire en het onze? Nou, het was mijn hond die er tijdens de laatste vijf minuten van de finale met de bal vandoor ging.'

'O ja, nu weet ik het weer,' zei meester Jones. 'Je kwam een keer bij me met een briefje dat zogenaamd door je moeder was geschreven: "Adriaan heeft diarree ten gevolge van gaten in zijn schoenen."'

Ach, wat moesten de leraren aan dat tafeltje er hard om lachen.

'Had hij diarree correct gespeld?' vroeg meester Dock.

'Hoe moet ik dat nou weten?' antwoordde Jones. 'Ik geef gymnastiek.'

Tegen een uur of halftien waren er wat meer mensen in de aula, begonnen de sandwiches op de buffettafel te verkleuren en dansten er een paar mensen op 'Do You Really Want to Hurt Me' van Boy George.

Nigel vormde het middelpunt van de belangstelling. Hij was omringd door meelevende vrouwen die aanboden om voor hem schoon te maken, te wassen en te strijken.

Er klonk getoeter van het parkeerterrein, en Bolleboos Henderson riep boven het kabaal van de muziek uit: 'Kom kijken, de nieuwe minibus is er.'

Kent zat achter het stuur van een wit busje. Zijn hoofd was kaalgeschoren en hij droeg een leren jasje waar dikke zilveren kettingen aan bungelden. Een boomlange lijfwacht in een donkere overjas stapte aan de andere kant uit en richtte zich tot de kleine menigte. 'Blijf uit de buurt van meneer Kent, alstublieft. Hij vindt het niet prettig om aangeraakt te worden. En geen foto's. Hij heeft een hekel aan publiciteit.'

Roger Patience werd gevraagd naar voren te komen, en er volgde een korte en haast lachwekkende plechtigheid, waarbij Barry Kent hem de sleutels en papieren overhandigde.

De twee heren staken allebei een verbijsterend hypocriet toespraakje af.

Ken zei dat zijn schooltijd op het Neil Armstrong Lyceum de gelukkigste jaren van zijn leven waren geweest.

Patience zei dat Barry Kent in alle opzichten een 'rebelse maar briljante jongeman' was geweest, en dat de school 'buitengewoon trots' op hem was. Vervolgens kroop hij achter het stuur van de minibus en startte hij de motor.

Bolleboos Henderson stak zijn hoofd door het raampje naar binnen. 'Meneer Patience, bent u wel bevoegd om in een busje te rijden?'

Patience gaf toe dat hij dat niet was en haalde zijn voet van het gaspedaal.

Pandora belde op mijn gsm om te vertellen dat ze net bij de afslag was en over een paar minuten zou arriveren. 'Is er nog eten over?' vroeg ze. 'Ik rammel.'

Ik vertelde haar dat het buffet was verkleurd en overleden, en bood aan haar mee uit eten te nemen als ze haar plicht eenmaal had vervuld. Ze maakte een onduidelijk geluid en verbrak de verbinding.

Ik voegde me bij Wayne Wong, Parvez en Victoria Louise, die bij de fietsenstalling op het schoolplein stonden te roken. We hebben ons een kriek gelachen over het gekrompen pak van Bolleboos Henderson, juf Fossington-Gores baard en snor en de zielige disco van Craig Thomas.

Pandora's zilverkleurige Saab draaide met een fontein van opspattend grind het parkeerterrein op. Ze bleef nog even in de auto zitten om haar haren te borstelen en lippenstift op te doen.

Ik zei tegen haar dat ze er moe uitzag.

'Je wordt bedankt,' zei ze.

Ze liep naar de rokers bij de fietsenstalling. 'Ik heb eerst een peuk nodig voordat ik naar binnen ga, anders houd ik het nooit vol.'

Bolleboos Henderson haastte zich naar ons toe en hij adviseerde Pandora om haar toespraak voor juf Fossington-Gore vooral kort te houden, want het was al laat en de conciërge wilde de aula om elf uur leeg hebben.

'Ja hoor,' beloofde ze. Ze drukte haar sigaret uit op de bagagedrager van een fiets en we gingen naar binnen.

'Sexual Healing' had mensen naar de dansvloer getrokken. Er klonk opgewonden geroezemoes toen Pandora binnenkwam, en Roger Patience staakte zijn geslijm met Barry Kent en kwam Pandora begroeten.

Bolleboos Henderson stevende op de mobiele disco af en vroeg Craig Thomas om Marvin Gaye uit te zetten. Daarna verzocht hij om stilte door met een vork tegen een wijnglas te tikken, en hij begeleidde Pandora, Roger Patience en juf Fossington-Gore naar het podium. Daar stond een formicatafel klaar, met een doos in cadeaupapier erop.

Er werd luid geapplaudisseerd en gefloten, en Barry Kent schreeuwde als een cowboy die tijdens een rodeo op een bokkende wilde hengst rijdt.

Roger Patience ging eindeloos door over Pandora, hij vertelde het publiek dat ze vijf talen vloeiend sprak, waaronder Russisch en Mandarijn (alsof wij dat niet wisten!), dat ze cum laude was afgestudeerd aan Oxford, en dat ze de Labour-afgevaardigde voor Ashby de la Zouch was en staatssecretaris van Milieu. Hij noemde dit allemaal fantastische prestaties, maar hij was ervan overtuigd dat Pandora's grootste triomfen nog zouden komen, de *Daily Telegraph* had er onlangs op gezinspeeld dat Pandora wel eens de eerste vrouwelijke premier van Labour kon worden. 'Pas dus maar op, Gordon Brown!'

Er werd beleefd gelachen. Vervolgens begon Pandora, die er prachtig uitzag in een op maat gemaakt Lauren Bacall-jasje en wat eruitzag als een herenpantalon, aan haar toespraakje. 'Om te beginnen wil ik er geen twijfel over laten bestaan dat ik hier zonder de steun en de inspirerende lessen van juf Fossington-Gore vandaag niet zou staan, althans niet als parlementslid en staatssecretaris. Ik zal nooit vergeten wat juf Fossington-Gore tegen me zei toen ze hoorde dat ik fotomodel voor het huis Balenciaga wilde worden: "Zó diep hoef je toch niet te zinken, lieve schat." '

Bescheiden boog juf Fossington-Gore het hoofd.

Pandora ratelde nog vijf minuten door, voornamelijk over zichzelf en wat ze allemaal had bereikt. Vervolgens overhandigde ze juf Fossington-Gore haar cadeau met de woorden: 'Dit zal vast en zeker heel mooi staan op uw schoorsteenmantel. Zoals het klokje thuis tikt, tikt het nergens.'

Juf Fossington-Gore viste een klein zakdoekje uit de mouw van haar trui en zei: 'De klas van '83 was heel bijzonder. Pandora

Braithwaite en Barry Kent zaten erin, maar we mogen ook Adriaan Mole niet vergeten, ik keek graag naar zijn tv-serie *Beestachtig goed!* Voordat ik mijn cadeau uitpak, wil ik eerst nog een paar woorden over Nigel zeggen.' Ze gebaarde naar Nigel, die op een stoel zat met de witte stok voor hem, zoals oude mannetjes in een Grieks koffiehuis. 'De manier waarop hij met zijn handicap omgaat, is ronduit bewonderenswaardig.'

Ik keek naar hem en zag dat hij binnensmonds vloekte. Er was een rondje applaus en voetengestamp en gejuich voor hem.

Toen haalde juf Fossington-Gore, die veganist is en in haar eentje in een tweekamerflatje woont, heel voorzichtig het papier van de doos, waar een extra grote gecomputeriseerde elektrische tafelgril in zat. Een pijnlijk moment bleef uit dankzij haar goede opvoeding en het feit dat ze haar hele leven lang haar gevoelens heeft onderdrukt, en met een klein toespraakje bedankte ze het hele gezelschap voor het mooie en attente cadeau.

Toen Nigel hoorde wat ze had gekregen, lachte hij bitter. 'Past dat ding wel op haar schoorsteenmantel?' zei hij.

Barry Kent werd op het podium gevraagd om de lootjes te trekken. Van een simpele taak maakte hij een spektakel dat met het aansteken van de olympische vlam te vergelijken is. Claire Nelson, die inmiddels naar huis was om te kijken of haar kinderen wel sliepen, won de reusachtige teddybeer. Het lot is wreed: de tweede prijs werd gewonnen door Nigel. De eerste prijs werd, tot afgrijzen van Pandora, gewonnen door Bolleboos Henderson.

Hierna moest Kent weg om zijn vlucht naar Amsterdam te halen, waar hij de volgende ochtend een afspraak had met een uitgever.

Ik sta zelf versteld, dagboek, dat ik nog steeds zo'n hekel heb aan Barry Kent. Hoe eerder hij van zijn voetstuk valt hoe beter.

Toen de conciërge rammelend met zijn sleutels de aula binnen kwam, zette Craig 'Every Breath You Take' op, met de mededeling dat dit het laatste plaatje was. Ik vroeg Pandora of ze zin had om te dansen en tot mijn verbazing zei ze ja.

Ze is iets groter dan ik als ze hoge hakken draagt, maar ik ben inmiddels oud genoeg om dat niet meer zo erg te vinden als vroeger.

Ik zong mee met Sting, totdat Pandora vroeg of ik ermee op wilde houden. Maar bij wijze van uitzondering probeerde ze niet te leiden en liet ze zich door mij over de dansvloer schuifelen.

Uiteraard ben ik nog steeds stapelverliefd op haar. Na haar is elke andere vrouw als een troostprijs. Zij is een tien op een schaal van tien, terwijl Marigold helaas niet meer is dan een tweeënhalf, of misschien een drietje als het meezit.

Ik vroeg haar of ze zin had om met een select gezelschap te gaan eten bij de Imperial Dragon, en vertelde dat Wayne Wong ons tien procent korting zou geven.

'Ben je nog steeds zo'n krentenkakker?' vroeg ze.

'Integendeel,' antwoordde ik. 'Ik heb net bijna 10.000 pond uitgegeven aan meubels voor mijn loft aan het Grand Union Canal.'

Toch verbaasde ze me die avond voor de tweede keer door op de uitnodiging in te gaan.

Pandora, Nigel, Parvez, Barbara, Victoria Louise en ik kozen samen voor het Keizerlijk Feestmaal. We zaten aan een grote ronde tafel. Ik zat tussen Nigel en Pandora in. Ik vroeg de ober, Waynes broer Keith Wong, om Nigels eetstokjes weg te halen en een vork en lepel te brengen, en legde uit dat gewoon bestek gemakkelijker voor hem was omdat hij bijna blind is.

Tot mijn schrik schopte Nigel een kleine scène, en hij eiste zijn eetstokjes terug. 'Bemoei je met je eigen zaken, Mole,' zei hij tegen me en hij keerde me de rug toe om met Parvez over zijn financiën te praten.

'Jouw situatie is minder slecht dan die van Adriaan,' zei Parvez. 'Hij heeft zich diep in de schulden gestoken.'

'Parvez,' zei ik, 'hebben accountants geen geheimhoudingsplicht, een soort eed van Hippocrates of zo? Mijn financiële situatie is niet bedoeld als tafelgesprek.'

Barbara Bowyer vroeg Pandora hoe Tony en Cherie 'in het echt' waren.

'Ik zeg geen woord over de Blairs,' zei Pandora. 'Adriaan houdt een dagboek bij, weet je.'

'Als je het waagt om over mij te schrijven,' dreigde Nigel.

'Maak je geen illusies, Nigel,' zei ik. En tegen Pandora: 'Bij mij zijn je geheimen volkomen veilig. Mijn dagboek wordt niet uitgegeven.'

'Dat zei die achterbakse butler Paul Burrell eerst ook,' zei ze, 'en nu strooit hij ongegeneerd al Diana's geheimen in het rond.'

'Bovendien,' zei Nigel, 'wie zou er in hemelsnaam het dagboek van een provinciaalse nul willen lezen?'

Ik nam een stuk kroepoek uit het schaaltje in het midden en beet erin om te verbergen dat zijn opmerking me flink pijn had gedaan.

Om kwart voor twaalf 's nachts ging mijn telefoon. Het was Marigold, die informeerde of het schrijven wilde lukken. Helaas diende Keith Wong op dat moment net de volgende gang op en gaf hij op luide toon uitleg over de verschillende gerechten. 'Dit is zeewier, dit zijn toastjes met garnalen, dit zijn wontons en dit zijn vegetarische loempia's.'

'Waar ben je?' vroeg Marigold.

Ik overwoog te liegen en te zeggen dat het de televisie was, maar Marigold wist dat NTL me nog steeds niet op de kabel had aangesloten, dus zag ik me gedwongen om naar waarheid antwoord te geven.

Pandora lachte om een grapje van Parvez.

'Met wie ben je daar?' vroeg ze.

Pandora vroeg op zwoele toon: 'Zal ik je een loempia geven, Aidy, schat?'

'Wie is dat?' wilde Marigold weten.

Ik stond op van tafel en liep naar het aquarium. Een grote karper zwom naar het glas, de vis was net Marigold zonder bril. Ik raapte mijn moed bij elkaar en zei tegen de karper: 'Luister, Marigold, ik heb hier geen goed gevoel bij. Misschien kunnen we er beter een punt achter zetten.'

'Je bent samen met een andere vrouw, hè?' zei ze op effen toon.

Ik vertelde dat ik met drie vrouwen en twee mannen samen was.

'Drie stellen,' zei ze snikkend.

'Toe,' zei ik. 'Niet huilen.'

'Ik heb de hele avond aan een poppenhuis in de vorm van een loft gewerkt,' zei ze. 'Het moest je kerstcadeau worden.'

Ik wist niet hoe ik het gesprek moest afbreken. Het leek harteloos om tegen haar te zeggen dat mijn eten koud werd, dus moest ik een ellenlange klaagzang aanhoren over haar rampzalige ervaringen met mannen. De karper in het aquarium bleef me treurig aanstaren. Ik zag mezelf weerspiegeld in het glas, en keek een beetje treurig naar mezelf.

Uiteindelijk hing Marigold op, nadat ze met een angstaanjagend toonloze stem had gezegd: 'Zonder jou heeft het leven geen zin.'

De vis zwom naar de bodem van het aquarium en bleef daar bewegingloos liggen. Keith Wong zette eend met ananas op tafel, maar toen ik met mijn eetstokjes een stukje naar mijn mond bracht, smaakte het als zaagsel. Ik dronk vier kleine kopjes sake en vertelde mijn disgenoten van Marigold. Iedereen was het erover eens: Marigold moet gaan.

'Ik wil je niet beledigen, Aidy,' zei Wayne, 'maar je kunt echt wel wat beters krijgen. Ze is bepaald geen lachebekje, hè?'

Pandora zei: 'Ze lijkt me het snotterende, jankerige type dat vrouwen een slechte naam bezorgt.'

'Er moet ook wel een draadje los zijn als je op Adriaan valt,' merkte Nigel op.

'Je vergeet, Nigel,' zei Pandora, 'dat ik vroeger zelf verliefd ben geweest op Adriaan.' Ze pakte mijn hand vast. 'We waren veertien, en we zouden in een grote boerderij gaan wonen en heel veel kinderen krijgen. Adriaan zou ijscoman worden en ik zou koeien melken en brood bakken en wachten tot hij thuiskwam.'

Opeens waren we allebei in tranen. 'Het komt door die stomme rijstwijn,' zei Pandora. 'Daar word ik altijd sentimenteel van.'

Nigel kondigde aan dat hij weg wilde; hij moest de volgende dag vroeg op, want er zou een dame van het blindeninstituut langs komen om te zien of hij in aanmerking komt voor een blindengeleidehond.

Parvez, die immers moslim is, was de enige die nuchter genoeg was om te rijden, dus we lieten onze auto's op het parkeerterrein van het restaurant staan en wurmden ons in Parvez' bolide. Ik nodigde iedereen bij mij thuis uit voor een slaapmutsje.

Gielgud wachtte me buiten op, maar ik joeg hem weg met een Star Wars lichtsabel dat Ali, de jongste zoon van Parvez, in de auto had laten liggen.

Ik deed de lichten aan en zette koffie en waarschuwde iedereen voor de glazen wand van de badkamer. Mijn bezoekers gingen op het balkon staan, en Pandora merkte op dat de zwanen er zo prachtig uit zagen in het maanlicht. Ik hoopte dat Gielgud zich voor de verandering gedeisd zou houden.

Zondag 24 november

Parvez bracht iedereen thuis behalve Pandora. We zaten met elkaar te praten totdat het buiten al bijna licht begon te worden. Ze vertelde me over de moordende werkdruk, de stapels stukken die ze nooit allemaal kan lezen, de pers die met alles wat ze zegt aan de haal gaat. Ze wordt bijna voortdurend bewaakt. Haar telefoongesprekken worden afgeluisterd, en ze zei dat het zo'n opluchting was om openlijk en vrijelijk te kunnen praten met een goede oude vriend.

'We hadden die boerderij moeten kopen, Pandora,' zei ik.

Ze lachte. 'Het is jammer dat we seksueel niet bij elkaar pasten.'

Ik wees erop dat haar theorie nooit in de praktijk was getest. Toch probeerde ik daar geen verandering in te brengen, en zij ook niet.

Om vijf uur belde ik een taxi, en toen ik de claxon hoorde op het parkeerterrein bracht ik haar erheen.

Ik wilde me net uitstrekken op mijn futon toen mijn telefoon ging omdat er een sms'je van Pandora binnenkwam:

Bedankt, Aidy. Ik houd echt van je, Pan.

Om halfacht 's ochtends ging mijn gsm weer. Het was Marigold, die me vertelde dat ze me een brief had geschreven om uit te leggen waarom ze had gedaan wat ze had gedaan. Toen legde ze neer. Ik belde haar meteen terug. De telefoon ging eindeloos over. Uiteindelijk nam Michael Flowers op. 'Met wie spreek ik?' brulde hij kwaad.

Ik vertelde hem dat ik het was, en hij zei: 'Het is net halfacht geweest op een zondagochtend! Heb je niet geleerd om rekening te houden met andere mensen? Ik weet dat je stapelverliefd bent op Marigold, maar je moet proberen je hartstocht te beteugelen. Kom hier maar lunchen. Ik wil je iets laten zien.'

'Hoe laat?' hoorde ik mezelf vragen.

Het was een afgrijselijke maaltijd, slecht klaargemaakt, niet alleen vleesloos en smakeloos, maar bovendien onaantrekkelijk opgediend. Er werd zelfgemaakt troebel bier bij geschonken, uit een kan van aardewerk.

In de open haard lag een houtblok lusteloos te smeulen. Een raam bood uitzicht op de tuin, met een rijtje troosteloze bevroren koolplanten. Een roodborstje zat op het handvat van een verlaten schep, als een levend cliché.

Marigolds ogen waren dik van het huilen. Tijdens het eten drukte ze er een paar keer in hamamelislotion gedrenkte wattenschijfjes tegenaan.

Netta Flowers vertelde dat ze een demonstratie tegen de oorlog wil organiseren in Beeby on the Wold, en ze probeerde me te strikken voor de ordedienst.

'Ik betwijfel of er een ordedienst nodig zal zijn,' zei ik tegen haar. 'Ik kan me niet voorstellen dat er straks tienduizenden mensen bij elkaar komen op het dorpsplein.'

Ze vertelde dat ze al steunbetuigingen had gekregen uit Little Snetton, Frisby on the Wreake, Long Lampton, Shepsed, Melton Mowbray, Short under Curtly en Burrow twixt Soar.

Ik onderbrak haar opsomming van deze broeinesten van burgerlijke ongehoorzaamheid en zei dat ik meneer Blairs standpunt inzake Saddam Hoessein en zijn massavernietigingswapens volledig onderschreef.

Ik vroeg Marigold wat zij vond van een mogelijke oorlog in Irak. Ze staarde naar de ongare wortelgewassen op haar bord en zei: 'Ik vind oorlog verkeerd. Waarom kunnen mensen niet gewoon aardig zijn voor elkaar?'

Misschien is ze een wijsgerige idioot.

Na de lunch bood ik aan om af te wassen. Tot mijn grote ergernis zei Netta: 'Graag. Schone theedoeken hangen over de Aga.'

Ik moest dus nog afdrogen ook.

Marigold zei dat ik maar naar de zolder moest komen als ik klaar was.

De familie Flowers maakt hun eigen afwasmiddel van citroen en glycerine, en dat stond in een pot met schroefdeksel naast de gootsteen. Toen ik aan de aangekoekte ovenschalen toe was, ging ik naar de zitkamer om te vragen of ze soms een schuursponsje hadden. Hun ontsteltenis was zo groot dat je zou gaan denken dat ik de heer en mevrouw Flowers had gevraagd om een babyzeehondje vast te houden terwijl ik het doodknuppelde.

Toen de laatste gedeukte pan en de laatste gebarsten schaal was afgedroogd en opgeborgen, nam Michael Flowers me mee naar zijn werkkamer om 'zijn boeken te bekijken en een schatting van de waarde te maken'.

Ik vertelde hem dat meneer Carlton-Hayes de taxaties deed en dat ik een nieuwkomer was in de wereld van gebruikte en antiquarische boeken.

'Doe maar wat, uit de losse pols,' drong hij aan.

Ik zei dat ik daar uren mee bezig zou zijn en naslagwerken nodig zou hebben enzovoort.

Hij plukte een boek van een plank en gaf het aan mij. 'Kijk hier eens naar.'

Het was *Tales of an Empty Cabin* van Grey Owl. Het boek zat in een cassette die een beetje versleten en verkleurd was, maar nog wel intact. Ik haalde het boek eruit en sloeg het open. Het was een uitgave uit 1936, gesigneerd door de auteur.

Ik bekeek het boek aandachtiger en zei tegen meneer Flowers: 'De linnen band is een beetje versleten, net als de rug. Het goud op snee is mooi, maar aan de onderkant is het verguldsel er bijna af, en het is jammer dat het lint van de boekenlegger is verkleurd.'

'Nou, hoeveel?' vroeg hij ongeduldig.

Ik keek naar de sepiatekeningen en de kleurenprent van Grey Owls wilskrachtige kop met indiaanse verentooi, en daar werd ik heel hebberig van. Ik wist dat het boek in mijn hand ten minste 250 pond waard was.

Ik kon me nauwelijks beheersen en moest mijn best doen om mijn stem zo ongeïnteresseerd mogelijk te laten klinken. 'Hebt u nog meer boeken van Grey Owl?'

Flowers vertelde dat hij ze op een gegeven moment verzamelde, maar toen hij de film met Pierce Brosnan had gezien en ontdekte dat Grey Owl in werkelijkheid een Engelsman was die Archie Belaney heette, wilde hij de boeken van deze nepindiaan niet meer in zijn huis hebben.

Ik vertelde hem dat het boek misschien wel vijftig pond zou opleveren en bood aan het van hem te kopen. Hij leek er reuze mee in zijn nopjes en ging op zoek naar de andere delen van zijn verzameling.

De andere boeken die hij had waren *Men of the Last Frontier, Pilgrims of the Wild* en *Sajo and Her Beaver People*, allemaal eerste drukken, allemaal gesigneerd door de auteur. En alledrie in goede staat. Het water liep me in de mond. Ik zei dat de vier boeken samen ongeveer tweehonderd pond konden opbrengen.

'Daarvan gaat de helft naar de fiscus,' snoof Flowers.

Terwijl ik dit schrijf, schaam ik me voor mezelf. Ik heb altijd een eerlijk mens willen zijn. Als ik met een of ander moreel dilemma word geconfronteerd, vraag ik me altijd af wat George Orwell zou doen. Het is de schuld van Michael Flowers; hij haalt het slechtste in me naar boven.

Ik ging naar Marigolds zolder. Ze was bezig gelakte spaanders hout op de vloer van een loft-poppenhuis te leggen. Op haar werkbank stonden een piepkleine witte bank en een futon, en op een metalen stoel op het balkonnetje zat ik, Adriaan Mole, gekleed in een witte badjas. Op de andere stoel zat Marigold, in haar kaki broekpak met de rode baret. De twee poppen hielden elkaars hand vast.

Geschrokken stelde ik vast dat de beide poppen om de stoffen middelvinger van hun ene hand elk een trouwring droegen.

'Ik moet je iets vertellen,' zei Marigold. 'Ga toch zitten.'

Haar gezicht had wel zes zenuwtics tegelijk, ze frunnikte aan haar haren, gooide haar hoofd naar achteren en staarde naar de balken, ze bekeek haar nagels, ze zuchtte, en uiteindelijk piepte ze met een klein stemmetje: 'Ik wil mezelf aan je geven. Seksueel, bedoel ik. Tot nu toe ben je een echte heer geweest, maar ik voel dat onze relatie een andere fase is ingegaan. Het zal je misschien verbazen, schat, dat ik seksueel betrekkelijk onervaren ben, maar ik heb nu het gevoel dat ik eraan toe ben om je mijn hart, mijn ziel en mijn lichaam toe te vertrouwen.'

Ik voelde mijn genitaliën verschrompelen terwijl ze het zei. Ik wilde weg. Ik zei tegen haar dat ik haar niet waard ben, dat ik seksueel enorm ervaren ben, dat ik talloze vrouwen heb gehad, niet alleen in dit land maar ook daarbuiten. Ik zei dat ik niet de saaie man ben voor wie zij me aanziet, dat ik een onaangename, onbetrouwbare persoon ben die op een dag haar hart zal breken. Dit leek haar juist op te winden, en ze stortte zich op me, ging op mijn schoot zitten en kuste me in mijn nek.

Zoals je weet, dagboek, is mijn nek mijn achilleshiel. Van het een kwam het ander, en binnen een minuut zochten mijn handen haar behabandje.

'Schuif het schot voor het luik,' zei ze hees.

Het duurde vrij lang voordat ik besefte dat dit geen seksuele toespeling was, maar dat ze letterlijk vroeg of ik het openstaande luik van de zolder dicht wilde schuiven, zodat we niet gestoord konden worden.

Mijn hartstocht bekoelde een beetje terwijl ik dit deed, maar bij het zien van haar mooie borsten en roze tepels laaide het vuur weer op, en het duurde niet lang of we hadden gemeenschap op een stapel oude bontjassen die in een donker hoekje van de zolder waren neergelegd.

Zodra ik weer bij zinnen was en nadat ik tegen haar had gezegd dat ze mooi was enzovoort en zo verder, vroeg ik of ze de pil slikte.

Ze zei dat ze erop tegen was om chemicaliën in haar lichaam te stoppen.

Nu ik dit schrijf, dagboek, heb ik spijt als haren op mijn hoofd dat ík iets in haar lichaam heb gestopt.

Terwijl ik van de zoldertrap klom, kreeg ik een sms:

> Waar ben je, Aidy? Ik sta voor je deur. Liefs, Pandora.

Ik heb veel te hard gereden in mijn haast om thuis te komen, maar ik was toch te laat. Pandora stuurde me nog een sms om te zeggen dat ze op de snelweg was, onderweg naar Londen.

Maandag 25 november

Meneer Carlton-Hayes taxeerde de vier boeken van Grey Owl op £725. Ik vertelde hem dat ze van Michael Flowers waren en dat ik de totale waarde op £ 200 had geschat.

Meneer Carlton-Hayes zei: 'En was de vreselijke Flowers daar tevreden mee?'

'Het was haast zielig, zo blij als hij was,' zei ik. 'Volgens mij is hij onderweg naar de bank.'

Mijn baas was verrukt dat we Michael Flowers een loer konden draaien.

Hij belde een in Canadese geschiedenis gespecialiseerde verzamelaar en benadrukte wervend de zeldzaamheid van vier gesigneerde eerste drukken van Grey Owl. De man vertelde dat hij zijn verzameling had verkocht om de studie van zijn dochter te kunnen betalen. Meneer Carlton-Hayes voelde met hem mee en belde een type dat gesigneerde eerste drukken van bedriegers verzamelt, Josh Pullman in Brighton, die onmiddellijk duizend pond voor het setje bood. Het schijnt dat hij een unieke verzameling Jeffrey Archers heeft.

Ik ging naar Brucciana's en haalde twee cappuccino's om mee te nemen en ook twee puddingbroodjes om de verkoop te vieren, maar ook ter ere van een ander heuglijk feit. Het is een jaar geleden dat ik in de antiquarische boekhandel van meneer Carlton-Hayes ben komen werken. Ik bewonder mijn werkgever meer dan alle mensen die ik ooit heb gekend. Hij is van hetzelfde kaliber als Nelson Mandela en Tony Blair. Hij kan zelfs een puddingbroodje eten zonder zijn waardigheid te verliezen.

Onderweg naar het postkantoor om de boeken naar meneer Pullman te verzenden, ging ik met een cheque van tweehonderd pond voor Michael Flowers naar de winkel.

Marigold stond achter de toonbank. Haar ogen waren nog steeds dik. Er was niemand in de winkel. Ze vertelde dat haar ouders bij de bank waren, voor spoedoverleg met hun financieel adviseur.

Ze kwam achter de toonbank vandaan en kuste me in mijn nek. Dit keer liet het me koud, en ik was opgelucht toen ze zei: 'Heb je het laatste nieuws al gehoord? Het Madrigaal Ensemble en een aantal leden van het kerkkoor hebben samen een mimegezelschap opgericht, de Leicester Komedianten. Er komen middeleeuwse kluchten op het repertoire.'

Ik zei nee, dat wereldschokkende nieuws had ik nog niet gehoord. 'Heb je de *Guardian* gebeld om te zeggen dat ze ruimte vrij moeten laten op de voorpagina?' vervolgde ik. 'Weet de hoofdredacteur van *Today Programme* het al? Heb je CNN gebeld?'

'Adriaan,' zei Marigold, 'sarcasme is de laagste vorm van humor.'

Ik zei dat ik niet sarcastisch was maar satirisch.

Ze vertelde dat ze lid was geworden van de Leicester Komedianten en tot aan Kerstmis bijna elke avond moest repeteren of optreden. Ze nodigde mij uit om ook lid te worden, maar niet van harte.

'Het zal je misschien verbazen, Marigold,' zei ik, 'maar ik heb er geen enkele behoefte aan om verkleed als boer in een jurk op winderige dorpspleinen extreem ongrappige middeleeuwse kluchten op te voeren voor een publiek dat je liever ziet gaan dan komen. Sommige tradities kun je beter dood laten gaan: madrigalen, middeleeuwse kluchten en volksdansen.'

'Ik heb papa en mama gisteravond verteld dat we minnaars zijn geworden. Ze zijn heel blij voor ons. Mijn moeder heeft me een doos organische condooms gegeven. De latex komt uit Maleisië en de boeren krijgen er een eerlijke prijs voor. Mijn vader vindt het goed dat je op zaterdag en donderdag bij me blijft slapen.'

Een oude knakker kwam binnen en vroeg om zonnebloemzaadjes. Terwijl ze hem hielp, zag ik mijn kans schoon om de winkel te verlaten zonder een afspraak met haar te maken.

Dinsdag 26 november

Ontving vanochtend een doorgestuurde brief van mevrouw Ruth Rendell. Tot haar spijt kan ze op de drieëntwintigste niet deelnemen aan het diner van ons schrijfclubje, want dan is ze in Australië.

Dit herinnert me eraan dat het probleem rond Gladys Fordingbridge nog niet is opgelost. Ik doe het morgen.

Verder ga ik meneer Carlton-Hayes om opslag vragen. Volgende week moet ik mijn hypotheek en de eerste termijn van mijn klantenkaart betalen. Na aftrek van belasting en sociale verzekeringen blijft er van mijn salaris £ 1.083,33 over, en ik heb het akelige gevoel dat mijn hypotheek en de afbetaling van mijn creditcard en klantenkaart samen meer dan £ 900 bedragen. Misschien moet ik er een keer voor gaan zitten en mijn maandlasten becijferen. Ik kan het me niet permitteren om het door Parvez te laten doen, niet à raison van £ 125 per uur.

Woensdag 27 november
Laatste kwartier van de maan

Ik belde Gladys en sprak met haar af dat ik om halfacht bij haar zou zijn, dus toen Marigold belde, kon ik haar naar waarheid vertellen dat ik op bezoek ging bij een oude dame en zodoende niet met haar kon afspreken.

Gladys heeft een uitgever gevonden voor haar kattengedichten. Een maatschappelijk werker van de bejaardenvereniging waar ze op maandagmiddag altijd naartoe gaat vindt haar gedichten 'uitzonderlijk goed', en zegt dat Gladys' stem 'gehoord moet worden'. Uitgeverij De Grijze Panter brengt het bundeltje uit.

Gladys las me haar nieuwste gedicht voor:

> 'Mijn lieve kleine poes
> Is een echte snoes.
> Ons huis is haar domein,
> Ze vindt het er reuze fijn,
> Ze wijkt niet van mijn zijde,
> En dat bevalt ons beide.
> Nooit zoekt ze elders haar heil,
> Dat is niet haar stijl;
> Ze blijft gezellig binnen
> En zit dan tevreden te spinnen.
> Mijn lieve kleine poes
> Is een echte snoes.'

Ze vroeg me om advies voor een titel van haar bundel. Ik stelde *Gedichten over katten* voor, maar dat vond ze te saai. Ze wilde een intellectueler tintje.

'Noem het dan *Poezelige bespiegelingen*,' opperde ik vals, en Gladys zei: 'Geweldig! Bedankt, meneer Mole.'

Ik loog en vertelde Gladys dat ze volgens de regels van onze club haar lidmaatschap moest opgeven, aangezien ze haar status als amateur verliest zodra er werk van haar wordt uitgegeven.

Volgens mij was ze er behoorlijk trots op, en ze vroeg me zelfs of ze haar bundel aan mij mocht opdragen.

Ik zei dat ik het als een eer zou beschouwen, maar ik was niet bepaald trots op mezelf toen ik haar succes wenste met het boek en haar huis voor de laatste keer verliet.

Donderdag 28 november

Een ongemakkelijke nacht in Marigolds eenpersoonsbed doorgebracht. Ze heeft het al sinds ze klein was. Het moet de koets van Assepoester voorstellen.

'Het is handgemaakt door een ambachtelijke timmerman en geschilderd door een gehandicapte bejaarde,' vertelde ze.

Toen ik 's ochtends wakker werd, liepen er parallelle strepen over mijn ene wang van de houten pompoen waar mijn gezicht tegenaan gedrukt was geweest.

De seks was goed tot middelmatig en duurde ongeveer zeven minuten.

Vrijdag 29 november

Seks met Marigold op de futon in mijn loft.

We moesten allebei onze trui aanhouden, want de vloerverwarming deed het niet.

Zaterdag 30 november

Het was rustig in de winkel, vooral als je bedenkt dat er nog maar drie zaterdagen zijn tot de kerst. Er waren wel mensen die rondsnuffelden, maar bijna niemand kocht iets.

Toen ik van het postkantoor kwam, drukte een wezenloos kijkende jongeman met een wollen muts met pompon me een foldertje in handen.

De tekst luidde:

Randy Applestein,
Mister Motivatie uit Amerika,
geeft een seminar in de Garden Room
van het Great Eastern Hotel in Leicester
op zondag 8 december.

Verdriedubbel uw omzet,
bereik al uw doelen.
Ontdek uw power!

Ontbijt en lunch inbegrepen.
Geld terug garantie.

Ik vroeg de versufte jongen met de muts of hij zelf een seminar had bijgewoond. Hij zei van wel.

Ik gaf hem het foldertje terug. 'Je hebt er duidelijk niets aan gehad,' zei ik tegen hem. 'Ik hoop dat je je geld hebt teruggekregen.'

Mijn ouders kwamen naar de winkel, op zoek naar handboeken voor doe-het-zelvers. Mijn vader voelde zich opgelaten. De nabijheid van zoveel boeken maakt hem nerveus. Sinds de middelbare school heeft hij maar één boek uitgelezen, *Jonathan Livingstone Seagull*.

'Aidy,' zei hij, 'heb je iets over het verbouwen van varkensstallen?'

Ik deed alsof ik op zoek ging, en zei toen met een zwaar ironische ondertoon die hem ontging: 'Nee, op het moment hebben we niets staan. Er is de laatste tijd erg veel vraag naar handboeken over het verbouwen van varkensstallen.'

Hij begon te stralen. 'Zie je nou wel! Je moeder en ik zijn echte trendsetters met onze baanbrekende nieuwe ideeën.'

Ik lachte hem recht in zijn gezicht uit. Mijn vader is niet eens een trendvolger te noemen; hij was de laatste man in Leicester die nog broeken met wijde pijpen droeg.

Mijn moeder verzamelde een flinke stapel handleidingen – metselen, fijn timmerwerk, elektrische bedrading en loodgieterswerk – en legde die op de toonbank.

Meneer Carlton-Hayes bond een bruin touw om de stapel en maakte er een lus in als handvat.

'Een paar stoelen zouden hier niet misstaan, meneer Carlton-Hayes,' zei mijn moeder tegen hem.

'Ja,' zei hij tot mijn verbazing, 'ik overweeg er een paar van huis mee te nemen.'

'En de geur van verse koffie doet het altijd heel goed in boekwinkels,' voegde mijn moeder eraan toe.

'Denkt u, mevrouw Mole?'

'O, zeker,' zei ze. 'Als u uw klanten een gratis kopje koffie geeft, voelen ze zich verplicht iets te kopen.'

Ik zei spottend: 'En wat dacht je van appeltaart met slagroom en een kerstman van chocola voor de kinderen?'

Meneer Carlton-Hayes glimlachte. 'Dat lijkt me erg gezellig.'

In gedachten zag ik slecht opgevoede kinderen al chocoladevlekken maken op onze kostbaarste boeken.

Mijn moeder kwam nu pas echt goed op dreef. 'U zou de open haard in ere kunnen herstellen,' zei ze, wijzend op de dichtgetimmerde schoorsteen. 'En een kerstboom met lichtjes in de etalage zou heel uitnodigend staan.' Ze kneep haar ogen half dicht en leek weg te dromen bij haar eigen plannen.

Meneer Carlton-Hayes was net een goedaardige slang, gehypnotiseerd door de slangenbezweerder. Hij liet zich meeslepen door mijn moeders visioen van Kerstmis in vroeger tijden. En tot mijn verbijstering vond hij het goed dat mijn vader de plaat triplex voor de haard weghaalde. Een met stof en roet overdekt haardrooster werd zichtbaar, een overblijfsel van toen meneer Arthur Carlton-Hayes de zaak in 1929 oprichtte.

Mijn moeder bleef zich ermee bemoeien. Ze belde een schoorsteenveger en sprak af dat de schoorsteen op donderdagochtend geveegd zou worden.

Terwijl ik een paar late klanten hielp, begonnen zij en meneer Carlton-Hayes de hele winkel opnieuw in te richten. Ik vroeg me af wie er zou opdraaien voor het kopen van het hout, het zetten van de koffie, het halen van de appeltaart en het doen van de afwas.

Mijn moeder stelde meneer Carlton-Hayes voor om *en famille* ergens een hapje te gaan eten. Hij zei dat hij het leuk vond om mee te gaan, maar wel eerst Leslie moest bellen. Ik liet weten dat ik bij de Imperial Dragon tien procent korting krijg.

Wayne Wong vertelde mijn moeder dat Pandora afgelopen zaterdag de nacht in mijn loft heeft doorgebracht, en tegen mij voegde hij eraan toe: 'Ik ben blij dat het uit is met Marigold. Wat een trut is dat.'

Ik deelde hem kil mede dat het nog niet uit is met Marigold en dat ik haar later die avond zou zien. 'Jammer,' snoof hij.

Mijn moeder zat natuurlijk met haar oren te klapperen. 'Waarom bel je haar niet op om haar hier uit te nodigen?' stelde ze voor.

Ik legde uit dat ze een kerststukje instudeerde in de kathedraal. Nauwlettend bestudeerde ik mijn moeders gezicht. Ze wist het in de plooi te houden, maar ik betrapte meneer Carlton-Hayes, die verdiept leek in de kaart, op het optrekken van een wenkbrauw.

Mijn vader raakt altijd overdreven opgewonden in restaurants, en deze avond vormde daarop geen uitzondering. Om de haverklap stond hij op om naar het aquarium te lopen en tegen het glas te tikken.

'Niet doen, George,' bleef mijn moeder zeggen. Ze leek op een kapotte langspeelplaat.

Meneer Carlton-Hayes was een artiest met zijn eetstokjes. Zelfs Wayne maakte hem een complimentje. Meneer C-H mompelde dat hij ooit een tijd in Indo-China is geweest, maar meer wilde hij er niet over kwijt.

Al voordat het hoofdgerecht werd opgediend, legde mijn moeder Wayne uit wat hij volgens haar aan het interieur van het restaurant moest veranderen; in plaats van het ouderwetse drakenmotief kon hij beter behang met een dierenprint nemen.

Tijdens het speciale feestmenu van £ 12,99 per persoon werd ik door mijn moeder ondervraagd over mijn toekomstplannen. Was ik van plan om weer te gaan trouwen? Droomde ik er nog steeds van om fulltime schrijver te worden? Of zag ik een toekomst voor mezelf als handelaar in antiquarische en gebruikte boeken?

Ik zei dat ik erg blij was met mijn baan en nog vele jaren voor meneer Carlton-Hayes hoopte te werken.

Hij keek een beetje verdrietig. 'Ons winkeltje draait elke week met flinke verliezen. Ik heb de afgelopen jaren het hoofd boven water weten te houden met de opbrengst van mijn investeringen, maar dat gaat ook niet meer nu de koersen blijven dalen.'

'Meneer Carlton-Hayes,' zei ik, 'misschien moeten we een bedrijfsadviseur in de arm nemen.'

'Maar kosten die niet een klein vermogen?'

'Wie geld wil verdienen, moet eerst investeren,' zei mijn vader. Hij leek wel een hardvochtige fabriekseigenaar die een van de onderbetaalde kinderen die hij afbeult aan een spinmachine gaat vastketenen.

Ik schreef de vier speerpunten van een eenvoudig plan van aanpak op het papieren tafelkleed:

- Introduceer afdeling met bescheiden selectie nieuwe titels.
- Begin een lezersclub.
- Koop een koffiezetapparaat.
- Zet stoelen neer.

Seks gehad met Marigold in het koetsbed, zoals verordonneerd door meneer Michael Flowers.

Zondag 1 december

Vanochtend is er iemand in een van de appartementen komen wonen. Toen ik naar buiten ging om de kranten te kopen, stond er een verhuiswagen op het parkeerterrein. De zwanen waren aan de overkant van het kanaal, waar ze een visser bedreigden.

Barry Kent stond in de *Sunday Times*. Het stuk had als titel: 'Hoe ik mijn geld uitgeef'. Volgens de interviewer, Topaz Scroggins, heeft hij verteld dat hij zijn astronomische inkomen grotendeels weggeeft aan goede doelen, maar hij schijnt Topaz gesmeekt te hebben om dit niet te onthullen. Topaz schreef: 'Ik hoop dat hij het me niet kwalijk neemt, maar ik vind dat de lezers van deze krant moeten weten dat Barry Kent, ondanks zijn imago van het stoere, onbuigzame genie, een sociaal voelend mens is met het hart op de juiste plaats.'

Maandag 2 december

Er was een kaart van het Lagerhuis van Pandora, een obscene foto van een sneeuwman met de wortel op de verkeerde plaats van tante Susan, en een brief van Glenn.

Beste pa,

Volgens mij ken de oorlog elk moment beginnen. Hadden vandaag woestijntraining. Sergeant Brighouse en ik gingen naar de bouwmarkt om nog voor dezelfde dag tien ton zand te bestellen. Volgens Brighouse hadden we minstens drie maanden op het zand kennen wachten als we het via het leger hadden besteld. Vanmiddag werd het zand gebracht. We leegden de zakken op de stormbaan. Sergeant Brighouse stelde mij en de jongens op achter de berg, en toen zette hij de generator aan en blies het zand in onze ogen. Hij schreeuwde: 'Jullie zijn nu in de woestijn, stelletje uitgekakte vmbo'ers!'

Daarna moesten we onze schoenen uitdoen en vullen met zand. Toen moesten we ze weer aan en rondrennen door het zand totdat we kapot waren. Tot slot brulde hij: 'Zo, dat was jullie woestijntraining.'

Ik en mijn beste vriend Robbie Stainforth hebben twee meisjes leren kunnen via internet. Hun komen uit Bristol en we gaan er op zondag heen om ze te ontmoeten. Op de foto zijn ze leuk. Ik hoop dat het geen ouwe tangen van vijftig met zonder tanden zijn. Ik denk dat je Robbie aardig zult vinden, Pa. Hij leest boeken en heeft verstand van allerlei dingen. Toen hij zag dat ik de *Sun* zat te lezen, stak hij voor de gein mijn krant in de fik.

Het allerbeste, pa.

Je zoon Glenn

p.s. We krijgen misschien geen verlof met Kerstmis, maar we mogen wel pakjes ontvangen.

Er zat een foto bij van Glenn en Robbie Stainforth. Ze dragen allebei hun bruine uniform, en ze houden een beeldje omhoog van een dikke man die een pijltje gooit. Robbie glimlacht verlegen. Ik was vergeten dat soldaten een bril kunnen dragen. Op de achterkant had Glenn geschreven: 'Ik en Robbie waren finalisten met de dartscompetitie van ons regiment, en wij hebben gewonnen. De jongens hebben me op elf glazen bier getracteerd. Pa, ik heb me nog nooit zo klote gevoeld.'

Gekeken naar een reportage over Rowan Williams, die werd ingezegend als aartsbisschop van Canterbury. Hij doet me een beetje aan Michael Flowers denken. Mijn vingers jeukten om zijn baard bij te knippen met mijn nagelschaartje, en ik vermoed dat zijn vrouw zijn haar knipt. En ik weet wel dat Jezus sandalen droeg, maar dit is de eenentwintigste eeuw. Hij schijnt razend intelligent te zijn. In elk geval houdt hij erg van zijn eigen stem. Desalniettemin wens ik hem het beste. Leidinggeven aan de Church of England lijkt me net zo moeilijk als proberen om kikkers in een kruiwagen te houden. Ik benijd hem niet.

Antwoord aan Glenn:

Beste Glenn,

Ik weet niet waarom sergeant Brighouse jullie aan een woestijntraining heeft onderworpen, want jullie gaan in elk geval niet naar Irak. Als Saddam zijn massavernietigingswapens niet inlevert, volgt er ongetwijfeld een langdurige periode van onderhandelingen. De diplomaten zullen er wel iets op verzinnen. Bovendien ben je veel te jong. Je bent pas zeventien en niet oud genoeg om te vechten. Wees dus maar gerust, jongen, je gevaarlijkste onderneming van dit jaar wordt de ontmoeting met het meisje van internet.

Ik wens je een leuke dag, maar bedenk dat je op de M4 voorzichtig moet rijden. Houd flink afstand van vrachtwagens. Die dingen scharen aan de lopende band, of ze verliezen hun lading, en witte bestelbusjes zijn berucht vanwege hun gevoeligheid voor ongelukken. Blijf er vooral bij uit de buurt. Elk jaar komen er duizend mensen om bij ongelukken op de Engelse wegen, en ontelbare duizenden raken gewond of voorgoed gehandicapt.

Drink alsjeblieft niet nog een keer elf glazen bier. Het betekent een enorme aanslag op je lichaam, om het over je blaas nog maar niet te hebben.

En neem vooral een condoom mee. Bedenk dat meer dan de helft van alle vrouwen in Engeland een seksueel overdraagbare aandoening hebben: 30 procent heeft bijvoorbeeld chlamydia, 20 procent heeft genitale wratten en een onbekend percentage vrouwen heeft syfilis, een geslachtsziekte waardoor je neus wegrot en er uiteindelijk af valt.

Nou, veel plezier in Bristol, jongen, en jij en Robbie gefeliciteerd met jullie dartsprestatie.

Liefs, pa

Dinsdag 3 december

Vraag me niet waarom, maar ik had verwacht dat de schoorsteenveger een klein, pikzwart mannetje met o-benen zou zijn, met een pet op zijn hoofd en een ragebol over zijn schouder. Deze schoorsteenveger droeg een pak met stropdas, hij was keurig geschoren en had zelfs geen rouwrandjes onder zijn nagels. Hij bevestigde een zak over de opening van de haard en zette een soort stofzuiger aan. In tien minuten was het gepiept.

Denkend aan het typisch Engelse bijgeloof dat een schoorsteenveger geluk brengt, vroeg ik hem of hij tegenwoordig nog vaak op bruiloften komt.

Hij vertelde dat zijn grootvader vroeger vaak bij de kerk rondhing, gekleed in traditionele schoorsteenvegerskleren, maar daar kwam een einde aan na een betreurenswaardig ongelukje met een zak vol roet en een witte bruidsjurk met hoepelrok.

Ik zei tegen hem dat hij zichzelf beter als een schoorsteenzuiger kon beschrijven dan als een schoorsteenveger, maar het idee leek hem niet aan te spreken.

De haard is erg mooi om te zien, met ouderwetse rode tegels met een tulpenpatroon rondom het haardrooster.

Ik ging naar de BP-garage aan het eind van de High Street en zeulde twee grote zakken haardhout naar de winkel. Daarna moest ik nog lucifers en aanmaakblokjes kopen. Toen ik terugkwam, was meneer Carlton-Hayes bezig de *Guardian* aan repen te scheuren, waar hij rolletjes van maakte. Ik kan het niet goed uitleggen, dagboek, maar het was een enorm emotioneel moment toen meneer Carlton-Hayes het eerste aanmaakblokje aanstak met een rolletje krantenpapier. Binnen de kortste keren vatte het hout vlam en hadden we een knappend haardvuur op het rooster. Meneer Carlton-Hayes moest rondvliegende sintels doven met zijn voet. Andy Gilchrist, de leider van de stakende brandweermannen, heeft laatst aangekondigd dat hij New Labour ten val wil brengen, dus leek het me verstandig om een haardscherm te kopen. Gelukkig had Debenhams aan de overkant er een.

Later verplaatsten we een paar boekenkasten. We voegden Engelse Politiek samen met Amerikaanse Geschiedenis, zodat er voor de haard ruimte is ontstaan voor een zitje met twee stoelen.

Het vuur was een doorslaand succes. Een tienerjongen die zijn vader met Kerstmis een boek over vliegtuigen wilde geven, zei dat hij nog nooit zo'n realistisch vuur als het onze had gezien. Toen ik hem vertelde dat het echte houtblokken waren, geen nephout met gasvlammetjes, noemde hij het vuur cool.

Meneer Carlton-Hayes kwam bij ons staan en zei dat het zo jammer was dat je vandaag de dag geen steenkool meer kon kopen.

'Steenkool, wat is dat?' vroeg het joch.

Meneer Carlton-Hayes legde de jongen geduldig de hele geschiedenis van de steenkool uit. Dat er vroeger mannen in kooien afdaalden in de aarde, om daar op handen en knieën door donkere tunnels te kruipen totdat ze het kolenfront bereikten, waar ze met pikhouwelen de steenkool uithakten. Dat de grote brokken steenkool dan op een lopende band werden getild en naar de oppervlakte gebracht, waar ze in kleinere stukken werden gebroken en in zakken verpakt. Dat kolenboeren bij elk huishouden in het land kolen afleverden voor de kachels en fornuizen, en dat steenkool warmte gaf en je er ook op kon koken.

De jongen keek alsof hij zijn oren niet kon geloven. Hij deed me denken aan dat beroemde olieverfschilderij van de oude visser die zijn netten repareert en twee jonge jongens over zijn maritieme avonturen vertelt.

De jongen zei: 'Wacht even, dus vroeger gooiden jullie grote brokken glimmend zwart spul op het vuur en dan ging het branden?'

Ik vertelde hem dat de kolenkachels in mijn jeugd waren vervangen door elektrische kachels.

De jongen zette nog grotere ogen op.

'Vroeger verkocht mijn vader elektrische kachels voor huishoudelijk gebruik,' voegde ik eraan toe. 'Voordat hij zijn werk kwijtraakte, net als de mijnwerkers.'

'De mijnwerkers zijn hun werk niet kwijtgeraakt, Adriaan,' corrigeerde meneer Carlton-Hayes me. 'Mevrouw Thatcher heeft hun banen gestolen.'

'We hebben Thatcher nog niet gehad,' zei het joch. 'We zijn pas bij de Eerste Wereldoorlog.'

Ik heb hem een vliegtuigenboek voor zijn vader kunnen verkopen.

Woensdag 4 december

Nieuwe maan
03.00 uur

Kan niet slapen van de geldzorgen. Moet ik mijn auto wegdoen?

Donderdag 5 december

Kreeg een uitnodiging van Tania Braithaite voor een gekostumeerd feest op oudejaarsavond. Ik heb het geld niet om een echt kostuum te huren, dus misschien ga ik wel als Osama bin Laden. Ik heb alleen een paar lakens nodig, een oude badjas, sandalen en een nepbaard.

Vrijdag 6 december

Volgens de *Daily Mail* flirt Cherie Blair met het occulte, en kan ze 's ochtends niet beslissen of ze thee of koffie neemt zonder eerst een medium te raadplegen, ene Sylvia uit Dorking. Mevrouw Blair omringt zich met goeroes en andere mystieke figuren. Het schijnt dat je bij hen thuis geen stap kunt verzetten zonder over kristallen en astrologische kaarten te struikelen.

'Het is fijn om te weten dat iemand van de new age getrouwd is met de machtigste man van Engeland,' zei Marigold.

Zaterdag 7 december

We gebruiken vier zakken hout per dag, à raison van drie pond per zak.

Was vandaag de hele dag een beetje nerveus. Ik had mijn ouders de reservesleutel van mijn loft gegeven, want NTL zou om halftwaalf komen om me op 200 televisiezenders aan te sluiten, à raison van zesenzestig pond per maand. Ik haal dat geld wel ergens vandaan. Een man met mijn intelligentie kan het zich niet permitteren om niets van het buitenland te weten.

Toen ik thuiskwam van mijn werk, stond mijn moeder op het balkon. Ze voerde de zwanen croissants uit mijn vriezer. Ik protesteerde dat ik a) de witgevederde krengen niet wil aanmoedigen om samen te scholen onder mijn raam, en dat b) de diepgevroren croissants voor mijn eigen consumptie zijn bestemd – ik eet er elke ochtend twee voordat ik naar mijn werk ga – waarop mijn moeder zei dat zwanen wonderlijke dieren met bijzondere gaven zijn; je moet aardig voor ze zijn, anders keren ze zich tegen je en maken ze je het leven zuur.

Ik kon wel zien dat de NTL-monteur was geweest, want mijn vader keek naar formule-1-racen rechtstreeks uit Adelaide. Ik vroeg of hij het geluid wat zachter wilde zetten. Zenuwachtig begon hij op allerlei knopjes te drukken van de vijf afstandsbedieningen die nodig zijn voor het bedienen van mijn thuisbioscoop, maar hij slaagde er alleen in om het geluid zo oorverdovend hard te zetten dat mijn hart er sneller van ging kloppen en mijn oren gonsden. Het leek wel alsof Michael Schumacher in mijn huiskamer het ronken van zijn formule-1-wagen demonstreerde.

Ik zocht naar knopjes op het televisietoestel, maar die waren er niet. Het kabaal was niet te harden.

'Waar is de gebruiksaanwijzing?' schreeuwde mijn moeder.

Voordat ik de juiste bladzijde had kunnen vinden, werd er boos op mijn deur gebonkt. Ik deed open en stond tegenover een lange, boodmagere jonge vrouw met lang blond haar. Mijn moeder zei later: 'Typisch iemand die leeft van haar zenuwen.'

'Zet het geluid zachter!' riep ze. Haar stem sloeg haast over, en haar handen waren tot vuisten gebald. Ik kon me voorstellen dat ze onder het witte trainingspak dat ze droeg zelfs haar billen krampachtig spande.

Ik schreeuwde boven het brullen van de formule-1-wagens uit dat ik niet met de afstandsbediening kon omgaan. De jonge vrouw liep langs me heen naar binnen, pakte een van de vijf afstandsbedieningen en drukte op een knopje. Meteen werd het stil.

'Sorry, maar ik kan niet tegen kabaal,' zei ze. 'Ik woon hier boven.'

Ik stelde mezelf en mijn ouders voor. Ze gaf ons allemaal een hand en zei dat ze Mia Fox heette. Ik verontschuldigde me voor de overlast en zei dat ik normaal gesproken altijd rekening houd met mijn buren. Ze zei dat ze weer naar boven moest omdat er iets op het vuur stond.

Mijn vader vroeg of hij naar de Miss World-verkiezing mocht kijken. 'Wij kunnen alleen de Engelse zenders krijgen en de BBC zendt het uit.'

Ik kijk al sinds ik een klein jongetje was samen met mijn vader naar de Miss World-verkiezing. In die idyllische tijd wist ik niet beter. Mijn vader begon altijd al een uur voor de uitzending met het maken van twee precies dezelfde schema's, een voor hem en een voor mij. Hij leerde me punten te geven voor het gezicht, de boezem, de benen, de billen en de uitstraling. Elke deelneemster gaven we een cijfer.

Het is een van de weinige activiteiten die we ooit samen hebben gedaan. Als jongetje was ik een grote teleurstelling voor hem. Ik hield niet van voetbal, cricket of vissen, maar hij was er trots op dat ik altijd feilloos kon voorspellen wie de kroon en de sjerp zou krijgen en tranen van vreugde zou huilen als de winnares bekend werd gemaakt.

Op de radio naast mijn futon hoorde ik dat Miss Turkije heeft gewonnen. Het schijnt dat ze uit hun dak gaan in Istanbul.

Irak heeft de Verenigde Naties informatie gegeven over hun wapenprogramma's, alles bij elkaar 12.000 pagina's documenten. Het ziet er dus naar uit dat een oorlog is afgewend, godzijdank.

Zondag 8 december

Marigold belde vanochtend om halfnegen en smeekte me om naar Beeby on the Wold te komen voor de lunch. Ze zei dat er iets vreselijks was gebeurd.

'Waarom kun je het me niet over de telefoon vertellen?' vroeg ik.

Ze zei dat dat echt niet kon en barstte in tranen uit.

Ik wilde het liefst roepen: het kan me niet schelen wat voor catastrofe je is overkomen! Ik eet nog liever mijn eigen arm op dan dat ik dat hele eind moet rijden om vijf of zes uur met die ellendige ouders van je door te brengen, en nog te worden uitgebuit als afwashulp op de koop toe.

Maar dat zei ik niet. Ik beloofde op tijd te zijn voor het humanistische gebed dat Michael Flowers voor het eten uitspreekt.

Ik ging onderweg langs een slijter en kocht een fles Franse rosé, want ik heb in de *Sunday Times* gelezen dat rosé terug is van weggeweest, mits goed gekoeld.

Marigold rende naar buiten toen ik mijn auto parkeerde. Ze zag er niet uit als een vrouw die net een vreselijke ervaring achter de rug heeft, maar ze zag er wel vreselijk uit. Ze droeg een harembroek, een geruite bloes en het geruite diadeem. Haar haar moest nodig gewassen worden en haar brillenglazen leken wel matglas. Ik kon het niet aanzien, haalde de bril van haar neus en maakte de glazen schoon met mijn zakdoek.

'Dus je houdt echt van me?' vroeg ze.

Ik maakte een vaag brommend geluid. 'Wat is er gebeurd?'

'Papa en mama gaan misschien uit elkaar,' zei ze. 'Ze hebben het hele gezin bij elkaar geroepen om erover te praten. Daisy is helemaal hierheen gekomen uit Londen, en Poppy is er ook.' Ze trok me mee naar de voordeur.

'Maar je ouders hebben mij er vast liever niet bij,' wierp ik tegen. 'Ik ga wel weer weg, dan kunnen jullie er in alle rust onder elkaar over praten.'

'Ga alsjeblieft niet weg,' zei Marigold. 'Ik heb je steun nodig. Trek je er alleen niets van aan als Daisy misschien rare dingen zegt. Ze is half Mexicaans, weet je.'

De voordeur ging open en Michael Flowers bulderde: 'Kom binnen, kom binnen, m'n jongen. Het eten staat op tafel!'

Daisy Flowers zat naast me aan tafel. Haar parfum was bedwelmend. Ze zag eruit alsof ze zo uit een tijdschrift met showbizz nieuws was gestapt. Haar zwarte haar was hoog opgestoken en vastgepind met wat eruitzag als een dun bot. Ze heeft een olijfbruine huid, en haar borsten lilden zoals de gelatinepuddinkjes die mijn grootmoeder vroeger op zondag als toetje serveerde. Ik wist niet waar ik moest kijken. Haar benen waren verborgen onder de tafel. Ze is bijna, maar net niet helemaal, zo mooi als Pandora Braithwaite.

'Hallo, Adriaan,' zei ze. 'Ik heb veel over je gehoord. Marigold belt me voortdurend.'

Ik vroeg haar of ze verkouden was, omdat ze zo'n donkere stem heeft. Ze lachte en gooide haar hoofd naar achteren, zodat ik haar prachtige hals kon bewonderen. Ik wilde mijn tanden erin zetten.

Poppy zat tegenover me. Ze had haar haren getemd; met twee idioot lange, dikke vlechten zag ze eruit als een middelbare Heidi. 'Daisy rookt al sinds haar dertiende,' zei ze afkeurend. 'Daarom klinkt ze als een walrus.'

Netta Flowers kwam binnen met een juskom, tot de rand gevuld met wat vermoedelijk vegetarische saus was. Mijn rosé was het kleurrijkste ding op tafel.

Michael Flowers ging staan, liet een theatrale stilte vallen en verklaarde toen: 'Dit zou wel eens de laatste maaltijd kunnen zijn die we als gezin met elkaar gebruiken. Netta en ik zijn in een seksuele impasse geraakt. Mijn beminde vrouw heeft me gisteravond laten weten dat ze een seksueel avontuur wil beginnen met Roger Middleton.'

Netta keek naar haar dochters en wachtte op een reactie. Poppy en Marigold staarden omlaag naar het tafelkleed.

Daisy pakte de rosé, haalde een kurkentrekker uit haar tas en zei: 'Roger Middleton? Is dat niet de compleet verknipte lavendelleverancier met die gok?' Ze trok de kurk uit de fles en schonk eerst mijn glas vol en toen het hare.

'Roger Middleton is half zo oud als jij,' zei Poppy.

Netta glimlachte en streek over de ruches van haar zigeunerblouse.

'We danken Moeder Natuur voor haar gulle gaven op deze tafel,' zei Flowers.

Schalen met eten gingen rond, en verschillende bruine dingen werden op de borden geschept.

Ik dacht aan de prachtige diners met grote stukken gebraden vlees die mijn grootmoeder vroeger voor me maakte, aan het vetrandje dat ze altijd voor me afsneed omdat ik er zo dol op was.

Toen iedereen had opgeschept, zei Michael Flowers: 'Ik wil het debat graag openen. De vraag is: moeten mama en ik kiezen voor een open huwelijk of voor een echtscheiding? In het eerste geval zou zij haar gang kunnen gaan met Roger Middleton en zou ik me in het vrijgezellencircuit moeten storten. In het tweede geval zouden we het huis en de winkel verkopen en elk ons weegs gaan.'

Niemand zei iets, en hij keek naar mij. 'Kom, gezinsleden, wat vinden jullie ervan?'

Ik raakte met de minuut erger in paniek. Om de een of andere onverklaarbare reden behandelde hij mij als een lid van zijn gezin.

Marigold snikte en zei: 'Maar, pappie, ik wil dat jij en mammie altijd in dit huis blijven wonen.'

'Mazzie, schat,' zei Netta, 'dat vind ik echt een beetje egoïstisch van je. Op een dag ga je trouwen en zelf het huis uit, of niet soms? Misschien zelfs binnenkort?'

De hele familie Flowers keek me *en masse* aan. Ik had zelf ook wel in snikken willen uitbarsten.

'Niemand wil ooit met me trouwen,' zei Marigold. 'Ik ben te lelijk en te saai.'

Ze wachtte op een reactie.

'Denk aan wat je therapeut heeft gezegd, Mazzie,' betoogde Netta. 'Je moet eerst van jezelf leren houden.'

'Ze had het geld beter aan een goede kapper kunnen besteden,' merkte Poppy op.

'Of aan een paar behoorlijke kleren,' voegde Daisy eraan toe.

Marigold begroef haar hoofd tegen mijn schouder. Ik voelde me verplicht een arm om haar heen te slaan.

'Als ik jou was,' zei Daisy *sotto voce* tegen me, 'zou ik de benen nemen nu het nog kan.'

Michael en Netta gingen allebei staan en riepen in koor: 'Knuffeltijd!' Ze begroeven Marigold in een ouderlijke omhelzing.

Daisy draaide haar hoofd weg en streek met haar wijsvinger over haar keel.

Ik weet niet hoe ik de rest van de maaltijd ben doorgekomen. Netta en Michael Flowers praatten openlijk en tot in de tenenkrommende details over hun psycho-seksuele probleem. Op een gegeven moment moesten we in geuren en kleuren aanhoren hoe Netta Michael tijdens een concert van Bob Dylan op het eiland Wight had bevredigd.

Uiteindelijk ging Poppy staan. 'Ik kan deze smeerlapperij niet langer aanhoren,' zei ze tegen haar ouders. 'Ik walg van seks, en dat komt door jullie. Ik vond het vreselijk dat jullie altijd bloot door het huis liepen en dat we geen enkele deur op slot mochten doen.'

De lunch eindigde in tranen en verwijten over en weer. Kijkend naar de snikkende vrouwen zei Flowers: 'Het is zo fijn dat we hier open en eerlijk over kunnen praten, vind je niet, Adriaan?'

'Er is niet eens iets uit gekomen,' zei ik. 'Gaat Netta nou met Roger Middleton naar bed of niet?'

'Dat besluit kan ik pas nemen als ik om middernacht naar een lijsterbes ben geweest,' zei Netta. 'Als ik een uil hoor krassen nadat ik mijn *rowan song* heb gezongen, kies ik voor seks met Roger Middleton en een open huwelijk. Als de uil zwijgt vraag ik echtscheiding aan, en eis ik voor de rechtbank de helft van dit huis en de helft van de winkel.'

Tot mijn ontzetting zong ze vervolgens de *rowan song*:

O rowan tree, o rowan tree,
Hey nonny no, how sad I be,
There is a man that I do love,
He be my dear, my turtle dove,
If I do lie with him abed
And he do kiss my bonny head,
Will he stay or will he go?
Hey nonny, nonny, nonny, no.

Toen ze klaar was, kraste Daisy als een uil. Zelf vond ik het nogal gemeen van haar.

Ik begon met het afruimen van de tafel, maar Michael zei: 'Nee, laat de afwas maar aan de vrouwen over. Ik wil je graag spreken in mijn werkkamer.'

Ik was liever naakt en ingesmeerd met honing in de berenkuil van de Whipsnade Zoo geklommen dan dat ik meeging naar Flowers' werkkamer, maar ik deed toch wat hij vroeg, want alles, werkelijk alles, is beter dan het gezelschap van drie huilende vrouwen.

Flowers ging achter zijn bureau zitten en legde een hand voor zijn ogen. Ik wist niet of ik moest blijven staan of plaats moest nemen op de versleten leren stoel voor het bureau.

'Adriaan, ik vind zelf dat ik een goed mens ben,' begon hij. 'Ik heb echt geprobeerd de mensheid te verheffen. Tien jaar lang heb ik elk paasweekend in een natte duffelse jas meegelopen in de vredesmars van Londen naar Aldermaston. Ik heb tenten gedoneerd en opgezet voor de vrouwen die bij Greenham Common demonstreerden tegen kernwapens. Ik heb Nelson Mandela een fruitmand gestuurd op Robben Island. Ik heb 100 vegetarische samosa's afgeleverd toen de mijnwerkers in Nottingham staakten, en ik heb geprobeerd de arbeidersklasse een beetje cultuur bij te brengen door liederen van Schubert te zingen in hun pubs, maar daar heeft bingo een eind aan gemaakt. Ik ben bitter teleurgesteld in het Engelse proletariaat, Adriaan. Ze verkiezen high-tech boven kunst, materialisme boven cultuur, en het dwepen met beroemdheden boven robuuste spiritualiteit.

Ik heb altijd zo weinig voor mezelf gevraagd. Ik ben met weinig tevreden: genoeg groente en fruit, lekker brood, een kan zelfgebrouwen bier, en boeken natuurlijk. Maar bovenal, Adriaan, bovenal ben ik gezegend met de liefde van mijn gezin. Ik heb twee bijzondere vrouwen de mijne mogen noemen, en ik heb drie dochters, twee daarvan liefhebbend.'

Hij tilde zijn hoofd op en ramde met zijn vuist op het bureau, zodat de inktpotten en kroontjespennen die hij gebruikt een sprongetje maakten. 'Het heeft me maar aan een ding ontbroken.' Hij keek me priemend aan, recht in mijn ogen. Ik kon mijn blik niet van hem losmaken. 'Ik wilde een zoon. En, Adriaan, ik denk dat ik hem nu heb gevonden. Jij en ik hebben zoveel gemeen. Net als jij heb ik een hekel aan sport en vulgariteit. En net als jij ben ik stapelgek op Marigold. Eerlijk waar, Adriaan, voor mij ben je de zoon die ik nooit heb gehad. Zeg alsjeblieft dat ik op je mag steunen in de donkere tijd die ik voor de boeg heb.'

Hij stak zijn hand uit. Wat kon ik anders doen, dagboek, dan hem een hand geven? Mijn audiëntie in zijn werkkamer duurde veertien minuten, en ik heb al die tijd niet één woord gezegd.

Maandag 9 december

Er is een schandaal losgebarsten over mevrouw Blair, de advocate met wie onze minister-president is getrouwd. Ze heeft een fraudeur met een strafblad, ene Peter Foster, voor haar laten bemiddelen bij de koop van twee appartementen in Bristol. Er was een bedrag van een half miljoen pond mee gemoeid.

Foster wordt door de Australische politie gezocht wegens het verkopen van valse afslankpillen. Op 1 september heeft de marechaussee op Luton Airport hem laten weten dat hij binnen twee dagen het land zou worden uitgezet omdat hij 'het algemeen belang' in gevaar zou brengen. Meneer Foster is de minnaar van Cherie Blairs goeroe en aromatherapeute Carole Caplin.

Ik vraag me af waarom ze geen makelaar heeft genomen. Uit opiniepeilingen blijkt dat ze minder respect genieten dan politici en journalisten, maar zelfs een makelaar moet toch betrouwbaarder zijn dan een beroepsoplichter.

Onze schrijfclub kwam bij elkaar in de gelagkamer van de Red Cow. Alleen Ken Blunt was er. Gary Milksop had een boodschap ingesproken op mijn mobiele telefoon om te zeggen dat hij in de file stond op de M6, waar een vrachtwagen zijn lading diepvrieskalkoenen was verloren. Verder zei hij nog: 'Ik zie je op de 23e. Ik kom met mijn partner en een paar vriendinnen. Laat me weten waar ik moet zijn en hoe laat, en welke kleding er wordt verwacht.'

Ken las me een scherp satirisch stukje voor, 'De poedel van Bush':

'Amerika is een loopse teef
ze biedt zich aan de hele wereld aan,
schijt hamburgers, ketchup en cola.
Tony, de speelgoedpoedel, trippelt achter haar aan,
snuffelt aan d'r gat en klimt erbovenop.'

Een paar oudere mannen aan een ander tafeltje keek geschrokken op. Ken heeft een erg luide stem.

Nadat ik hem een paar bladzijden uit mijn *Roem en waanzin* had voorgelezen, zei hij: 'Het verbaast me niks dat je nog geen uitgever hebt gevonden. Wat een hoop gelul. Wie wil er nou lezen over een stel nepbruine zuipschuiten?' Hij zei ook nog: 'Zeg, voor het diner van de 23e, heb je al ergens een tafel gereserveerd?'

Ik antwoordde bevestigend.

'Wie is de gastspreker?' wilde hij weten.

Ik zei dat het een aangename verrassing zou worden.

'Ik help het je hopen,' zei hij haast dreigend. 'Mijn vrouw is erg trots op haar verzameling handtekeningen.'

Zodra ik thuis was stuurde ik Pandora een sms:

Houd de avond van 23-12 vrij.
Je bent gastspreker bij een VIP-diner in Leicester.

Dinsdag 10 december

Volgens Asif, de haardhoutjongen van het pompstation, kunnen de kopieerapparaten van de Verenigde Naties het kopiëren van het 12.000 pagina's tellende document met gegevens over Iraks wapenprogramma's niet aan.

Syrië wil weten waarom Amerika, Engeland, Frankrijk, Rusland en China het document het eerst te zien krijgen.

Asif zei: 'Amerika heeft tijd nodig om met Tipp-ex aan de slag te gaan en alle belastende info weg te lakken, zoals de wapens die ze vroeger aan Saddam verkochten, ja toch?'

Ik heb me wijselijk op de vlakte gehouden.

De twee door meneer Carlton-Hayes bestelde leunstoelen werden vandaag bezorgd. Het zijn ouderwetse fauteuils, bekleed met versleten bruin fluweel.

Ik ging in een van de twee stoelen voor het vuur zitten met de voorraadlijst. Binnen een paar minuten was ik in slaap gevallen.

Toen ik wakker werd, zat Marigold in de stoel tegenover me. Ze vertelde dat ze deze week elke avond moet repeteren met het mimegezelschap. Ze vroeg of ik misschien zin had om mee te doen; zij speelt Maria en ik zou dan Jozef moeten zijn.

Ik liet haar weten dat ik officieel agnost ben en onmogelijk een rol kan spelen in een religieus toneelstukje.

'Het is een pantomime, en dat is niet noodzakelijkerwijs religieus,' legde Marigold uit. 'Mime is oorspronkelijk zelfs heidens. Mama en papa waren mede-oprichters van de Nieuwe Seculiere Vereniging.'

Ik legde nog een houtblok op het vuur. 'Ik vind mime verschrikkelijk, Marigold.'

'Wat ben je toch intolerant.'

Ik zei dat een combinatie van mime en madrigalen me erger leek dan de hel.

'Voor mij is de hel een leven zonder jou,' zei ze. En toen: 'Je zou handschoenen moeten dragen als je hout beetpakt. Van een splinter kun je een bloedvergiftiging oplopen.' Daarna verliet ze de winkel.

Voor haar waarschuwing had ik houtblokken altijd met aan roekeloosheid grenzende nonchalance beetgepakt, maar de rest van de dag ging ik ermee om alsof het staven dynamiet waren.

Woensdag 11 december
Eerste kwartier van de maan

Honderd Hollywoodsterren hebben een petitie getekend tegen een preventieve aanval op Irak. Ik had van geen van die mensen ooit gehoord, behalve van Gillian Anderson, die vrouw van de *X-files*.

Pandora belde me in de winkel om te zeggen dat ze niet voor de 24e naar Leicester komt. Ze moet dan naar een borrel van haar kiesdistrict. Ik smeekte haar om haar plannen te veranderen.

Ze zei: 'Gordon en Sarah Brown hebben me op Downing Street uitgenodigd voor champagne met hapjes. Hij wil met me praten over mijn politieke toekomst. Is jouw "VIP"-diner belangrijker dan dat?'

Ik moest schoorvoetend nee zeggen.

Donderdag 12 december

Een mailtje van William om te vragen of ik met Kerstmis naar Nigeria wil komen. Kon het maar! Ik zit compleet op zwart zaad, er zit geen benzine in mijn auto en mijn vriezer bevat twee croissants en een verschrompelde citroen.

Schulden hebben mijn salaris van mijn rekening gegrist.

Vrijdag 13 december

Het rekeningoverzicht van mijn creditcard was er vandaag. Ik kon mijn ogen niet geloven toen ik las hoeveel Barclays me maandelijks in rekening brengt voor het geld dat ik heb geleend om de aanbetaling van mijn loft te kunnen voldoen.

Mijn juridisch adviseur Dave Barwell stuurde me een kerstkaart van een roodborstje met een kerstmuts. Er zat een rekening bij van £ 569,48 voor 'professionele diensten'.

Ik heb de croissants gegeten en de citroen uitgeknepen in een beker heet water. Ik voelde me net een monnik in vastentijd. Wat was ik blij toen meneer Carlton-Hayes me een boterham met kaas uit zijn eigen lunchtrommeltje aanbood.

Zaterdag 14 december

Barclaycard is een werkelijk prachtige organisatie. Ik kreeg vandaag een brief van ze met de mededeling: 'Het doet ons genoegen om u als gewaardeerde klant mede te delen dat uw bestedingslimiet is verhoogd tot £ 12.000. U kunt meteen van het extra bedrag gebruikmaken.'

Misschien is er toch een god. Barclaycard heeft me tweeduizend pond ter beschikking gesteld die ik direct kan uitgeven.

Zondag 15 december

Mijn vriezer zit vol met eten. De tank van de auto zit vol benzine. Alle parkeerterreinen in een straal van drie kilometer rondom het stadscentrum zijn echter ook vol, zodat ik over het jaagpad naar Water Meadow Park moest lopen, een winkelcentrum buiten de stad. Ik ben de hele tijd op mijn hoede geweest voor de zwanen. Er stond een gemene oostenwind.

Next, Marks & Spencer, WH Smith en DFS zien eruit alsof ze vanuit de ruimte in een weiland zijn gedumpt, en ook de winkelende mensen leken net marsmannetjes.

Auto's stonden in de rij voor de parkeerterreinen, en ook om de parkeerterreinen weer te verlaten. De toevoerwegen zaten verstopt. Een motoragent probeerde de verkeerskluwen te ontwarren. Een politiehelikopter hing in de lucht, en er werd veelvuldig geclaxonneerd. Het leek meer op Rome dan op een Engels weiland. Toen ik langs een blokhut kwam waar de kerstman audiëntie hield en ik de lange rij bibberende kinderen zag die op hun beurt stonden te wachten, zonk de moed me in de schoenen en heb ik rechtsomkeert gemaakt.

Marigold heeft me vanavond elf keer gebeld. Ik heb haar niet teruggebeld. Ze maakt me ongelukkig.

Maandag 16 december

Twee tienermeisjes in minirokjes, korte topjes en dunne katoenen jacks kwamen vanochtend de winkel binnen en nestelden zich onmiddellijk voor het vuur. Het ergerde me. Als ze het zo koud hebben, waarom trekken ze dan geen dikkere kleren aan?

Aangezien ze geen belangstelling toonden voor de boeken, begon ik een verkooppraatje. Ik vroeg of ze hun kerstinkopen al hadden gedaan. Ze zeiden van niet.

Ik betoogde dat boeken altijd leuk zijn om te geven, waarop een van de twee zei: 'Mijn moeder leest wel eens een boek als er niks op tv is.'

Ik vroeg wat haar moeder voor interesses had.

'Eigenlijk geen, volgens mijn,' zei ze.

Een paar vragen later had ik vastgesteld dat de moeder Pat heet, dat ze drieënveertig is en een parttime baantje heeft in een gloeilampenfabriek, dat ze drie kinderen heeft, dat ze cocktails drinkt als ze zaterdagavond uitgaat met haar man, dat ze een Elvis-fan is en haar eigen tomaten kweekt.

Na een paar minuten bracht ik het meisje een stapel toepasselijke boeken: *Honderd cocktails voor thuis, Elvis – zijn leven in foto's* en *Groente op uw vensterbank*. Geen van de boeken kostte meer dan drie pond.

Ze wilde het cocktailboek en vroeg of ik het kon inpakken. De jonge mensen van tegenwoordig zijn zo verwend.

Voordat ze de winkel verlieten, vroeg ik de meisjes waarom ze op zo'n koude dag zulke dunne kleren droegen.

Ze giechelden, en toen de winkeldeur weer dicht was, hoorde ik het ene meisje tegen het andere zeggen: 'Wat een ouwe viespeuk!'

Ik wilde achter ze aan rennen en uitleggen dat ik geen vieze ouwe man was, maar uit angst dat ik het daarmee alleen maar erger zou maken, bleef ik maar in de winkel.

Dinsdag 17 december

Marigold kwam in haar lunchpauze naar de winkel en zei dat ze niet meer kon eten of slapen. 'Als ik had geweten dat ik me zo ellendig zou gaan voelen door verliefd op je te worden, zou ik een bunker om mijn hart hebben gebouwd.' Ze vroeg meneer Carlton-Hayes of hij een poster wilde ophangen voor de 'verschillende stukken' van het mimeclubje.

Hij was te aardig om te weigeren, hoewel de poster niet om aan te zien is. Het groepje mimespelers ziet eruit als de personages uit *The Night of the Living Dead*.

Ze vroeg of ik kom kijken als de Leicester Komedianten donderdagavond hun debuut maken in Thrussington Parva. Ik kon niet zo snel een goed excuus bedenken, dus zei ik ja.

Toen ze weg was, zei meneer Carlton-Hayes: 'Ik wil me niet met je bemoeien, Adriaan, maar ik krijg de indruk dat die jongedame je om haar vinger kan winden.'

Dagboek, het liefst was ik hem om de hals gevallen. Ik had moeten bekennen dat ik met hem wilde praten over mijn Marigold-dilemma, maar trots weerhield me. De waarheid, dagboek, is dat ik Marigold of die vreselijke familie van haar nooit meer wil zien, met uitzondering van Daisy. Haar zou ik zelfs heel vaak willen zien. Ik zou alles van Daisy willen zien, van top tot teen.

Woensdag 18 december

Gedroomd dat Ken Blunt en Marigold naar de Habitat gingen en met mijn Visacard een kingsize bed kochten.

Donderdag 19 december

Volle maan

Meneer Carlton-Hayes was vandaag zo aardig voor me. Hij zei: 'Adriaan, schat, je hoeft vanavond niet naar dat mimegedoe, weet je. Zeg gewoon tegen die jongedame dat je niet van haar houdt en dat je de relatie wilt verbreken.'

Had ik zijn advies maar opgevolgd! Ik reed naar de pub in Thrussington Parva en bestelde een shandy aan de bar.

De kastelein, een dikke, norse man, vertelde me dat de mimers zich boven aan het verkleden waren.

Een groep volksdansers kwam de pub binnen. Ze zagen er bijna normaal uit, hoewel ik opvallend veel baarden telde. Ze werden gevolgd door een groep muzikanten met allerlei wonderlijke instrumenten, die later middeleeuws bleken te zijn. Poppy was er ook. Ze had een met hulstblaadjes bedrukt lint om haar haar geknoopt, maar het viel nog steeds tot over haar billen.

De norse kastelein tapte grote glazen ale achter de bar. Hij liep naar een trap en riep naar boven: 'Noreen, Noreen, ik sta hier in m'n eentje!'

Ik haalde iets te drinken voor Poppy en we gingen in een hoekje zitten. Ik vroeg haar waarom ze niet meedeed.

'Ik heb het niet op de Middeleeuwen,' zei ze. 'De kleren waren vreselijk. Geef mij de Romeinen maar.'

'Maar de Romeinen waren bezetters,' zei ik.

Ze trok de lange paardenstaart over haar schouder en streelde die alsof het een dier was. 'De Romeinen hebben ons beschaving bijgebracht. Ze hadden warme baden en fantastische haarproducten.'

Ik vroeg hoe vaak Daisy naar Beeby on the Wold komt.

Ze schudde het haar naar achteren en zei: 'Vaak genoeg om ruzie te maken.'

Om acht uur kwam een man met een baard de gelagkamer binnen. Hij droeg een boerenkiel en beenkappen. 'Dames en heren, boeren en buitenlui,' kondigde hij met schallende stem aan, 'de komedianten staan gereed om het verhaal van Jezus' geboorte voor u allen uit te beelden. Zegt het voort, zegt het voort.'

Het miezerde buiten en ik had geen paraplu bij me. Mijn moeder heeft de mijne geleend en niet teruggegeven.

De straatverlichting was aan en verschillende mimers hielden ouderwetse lantaarns in hun hand, maar het viel toch niet mee om te zien wat er precies gebeurde.

De voorstelling trok door het hele dorp. Marigold/Maria beviel voor het vroegere postkantoor van Jezus. Ik vond het onverstandig van haar dat ze haar bril droeg over haar masker heen; ze zag eruit als Jeff Goldblum in *The Fly*.

Voor de internet-theesalon van mevrouw Briggs boden de drie koningen hun geschenken aan. De madrigalen werden gezongen in het eigenaardige Engels dat alleen zangers gebruiken. Er was geen woord van te verstaan. Later in de pub vertelde ik Marigold dat ik haar 'erg dapper' vond. Ze vatte het op als een compliment.

Vrijdag 20 december

Toen ik wakker werd, kreeg ik een paniekaanval over het etentje van de schrijfclub. Ik sms'te:

> Pandora, zeg Brown af, VIP-diner belangrijker.
> Je bent een * Adriaan x

Zaterdag 21 december

Een drukke dag in de winkel. Er was veel vraag naar boeken over Marilyn Monroe en snooker. Dickens is bijna helemaal uitverkocht, en allezes de exemplaren van Barry Kents tweede bloemlezing *Making Love with Wendy Cope*, werden gekocht door een man met een baby voor zijn borst.

We konden pas om halfacht dicht.

Meneer Carlton-Hayes had een fles sherry gekocht. Om de een of andere reden doet sherry me altijd aan corsetten van oude vrouwen denken. Maar het was prettig om even tot rust te komen voor het vuur.

Meneer Carlton-Hayes zei dat hij mijn hulp enorm waardeert en hoopt dat ik het leuk vind om voor hem te werken. Hij vindt me soms een beetje verstrooid.

Losgekomen door de sherry vertelde ik hem dat een combinatie van zorgen – geld, Marigold en de zwanen – me 's nachts uit mijn slaap houdt. Hij knikte meelevend maar kwam niet met oplossingen, zoals een salarisverhoging.

Toen ik door de High Street naar het jaagpad liep, kwam ik langs groepen amok makende, dronken tieners van beide seksen. Een jongen gaf over voor de deur van Dixons.

De maan lichtte me bij tijdens mijn wandeling over het jaagpad. De zwanen kwamen me halverwege tegemoet, maar ze bleven in het water. Gielgud was er niet bij. Ik hoop dat hij dood is.

Het was ondraaglijk heet in mijn loft toen ik thuiskwam. De thermostaat van mijn vloerverwarming leidt een geheel eigen leven. Ik deed de schuifdeuren open en ging op het balkon zitten om af te koelen.

Met een gevoel van moedeloosheid zag ik Gielgud naar de overkant van het kanaal zwemmen. Ik riep dat hij weg moest gaan, maar hij bleef me roerloos aankijken. Ik staarde terug, vastbesloten om niet als eerste weg te kijken.

Na een tijdje kwam zijn vrouw eraan, en toen glinsterden er twee paar kraaloogjes in het donker. Ik ging naar binnen, niet vanwege de zwanen maar vanwege de kou.

Ik raakte dat beeld van Gielgud en zijn vrouw maar niet kwijt, twee zwanen naast elkaar in het water. Ik vroeg me af hoe lang ze al bij elkaar zijn, en waarom ze ooit op elkaar zijn gevallen. Ik ben een beetje jaloers op hun relatie.

Opeens golfde er adrenaline door me heen, en ik stoof de deur uit en naar mijn auto. Ik reed naar Beeby on the Wold en bleef voor het lege huis van de familie Flowers staan wachten. Pas om elf uur kwamen ze thuis.

Marigolds ouders gingen naar binnen, gevolgd door een man met een grote neus. Marigold liep naar mijn auto, deed het portier open en kwam naast me zitten. Ik vroeg of de man met de grote neus Roger Middleton was.

'Ja,' zei ze. 'Ze beginnen vanavond met hun open huwelijk.'

Ik zei dat ik haar iets moest vertellen.

'O nee, niet weer!' riep ze wanhopig uit. 'Waarom moet mij dat altijd overkomen? Eerst bevredigen mannen hun lust, en dan word ik als een vuile theedoek afgedankt.'

Ik wilde erg graag naar huis, maar ik wist dat ik minstens een halfuur lang naar Marigolds gesnik en zelfmedelijden zou moeten luisteren.

Om te beginnen vertelde ik haar dat ik haar niet waard was, dat ik me nog niet wilde binden, bla, bla, bla enzovoort en zo verder. Toen vertelde ik haar over Plato's allegorie: dat de eerste mensen vier benen, vier armen en twee hoofden hadden en volmaakt gelukkig hun acrobatische capriolen uithaalden, maar de goden keken op hen neer en werden jaloers en ze sneden elke mens in tweeën. Nu hadden de mensen twee armen, twee benen en één hoofd. Zo te zien maakten ze een gelukkige indruk, en ze konden lopen en spelen, maar vanbinnen huilden ze. Voortdurend waren ze op zoek naar hun andere helft, zodat ze zich weer compleet konden voelen.

'Marigold,' zei ik, 'op een dag vind je heus je andere helft. Hij is ergens, en hij is op zoek naar jou.'

Ze tuurde naar buiten alsof ze verwachtte haar andere helft bij de heg te zien staan.

Er volgden tien minuten luid geween, vijf minuten zacht snikken en snuffen, en daarna kraakte ze met een gebroken stem wat sentimenteel gedoe.

Ik was opgelucht toen ze zei: 'Ik ga naar bed. Ik wil dat deze vreselijke dag voorbij is.'

Ik bracht haar naar de voordeur. Ze maakte de deur open, en we stonden nog even in de hal. Toen gaf ik haar een vriendschappelijk klopje op haar schouder. 'Nou, tot kijk dan maar,' zei ik.

Ik reed naar huis met mijn Abba-bandje snoeihard. Volgens mij heb ik zo ongeveer de hele weg te hard gereden. Het was net alsof de auto vleugels had.

Zondag 22 december

Vanochtend om halfnegen belde Michael Flowers om me te vertellen dat Marigold vannacht met een mogelijke blindedarmontsteking in het Royal Hospital is opgenomen. Hij zei dat ze om me had gevraagd. 'Ik heb je al eerder gebeld op dat mobiele geval van je,' vervolgde hij, 'maar dat stomme ding bleef herhalen dat het nummer niet bereikbaar was en dat ik het later nog een keer moest proberen. Ze heeft veel pijn, Adriaan, zowel lichamelijk als geestelijk. Ga alsjeblieft naar haar toe. Ze heeft je nodig.'

Ik ging naar het balkon. In de verte kon ik de lichten van het kolossaal grote Royal Hospital zien. Gielgud stond naast mijn auto alsof hij me het instappen wilde beletten. Probeerde hij me soms te vertellen dat ik niet naar het ziekenhuis moest gaan? Sinds ik de familie Flowers heb leren kennen, zie ik overal voortekens.

Onderweg naar het ziekenhuis belde ik Pandora. Ze nam meteen op. Ik smeekte haar om morgen naar Leicester te komen. Ze lachte me uit.

Ik vroeg of ze het nummer van Keith Vaz heeft. Ze zei dat ze het wel heeft maar het niet aan mij wil geven. Ik vroeg of ze niet een beroemdheid kent die me op het laatste moment uit de brand kan helpen.

Ze zei: 'Op 23 december, één dag van tevoren, geen onkostenvergoeding en geen honorarium; ben je soms niet goed bij je hoofd?' Ze liet haar stem dalen. 'Even serieus, Aidy, ben je gek geworden? De laatste keer dat ik je zag vond ik je een beetje eenzaam en verdrietig. En dan die ellendige loft, zo wit en kil.'

Ik vertelde haar dat Marigold in het ziekenhuis ligt, en ze zei: 'Geloof me, ze kunnen niets vinden. Wat een diva is die trut.'

Ik wees haar erop dat ze Marigold niet eens kent, maar ze zei: 'Wayne Wong vergelijkt haar met de vrouw van voorzitter Mao: klein maar dodelijk.'

Het duurde een eeuwigheid voordat ik Marigold eindelijk had gevonden. Ze was van de afdeling spoedeisende hulp naar de afdeling observatie overgebracht. Ik informeerde bij een zuster achter de balie in welke kamer ze lag. 'O, u bent de verloofde,' zei ze toen ik zei hoe ik heette.

Ik had kunnen ontkennen en mijn status als vrijgezel moeten benadrukken, maar ze had zich al omgedraaid en ging er in looppas vandoor.

Marigold lag op een zaaltje met vijf andere vrouwen. Ze keek naar een kleine televisie naast haar bed, maar toen ze me aan zag komen deed ze haar ogen dicht en leek ze in een diepe slaap te vallen. Ik had helemaal geen zin om haar 'wakker' te maken, dus ging ik naast haar bed zitten om naar het nieuws te kijken.

Meneer Blair had het over de gevaren voor de wereld als tirannen zoals Saddam Hoessein ongestoord hun gang kunnen gaan. Hoe iemand aan de woorden van meneer Blair kan twijfelen is me een raadsel. Die man is de verpersoonlijking van eerlijkheid en oprechtheid.

Uiteindelijk werd Marigold 'wakker', en ze veinsde verbazing toen ze me zag zitten. Ze stak haar kleine hand uit, ik legde de mijne erin en ze gaf me een kneepje. Ik had beneden in de ziekenhuiswinkel de *Hello!* en een bakje pitloze rode druiven voor haar gekocht.

Ze wees op het bordje boven haar bed met de tekst 'Geen eten of drinken' en vertelde me dat ze niets mag nuttigen zolang de artsen nog niet klaar zijn met hun onderzoeken, voor het geval haar blindedarm eruit moet.

En de *Hello!* wilde ze ook al niet. Ze had medelijden met rijke en beroemde mensen, zei ze, en het kon haar geen zier schelen wat voor kleren ze droegen of in wat voor huizen ze woonden.

Ik zocht wanhopig naar een onderwerp van gesprek, tevergeefs, dus er viel een ongemakkelijke stilte. Bij gebrek aan beter keken we samen naar *Scooby-Doo!*

Aan het eind, toen de portier zijn masker had afgerukt en de slechte geleerde bleek te zijn die dreigde de wereld op te blazen, begon Marigold te huilen. 'Nu lig ik met Kerstmis in het ziekenhuis,' zei ze, 'en ik had onze eerste kerst zo graag samen willen vieren, Adriaan.'

Ze had ons gesprek van de avond daarvoor compleet gewist.

Een Afrikaanse dokter die eruitzag alsof hij al weken niet had geslapen kwam haar buik onderzoeken.

Ik wilde weggaan, maar de arts weerhield me. 'Nee, blijf maar even hier. U bent toch de verloofde van mevrouw Flowers?'

Marigold zei ja, en onder die omstandigheden kon ik haar moeilijk tegenspreken.

Ik keek toe terwijl de dokter haar onderbuik beklopte. Marigold reageerde alsof zijn vingers roodgloeiende staven waren waarmee hij haar martelde.

Nadat ze haar pyjamajasje weer had dichtgeknoopt, zei de arts: 'Ik kan geen oorzaak vinden voor uw pijn. Er is geen zwelling, u hebt geen koorts, uw bloeddruk is beter dan de mijne. Volgens mij hebt u geen blindedarmontsteking. Bent u de laatste tijd misschien ernstig van streek geweest?'

'Ik heb de hele nacht geen oog dichtgedaan,' zei Marigold.

De dokter keek naar mij. 'Ik neem aan dat u een normale seksuele relatie hebt?'

'Wilt u weten of ik seksueel gestoord ben?' vloog ik verontwaardigd op.

'Nee, u begrijpt me verkeerd.' Hij keek naar Marigold en zei: 'Hebt u pijn tijdens de gemeenschap?'

'Geen lichamelijke pijn,' antwoordde ze.

Ik ben nog een uur bij haar gebleven, totdat haar ouders kwamen.

Netta gaf Marigold een stapeltje kaarten. Een ervan was een uitnodiging voor Tania Braithwaites gekostumeerde feest op oudejaarsavond.

Marigold keek niet-begrijpend, totdat ik uitlegde dat Tania mijn ex-stiefmoeder was.

'Je hoeft echt niet naar dat feest te gaan als je er geen zin in hebt, Marigold,' zei ik.

'Je moet juist wel gaan, Mazzie,' zei haar moeder. 'Dan heb je iets om naar uit te kijken.'

21.00 uur

Boodschappen achtergelaten voor drie parlementsleden, Keith Vaz, Patricia Hewitt en Jim Marshall, en verder voor Gary Lineker, Martin Johnson, de aanvoerder van de Tigers, Rosemary Conley, Willie Thorne, de burgemeester van Leicester, en de manager van Marks & Spencer, om ze uit te nodigen als gastspreker voor ons diner.

Toen kreeg ik een ingeving en belde ik Wayne Wong om hem te vragen of Engelbert Humperdinck de kerst zoals gewoonlijk bij zijn familie in Leicester doorbrengt.

'Meneer Humperdincks familie heeft nog niet gereserveerd,' zei Wayne.

Omdat ik hem toch aan de lijn had, vroeg ik hem om morgen voor halfacht een tafel voor acht personen te reserveren.

'We zitten helemaal vol, Aidy. Het is de avond voor Kerstmis.'

Hij moet de wanhoop in mijn stem hebben gehoord, want na het aanhoren van mijn smeekbede liet hij zich vermurwen. 'Ik prop je wel ergens tussen,' zei hij niet bepaald vriendelijk. 'En jullie moeten uiterlijk om halftien weer weg.'

Maandag 23 december

Werd vanochtend wakker met het gevoel dat er een onweerswolk boven mijn hoofd hing. Tijdens de wandeling naar de winkel belde ik Ken Blunt en Gary Milksop om nader af te spreken voor vanavond.

'Is het je gelukt om een beroemdheid te strikken?' wilde Ken weten.

Ik vertelde hem dat er inderdaad een gast zou komen tijdens het diner in de Imperial Dragon, en dat we na het eten naar mijn loft zouden gaan voor de koffie en de toespraak.

De winkelbel rinkelde onafgebroken en klanten liepen in en uit. Op een gegeven moment stond er zelfs een rij voor de haard.

Mijn ouders kwamen langs in de winkel. Ze deden de laatste kerstinkopen. Mijn moeder vroeg wat ik wilde hebben voor Kerstmis. Ik vroeg of ze een touw voor me wilde kopen zodat ik me kon verhangen.

'Waarom ben je toch zo'n doemdenker?' zei ze. 'Als je nu niets anders zegt, koop ik twee boxershorts van Calvin Klein voor je. Ik hoop dat je bij ons komt voor het kerstdiner. Het wordt de laatste keer in Wisteria Walk, want we verhuizen de dag na de kerst.'

Ik vroeg mijn ouders wat zij wilden hebben.

'Een moker zou wel handig zijn,' opperde mijn vader.

En mijn moeder zei dat haar Deep Comfort Body Butter van Clinique bijna op was.

Ze vertelde me dat mijn zus en haar vriend Simon zouden komen en ze waarschuwde dat ik cadeaus voor ze moest kopen. 'Verder is het eerste kerstdag precies een jaar geleden dat de nieuwe hond doodging, vergeet dat niet.'

'Natuurlijk vergeet hij dat niet,' zei mijn vader. 'Hij heeft het arme dier zelf vermoord.'

Ik ging daar scherp tegenin. 'Hoe vaak moet ik jullie nou nog vertellen dat ik de nieuwe hond dat kalkoenbot niet heb gegeven! Hij maakte een sprongetje en jatte het van mijn bord.'

Ik vroeg mijn moeder of ze niet een beroemdheid kende die vanavond vrij was.

Ze zei dat ze de ex-vrouw van de neef van Gary Lineker kende, en dat die grappige anekdotes kon vertellen over toen Gary klein was.

'Als Gary niet al op de lagere school Dostojevski las, denk ik niet dat die vrouw een groep creatieve schrijvers kan boeien,' zei ik.

Om halfzes vroeg ik meneer Carlton-Hayes of hij de gastspreker bij het diner van onze schrijfclub wilde zijn.

'Wat jammer nou, lieverd,' zei hij. 'Ik geef vanavond een borrel voor de buren. De enige die je op dit kritieke moment nog zou kunnen krijgen, is iemand die van zijn eigen stemgeluid houdt.'

'Michael Flowers!' riepen we in koor.

Ik bekeek de poster van het mimegezelschap. Flowers had die avond geen optreden. Ik belde hem onmiddellijk op. Netta nam op en vertelde dat haar man bij Marigold op bezoek was in het ziekenhuis. Ze voegde er nog aan toe dat Marigold morgen weer naar huis mag.

Ik belde de afdeling waar Marigold lag en vertelde een verpleegster dat ik Michael Flowers dringend moest spreken. Ze vroeg of ik familie was. Ik zei nee.

'Dan kan ik u helaas niet doorverbinden,' zei ze.

Ik was de wanhoop nabij, dus zei ik dat ik de verloofde van Marigold Flowers was.

Michael Flowers kwam aan de lijn, en ik legde hem uit dat ik op het laatste moment lelijk in de steek was gelaten door Cherie Blair en voor vanavond halfacht vervanging nodig had. Ik zei dat ik het als een eer zou beschouwen als hij wilde komen.

'Als je toekomstige schoonvader help ik je vanzelfsprekend graag uit de brand,' zei hij.

Hij vroeg of ik iets tegen Marigold wilde zeggen.

'Ja,' zei ik, 'wens haar beterschap.'

'Kom, kom, Adriaan,' zei Flowers, 'als stapelverliefde vrijer kun je toch wel iets beters verzinnen. Je hoeft je tegenover mij echt niet te generen. Zeg gewoon tegen dat meisje dat je van haar houdt.'

Wat kon ik doen, dagboek? Ik was als was in zijn handen.

Ik belde Nigel en vroeg of hij me naar het diner wilde vergezellen. 'Waarom niet?' zei hij bot. 'Dan hoef ik tenminste niet te koken.'

Ik voerde Nigel het restaurant binnen door hem aan de voorkant van zijn overhemd te sturen. Toch stootte hij nog tegen tafels en stoelen aan, en hij liet zijn witte stok twee keer vallen. Zijn taalgebruik is niet voor herhaling vatbaar. Wat is die man een chagrijn sinds hij blind is geworden.

Wayne had met veel moeite een extra tafel neergezet, naast het aquarium. Het licht in het aquarium wierp een onprettig groenig schijnsel op de tafel, maar ik kon er moeilijk iets van zeggen.

Ken Blunt en zijn vrouw Glenda zagen eruit als middelbare marsmannetjes. Zij is een beetje ordinair maar wel reuze vriendelijk.

'Ik vind het niet erg dat Ken schrijft,' zei ze. 'Het is een goedkope hobby, niet zoals golf.'

Gary Milksops ogen lichtten op toen hij Nigel zag. Geen wonder, want Gary's partner was een jongeman met een muizengezicht, een baardje zo smal als een krijtstreep en oren die uitstaken als het oor van een theekopje.

Jammer genoeg kon ik Milksop niet waarschuwen dat hij geen kans maakt met Nigel. Nigel houdt van stoere kerels met eeltige handen die hem commanderen en een hel van zijn leven maken.

Milksops vriendinnen waren twee ernstig kijkende meisjes. Hij vertelde dat hij ze verleden maand bij groepstherapie heeft leren kennen. Ze schijnen te denken dat hij een of ander genie is.

Flowers was te laat, en toen hij eindelijk zijn entree maakte, brulde hij: 'Ik word verwacht aan de schrijverstafel.' Hij droeg een groen tweedpak en een grote vilthoed.

Ik kondigde aan dat onze beroemde gastspreker er was.

Ken Blunt draaide zich om. 'Dat is die eikel van de natuurwinkel op de grote markt!'

Zijn vrouw stopte het handtekeningenalbum terug in haar tas.

Teleurstelling daalde als een dik pak sneeuw over de tafel neer. Het was een bijzonder onbevredigend diner. Wayne Wong bleef me eraan herinneren dat ik voor halftien weg moest zijn.

Ken Blunt en Michael Flowers ruzieden over Irak. Ken is fel anti-Amerikaans – Glenda vertelde me dat hij geen Coca-Cola in huis duldt – en Flowers beweert dat hij pacifist is. (Hij weet niet dat ik weet dat meneer Carlton-Hayes hem k.o. heeft geslagen tijdens die vechtpartij op het parkeerterrein.)

Op een gegeven moment zei ik dat ik ondanks het gedrag van zijn echtgenote, die de schrijfclub immers heeft laten zitten, nog steeds het volste vertrouwen heb in meneer Blair en dat de massavernietigingswapens elk moment gevonden kunnen worden, maar dat het te vergelijken was met zoeken naar een naald in een hooiberg ter grootte van Frankrijk.

Nigel zei: 'Of met zoeken naar een stukje kalkoen in deze mislukte kalkoen chow mien.'

Milksop zei dat Irak alleen maar over olie ging. Zijn discipelen knikten en gaapten hem aan alsof hij een of andere politieke goeroe was.

Nigel weigerde koppig hulp bij het lokaliseren van stukjes kalkoen en bleef noedels knoeien op zijn Kenzo-overhemd.

De twee ernstige meisjes praatten wel met elkaar maar leken geen bijdrage aan het tafelgesprek te willen leveren.

Michael Flowers begon aan een monoloog, ik wist niet dat anekdotes dodelijk kunnen zijn. Aan het eind van de maaltijd wilde hij per se een dankwoord uitspreken. 'Laten we Adriaan allemaal bedanken voor deze oergezellige avond.'

Nigel stootte een vreselijk sardonisch lachje uit en bestelde champagne.

Wayne kwam aanzetten met een magnum Pomagne en negen glazen. 'Wat vieren jullie?' informeerde hij.

'Adriaans verloving met Marigold Flowers,' zei Nigel.

'Dat meen je niet,' zei Wayne. 'Toch niet het magere scharminkel dat bang is voor de vissen?'

'Wayne,' zei ik snel, 'dit is Marigolds vader Michael.'

Wayne drukte hem vluchtig de hand en zei toen tegen mij: 'Het is nu vijf voor halftien, dus jullie moeten wel een beetje doordrinken.'

Toen onze glazen waren gevuld, begon Nigel Cliff Richards winnende Eurovisieliedje te zingen, 'Congratulations'.

De andere gasten in het restaurant zongen mee, en Ken Blunt trok me overeind om de felicitaties in ontvangst te nemen.

Een van de ernstige meisjes maakte een foto van mij en Michael Flowers, die me omhelsde en pompend de hand drukte. Ze beloofde dat ze de afdruk aan Gary Milksop zou geven.

Het lijkt erop dat ik tegen mijn wil inmiddels officieel verloofd ben met Marigold Flowers.

Gielgud en de andere zwanen zaten bij elkaar in een hoekje van het parkeerterrein. Ik wees Michael Flowers waar ze zaten, en hij zei: 'We kunnen beter voorzichtig zijn. Wist je dat een zwaan iemands arm kan breken?'

We bleven in Flowers' Rangerover op de anderen zitten wachten.

Het was onmogelijk om niet in de zwanenstront te trappen, en mijn houten vloer bleef helaas niet gespaard.

Ik zette koffie en gaf de gebruikelijke waarschuwing over de glazen muur van de badkamer. Het leek Michael Flowers niet te deren; zijn stroom urine klonk als de Zambezi in de regentijd.

Nigel en Gary Milksop zaten naast elkaar op de witte bank. De twee ernstige meisjes zaten in kleermakerszit op de grond. Ken Blunt en zijn vrouw hingen ongemakkelijk op de futon. Ik haalde de stoelen van het balkon, begeleid door blazende zwanen. Muizengezicht nam de ene stoel en Michael Flowers de andere. Ik leunde tegen het aanrecht, blij met de afstand. Ik verlangde hevig naar de afsluiting van een vreselijke avond.

Alweer liet Flowers ons wachten. Eerst nam hij de houding aan van Rodins *De denker*, en toen tilde hij zijn hoofd op. 'Voordat ik begin, wil ik graag eerst met zijn allen een kring vormen.'

Er werd heen en weer geschoven met meubels, en Flowers zei: 'Geef elkaar een hand en sluit de ogen. Ik wil dat jullie de atmosfeer in deze kamer kunnen voelen.'

Ik gaf Ken Blunt en Muizengezicht allebei een hand en deed mijn ogen dicht. Ik voelde gêne, achterdocht en verveling.

Flowers dreunde een boeddhistische mantra op, en we moesten allemaal meedoen.

Toen we klaar waren, trok Ken Blunt zijn vrouw overeind. 'We moeten naar huis om de hond uit te laten,' kondigde hij aan.

Ik liep mee naar beneden om ze uit te laten. Ken zei tegen me: 'Ik dans nog liever op mijn blote voeten op punaises dan dat ik moet luisteren naar wat hij te zeggen heeft.'

Flowers had het hoogste woord toen ik terugkwam. 'Ik las Voltaire op mijn zesde en Tolstoj op mijn zevende.'

'Hebt u ooit een roman geschreven, meneer Flowers?' lispelde Gary.

Flowers vertelde dat hij in de jaren zestig 'de ultieme Engelse roman' had geschreven. Hij had zijn goede vriend Philip Larkin gevraagd om het manuscript te lezen. Volgens Flowers schreef Larkin terug: '*Hello to All This* is de roman van de eeuw. Mindere schrijvers zoals ikzelf, Amis e.a. zouden onze pen neer moeten leggen en nooit meer op moeten pakken. Mike, mijn goede vriend, je bent een genie. De uitgevers in Londen zullen een moord doen om je in hun stal te krijgen.'

'Ik weet dat ik maar een domme nicht ben,' zei Nigel, 'maar ik heb nog nooit van *Hello to All This* gehoord.'

Flowers beet op zijn lip en wendde zijn hoofd af alsof hij vocht tegen heftige emoties. 'Nee,' zei hij met wat waarschijnlijk voor een verstikte stem moest doorgaan. 'Mijn eerste vrouw, Conchita, heeft het manuscript verbrand.'

Gary Milksop, Muizengezicht en de twee ernstige meisjes slaakten een kreet van afschuw.

'En dat was het enige exemplaar?' vroeg Nigel.

Flowers knikte. 'Het was handgeschreven met paarse inkt op prachtig handgeschept papier.'

Nigels lip krulde omhoog. 'En zoiets kostbaars hebt u per post naar Philip Larkin gestuurd?'

'Er is geen enkel land waar de posterijen betrouwbaarder zijn dan in het onze,' protesteerde Flowers verontwaardigd. 'Ik vertrouw ze volkomen.'

Ik probeerde hem in het nauw te drijven. 'Maar de brief van Larkin hebt u nog wel?'

'Nee,' antwoordde hij. 'Conchita heeft alles wat me dierbaar was vernietigd.'

Een van de ernstige meisjes doorbrak haar stilzwijgen. 'Ik heb mijn afstudeerscriptie over Philip Larkin gedaan: "Philip Larkin, Uber-Nerd". Ik heb alles gelezen wat er over hem te lezen was, maar ik kan me niet herinneren dat hij het ooit over een Michael Flowers heeft gehad.'

Flowers glimlachte en zuchtte. 'Ach, lieve meid, alle papieren van arme ouwe Phil zijn verbrand.'

'Als ik het goed begrijp,' zei ik, 'bestaat er dus geen enkel bewijs van uw vriendschap met Philip Larkin? Of van uw verdwenen meesterwerk *Hello to All This*?'

Ik hield het werkelijk niet meer uit en verontschuldigde mezelf om even een luchtje te kunnen scheppen op het balkon. Na een paar minuten kreeg ik het koud en moest ik weer naar binnen.

Toen ik weer binnenkwam, zei Flowers net: 'Ik heb mijn best gedaan om de oprukkende dictatuur van de auto tot staan te brengen. Ik heb geprobeerd om de productie van de Ford Cortina stil te leggen. Ik ben voor de poorten van Dagenham gaan liggen. Ik had de vooruitziende blik om te zien dat het milieu, Engeland en uiteindelijk alles wat ons dierbaar is eraan kapot zou gaan als we het proletariaat van auto's voorzagen.'

'Mijn vader had een Cortina Mark 4,' zei Nigel. 'Beeldig hemelsblauw met een bekleding van luipaardvellen. Zijn er fabrieksarbeiders geweest die hun goedbetaalde baan hebben opgezegd omdat u op de openbare weg was gaan liggen?'

'Ik was diep teleurgesteld over de reactie van de arbeiders,' zei Flowers. 'Ze hebben me uitgescholden, en een paar van hen hebben zelfs misbruik gemaakt van de situatie en mij een gemeen pak ransel gegeven.'

Gary bood Nigel een lift naar huis aan en hij beval Muizengezicht om de meisjes naar hun flat te brengen.

Flowers bleef nog tot lang nadat de anderen weg waren. Hij ging eindeloos door over Conchita. 'Ik ben naar Mexico gegaan nadat ik een theaterproductie van *The Royal Hunt of the Sun* had gezien. Ik was jong en op zoek naar een alternatieve beschaving. Ik dacht dat ik die had gevonden in de restanten van de Azteekse cultuur. Op de binnenplaats van het La Croix Hotel leerde ik Conchita kennen.'

'Logeerde zij daar ook?' vroeg ik.

'Nee, ze was de schoonmaakster,' zei hij. 'We wisselden een paar woorden met elkaar. Ze complimenteerde me met mijn Spaans en vroeg of ik soms een gids nodig had als ik naar de ruïnes van Palenque ging.

We werden al snel minnaars. Ze nam me mee naar haar ouders. Het was een straatarme familie, ze woonden met zijn tienen in een hutje met een aarden vloer, pal naast een vuilnisbelt. Haar broertjes renden rond in witte hemdjes en geen broekjes. Ik heb haar vader vijftig dollar gegeven en haar meegenomen naar Engeland.' Hij slaakte een zucht. 'Het was alsof je een exotische bloem uit een broeikas naar een zompig Engels weiland overbrengt. Ze is kortstondig gelukkig geweest toen Daisy werd geboren, maar Daisy was nog geen drie jaar toen ze ons in de steek liet en terugging naar Mexico.'

'Met een slager uit Melton Mowbray,' voegde ik eraan toe.

Zijn gezicht vertrok. 'Hè, toe,' kreunde hij, alsof ik net het korstje van een oude wond had gepulkt.

De seconden tikten voorbij, en ik vroeg me af of het onbeleefd zou zijn als ik in de badkamer mijn pyjama aantrok. Helaas ging hij weer verder. 'Netta heeft bij Stonehenge letterlijk mijn leven gered.'

'Letterlijk?' herhaalde ik. 'Bedoelt u dat een van de stenen bijna op u was gevallen en dat zij...'

'Misschien niet letterlijk, maar ze veranderde mijn leven. Ze nam me onder haar hoede en ze hield van me, tot voor kort dan.' Hij zweeg even. 'Ik heb mijn buik vol van vrouwen. Ik ga mijn energie op iets veel belangrijkers richten: de toekomst van dit fantastische land.'

Toen hij eindelijk wegging, liet ik me uitgeput op mijn futon vallen, te moe om me uit te kleden. In gedachten schreef ik een brief.

Beste Martin Amis,

Ik heb een verzoek. Kunt u alstublieft de gehele correspondentie van uw overleden vader, zijn dagboeken, aantekeningen en al het andere geschreven materiaal snel even doornemen om te zien of er ergens iets te vinden is, wat dan ook, over Philip Larkins vriendschap met ene Michael Flowers uit Beeby on the Wold. Mijn belangstelling gaat vooral uit naar een brief van Larkin waarin hij melding maakt van een manuscript met de titel *Hello to All This*. Ik weet dat uw vader en Philip Larkin goed bevriend waren...

Dinsdag 24 december

Mijn vader belde me vanochtend uit bed. Dat komt zo zelden voor dat ik toen ik zijn stem hoorde meteen dacht dat mijn moeder ernstig ziek of misschien zelfs dood moest zijn.

'Je hebt je moeders hart gebroken,' zei hij. 'Waarom had je ons niet uitgenodigd voor je verlovingsfeest van gisteravond? Schaam je je soms voor ons? Ik weet wel dat we roken en van een glaasje houden en je moeder kan nogal eigenzinnig zijn, maar...'

'Pa,' viel ik hem in de rede, 'het was geen verlovingsfeest.'

'Pauline,' hoorde ik mijn vader zeggen, 'hij zegt dat het geen verlovingsfeest was.'

Op de achtergrond hoorde ik de gesmoorde stem van mijn moeder boos uitvallen. Zo te horen was ze in tranen.

Mijn vader vertaalde het. 'Je moeder zegt dat ze van de melkboer heeft gehoord dat iedereen in de Imperial Dragon gisteravond voor je heeft gezongen.'

'Zeg maar tegen mama dat de melkboer eerst de feiten moet natrekken voordat hij roddeltjes overbrieft.'

Mijn vader hield de hoorn bij zijn mond vandaan en bracht deze boodschap over aan mijn moeder. Ze schreeuwde iets onverstaanbaars; ik ving alleen de woorden 'leugenaar' en 'verloofd' op.

Mijn vader begon mijn moeders reactie te herhalen, maar ik onderbrak hem. 'Ik hoor het liever van haar, als je het niet erg vindt.'

'Ik vind het niet erg, maar zij wel. Ze ligt op de bank en blijft maar huilen.'

Ik vertelde mijn vader dat ik niet weet hoe ik verloofd ben geraakt, dat het allemaal een ellendige vergissing is, dat ik niet van Marigold houd en haar niet eens aardig vind. Ik beloofde dat ik ze die dag nog zou bellen.

Toen ik in de winkel kwam, waren er al drommen klanten op zoek naar cadeautjes. Mensen stonden in de rij om door meneer Carlton-Hayes geholpen te worden.

Om elf uur vanochtend belde Netta Flowers om te zeggen dat Marigold weer veilig thuis was uit het ziekenhuis. 'Ze wil je graag zien, Adriaan,' zei ze. 'Heb je zin om morgen op de thee te komen?'

'Het spijt me, mevrouw Flowers, maar mijn ouders houden morgen tegen theetijd een herdenkingsdienst voor een huisdier waar we allemaal bijzonder veel van hielden.'

'Marigold is erg somber,' drong Netta aan. 'Ik heb haar een Indiase hoofdmassage gegeven en lavendelbloemen in haar kamer gestrooid, maar het lijkt wel of niets haar kan kalmeren.'

Ik ben er niet trots op, dagboek, maar ik beken dat mijn mond geluidloos scheldwoorden vormde terwijl ik 'Voor mama van Adriaan' op een kaartje schreef.

'Zelfs Daisy kan Marigold niet opvrolijken,' vervolgde Netta.

'Is Daisy er?'

'Ja, mijn meisjes zijn dit jaar allemaal thuis voor Kerstmis.'

Ik zei dat ik naar Beeby zou komen om Marigolds kerstcadeau te brengen.

'We zijn allemaal dol op je, Adriaan,' zei Netta voordat ze neerlegde.

Om ongeveer halfvijf belde mijn vader om te zeggen dat er op de pagina met familieberichten van de *Leicester Mercury* een advertentie staat waarin mijn verloving wordt aangekondigd, en dat ze werden overspoeld door telefoontjes van mensen die wilden weten wie Marigold was. Hij zei: 'Je moeder heeft het er verdomde moeilijk mee, Adriaan. Ze is met een dubbele dosis Prozac in bed gekropen. Ze heeft de kalkoen niet gevuld, niks niet.'

Ik rende naar de hoek om een *Leicester Mercury* te kopen. De advertentie was groot en opvallend:

Michael en Netta Flowers
zijn bijzonder verheugd over de verloving van
hun dierbare dochter Marigold
met de heer Adriaan Mole.

Wij wensen hen een spirituele
en vreedzame toekomst.
Nader bericht over de huwelijksvoltrekking volgt.

De *Leicester Mercury* heeft een oplage van 93.156 en naar schatting 239.000 lezers. Mijn bloed stolde.

Onderweg naar de kiosk besefte ik dat de meeste winkels in de High Street al dicht waren. Ik was van plan geweest om in mijn lunchpauze kerstinkopen te doen, en nu was het te laat. De kerstgekte sloeg toe. Ik stoof de Habitat binnen en vroeg of ze ook mokers verkochten, en daarna een platenzaak, waar ik me hun Johnny Cash-selectie liet aanwijzen.

Sommige van onze klanten waren eveneens in paniek. Om halfzes waren we de enige nog geopende winkel in de High Street.

Een troep dronken bouwvakkers die de hele middag hadden zitten hijsen terwijl ze eigenlijk cadeautjes voor hun vrouwen en vriendinnen hadden moeten kopen, stormde naar binnen en vroeg om hulp bij het kiezen van geschikte boeken.

Meneer Carlton-Hayes en ik wisten onze hele voorraad kookboeken te slijten, waaronder een gesigneerde Delia Smith en een Rick Stein, compleet met een pootafdruk van zijn hond Chalky.

Een van de bouwvakkers, een stukadoor, kocht een boek over de valkenjacht voor zichzelf en zei dat hij na de kerst terug zou komen om te zien of we meer van zijn gading in huis hadden. Voordat hij wegging, viel zijn oog op de haard. Hij stelde vast dat het pleisterwerk 'linke soep' was en bood aan om in het nieuwe jaar terug te komen en een offerte te maken.

Ik deed de deur op slot en draaide het bordje met 'gesloten' om naar de straat. Een verwilderde vrouw met donker haar rende naar de deur en riep door het glas heen: 'Verkoopt u ook reservelampjes voor kerstverlichting?'

Ik schudde mijn hoofd en zei: 'Sorry.' Wat had ik een medelijden met die arme vrouw.

Voordat ik naar huis ging, koos ik nog een paar boeken uit voor mijn ouders, Pandora en Nigel.

Toen ik meneer Carlton-Hayes de advertentie in de *Leicester Mercury* liet zien, zei hij: 'Ik geloof nooit wat ik in de krant lees, lieve schat.'

Ik heb mijn ouders net gebeld om te vragen of ik morgen nog welkom ben. Mijn vader nam op, en liet meteen zijn stem dalen. 'De situatie is hier niet best, jongen. Rosie belde net om te zeggen dat ze niet komt. Je moeder is boven. Ze huilt non-stop en ze luistert naar Leonard Cohen met het volume op maximaal.'

Op de achtergrond hoorde ik inderdaad Leonard Cohen, kermend over seks en dood.

'Ik hoop dat je morgen hier komt, jongen,' zei mijn vader. 'Ik heb iemand nodig die me helpt de dag door te komen.'

Onderweg naar Beeby on the Wold ving ik hier en daar een glimp op van mensen die zich op eerste kerstdag aan het voorbereiden waren. Ik dacht aan William in Nigeria en aan Glenn in zijn barakken in Aldershot. Ik hoop dat ze hun mail checken, want ik heb ze allebei een elektronische kerstkaart gestuurd. In mijn hart weet ik dat ze liever een echte kaart hadden gehad.

Marigold lag in haar Assepoester-bed. Het is de tragiek van haar leven, en van het mijne, dat zij een van de lelijke zusjes is. Ze gaf me mijn kerstcadeau en stond erop dat ik het in haar bijzijn uitpakte. Het was het poppenhuis van een loft. Ze had er sinds de vorige keer allerlei dingen bij gemaakt. Er zat een zwaan op het balkon, en er waren twee kinderen. Het jongetje leek op mij en het meisje op Marigold. De details waren verbijsterend. Ze had zelfs een miniatuur broodrooster en espressomachine gemaakt.

'Vind je het mooi?' vroeg ze.

'Ik heb er geen woorden voor,' zei ik.

'Ik heb er dag en nacht aan gewerkt,' zei ze. 'Ik heb bijna niet geslapen. Waarschijnlijk ben ik daardoor ziek geworden.'

'Je moet rust houden,' zei ik. 'Blijf maar lekker een paar dagen in bed en dan zie ik je in het nieuwe jaar weer.'

'Maar we hebben elkaar sinds onze verloving nauwelijks gezien,' wierp ze tegen.

Ik nam haar hand in de mijne. 'We zijn toch niet echt verloofd, Marigold?'

'Nee, niet zonder ringen.'

Ik gaf Marigold haar cadeau en vroeg of ze het pas morgenochtend open wil maken. Ik wilde haar teleurstelling niet zien, het is een van de zeldzame ongesigneerde exemplaren van *Beestachtig goed!*, mijn kookboek dat bij de televisieserie hoorde.

Marigold stak haar hand uit en trok me naar zich toe. Ik stootte mijn scheenbeen aan het koetsbed, het poppenhuis viel om en Marigold, onze twee kinderen en ikzelf vielen eruit.

Voordat ik Marigolds kamer verliet, zei ik luid en duidelijk: 'Dus we spreken af dat we níét zijn verloofd?'

Ze knikte en liet zich weer in de kussens zakken.

Daisy zat beneden in de huiskamer te rillen voor een zielig haardvuur.

'Weet je wel dat er in het hele oeuvre van Dostojevski niet één gezond haardvuur voorkomt?' vroeg ik haar.

'Ik heb nog nooit iets van Dostojevski gelezen,' zei ze, 'en met een beetje geluk zal het ook nooit zover komen.'

Ik voelde me merkwaardig bevrijd en vroeg haar naar haar lievelingsboeken. Ze zei: 'Elk moment dat ik niet slaap, leef ik uit de eerste hand. Ik ben de verteller en de ster van mijn eigen leven. Ik dorst naar alles. Ik wil geen plaatsvervangend leven door boeken. Ik wil het leven zelf aanraken, proeven en voelen.'

Ze pakte een glas van de schoorsteenmantel en nam een slok. Ik besefte dat ze heel erg dronken was. Ze wankelde een beetje op haar hoge hakken.

'Ik wist dat Marigold je zou krijgen,' zei ze. 'Toen ze klein was, kreeg ze ook altijd haar zin. Je houdt niet van haar, hè?'

In de kamer ernaast zong een koortje 'Stille nacht, heilige nacht'.
Ik beantwoordde Daisy's vraag door mijn hoofd te schudden.
'Dan zou ik het maar heel snel uitmaken, als ik jou was,' zei Daisy. 'Ze heeft geen zin in een lange verloving.'
'Ik heb tegen haar gezegd dat we niet verloofd zijn,' zei ik.
'Dus je bent een vrij man?'
'Ik heb net bedacht aan wie je me doet denken,' zei ik. 'Aan een slanke Nigella Lawson.'
'Ik heb mezelf vorig jaar laten verbouwen met Nigella Lawson als voorbeeld,' vertelde ze me. 'Ik heb mijn tieten laten doen, mijn haar geverfd, lippen laten opspuiten. Maar ik ben geen huiselijke godin. Ik haat huiselijkheid.'
Ze pakte mijn bril en zette hem af. Ik had het gevoel dat ik naakt voor haar stond.
'Je hebt van die schattige krulletjes in je nek,' zei ze.
'Ik had nog naar de kapper willen gaan.'
'Nee, je moet het niet knippen.' Ze streelde mijn nek. 'Ik weet dat je morgen een dode hond herdenkt, of zoiets, maar kom alsjeblíeft tweede kerstdag lunchen. Ik heb een bondgenoot nodig.'
'Stille nacht, heilige nacht' was afgelopen en we namen afstand door aan weerszijden van de haard te gaan staan.
Toen ik mijn bril weer opzette, leek de wereld overspoeld met kleur.

Woensdag 25 december

Eerste kerstdag

Werd wakker met de gebruikelijke teleurstelling dat er geen zak vol speelgoed aan het voeteneinde van mijn bed stond. De lucht was grijs en het miezerde. Waarom kan het weer nou nooit eens een gebaar maken en het gewoon laten sneeuwen met Kerstmis?
Onderweg naar Wisteria Walk reed ik langs een paar kinderen die hun nieuwe speelgoed aan het uitproberen waren. Een man in pyjama en ochtendjas duwde een kind op een fiets over de stoep. Een klein meisje in een verpleegstersuniformpje liep erachteraan met een poppenwagen. Ze leken geen last te hebben van de regen.

De atmosfeer in de huiskamer van mijn ouders was eerder Pinter dan Dickens. In de hoek stond een kerstboom, maar het was een schriel ding dat zich leek te schamen voor zijn eigen bijna kale takken. Mijn moeder had haar best gedaan met drie snoeren kerstverlichting, ballen en engelenhaar. Het deed me plezier om te zien dat de 'kerstklok' die ik op mijn zevende heb gemaakt van een eierdoosje en een pijpenrager op een prominente plaats aan de voorkant van de boom hing. Ik voelde dat mijn moeder depressief was.

'Mijn hart is gebroken, Adriaan,' zei ze. 'En ik had me er zo op verheugd dat Rosie zou komen.'

Ik vroeg waar Rosie was, en herinnerde me toen pas dat ze niet zou komen.

'In Hull!' riep ze verontwaardigd. 'Niemand viert Kerstmis in Hull!'

Mijn vader maakte het alleen maar erger met zijn opmerking: 'Ik vind het veel naarder dat William er niet is. Weet je nog, Pauline, hoe blij hij verleden jaar was met het drumstel dat we hem hadden gegeven?'

'Doe me een lol, George,' zei mijn moeder, 'en begin alsjeblieft niet over die lieve kleine schat. Ik mis hem zo erg dat het pijn doet.'

'En ik zal het missen dat ik straks niet iets kan gaan drinken met Glenn,' voegde mijn vader eraan toe. 'Het was altijd zo gezellig om met die jongen naar de pub te gaan.'

'En het is vandaag precies een jaar geleden dat de nieuwe hond doodging,' zei mijn moeder. 'Eerste kerstdag zal nooit meer hetzelfde zijn. Ik zal nooit vergeten hoe vreselijk het was om aan te zien dat die arme hond in een kalkoenbotje stikte.'

De cadeaus lagen nog ongeopend onder de boom. Ik legde de mijne erbij. We haalden herinneringen op aan vroegere kerstmissen en klonken op afwezige vrienden met Bucks Fizz van Safeways.

Om elf uur zette mijn vader de Russische muts met de oorflappen op die hij 's winters altijd draagt, en hij zei dat hij weg moest om iets te gaan halen. Ik zag hem naar hun tweedehands camper lopen en wegrijden.

'Ik snap niet dat je papa die muts laat dragen, mam,' zei ik. 'Hij ziet eruit als een idioot.'

'Mozart, Van Gogh en Einstein waren ook geen alledaagse mannen,' viel ze agressief uit.

Ik ging naar de keuken om de poot- en vleugelloze kalkoen te vullen. Er zaten nog wat ijskristallen in de buikholte, maar eerlijk gezegd, dagboek, leek een salmonellavergiftiging een aantrekkelijk vooruitzicht.

Om halftwaalf was mijn vader terug. Hij sjouwde een grote kartonnen doos met een rode strik naar binnen. We stonden met zijn drieën om de boom. Hij gaf de doos aan mijn moeder en zei: 'Vrolijk kerstfeest, Pauline. Ik hoop dat dit goedmaakt wat Adriaan verleden jaar heeft gedaan.'

De doos was duidelijk zwaar, en mijn moeder zette hem snel op de salontafel. Ze maakte het kartonnen deksel open en een heel merkwaardig jong hondje keek ons aan. Het is echt de raarste hond die ik ooit heb gezien. Hij ziet eruit als Grover met een mislukt permanent. Hij begon op een weerzinwekkend onhygiënische manier mijn moeders gezicht te likken.

Mijn ouders bogen zich over het nieuwe hondje heen alsof het de Messias was. Ik kwam er de hele dag niet meer aan te pas; ik was niet meer dan de galeislaaf die hun vorige hond heeft vermoord.

Ik kreeg zoals gewoonlijk allemaal onzin. Het ergste cadeau was van mijn vader: een golfsetje bestaande uit drie golfballen, een klein poetsdoekje, een tinnen bierpul met de inscriptie 'De 19e hole', en een paar golfhandschoenen.

'Ik weet dat je een hekel hebt aan golf,' zei mijn vader, 'maar ik wist niet wat ik je anders moest geven.'

Mijn moeder had besloten om me het geheime recept voor haar kerstjus te verklappen. 'Ik had het recept eigenlijk aan Rosie willen geven, maar omdat zij er niet is,' zei ze bitter, 'geef ik het maar aan jou.'

Ze deed de keukendeur dicht voordat ze begon. 'Je kookt de ingewanden van de kalkoen in anderhalve liter water met een ui, een wortel en een aardappel. Dan zeef je het vocht, je doet er de sappen uit de braadslee met de kalkoen bij, en je lost twee bouillonblokjes op in de hete vloeistof. Vervolgens maak je een beetje maïzena aan in een eierdopje...'

'Waarom in een eierdopje?' vroeg ik.

'Omdat je,' snoof ze, 'geen al te dikke saus wil, snap je. Breng de vloeistof aan de kook, voeg geleidelijk de aangemaakte maïzena toe en laat een paar minuutjes zachtjes pruttelen. En dan, voilà!, heb je mijn beroemde kerstjus.'

Ik was hevig teleurgesteld. Ik vertelde haar dat ik een magisch ingrediënt had verwacht, een of andere zeldzame en exotische specerij waar ik nog nooit van had gehoord, in het donker gekocht van een mysterieuze buitenlandse vrouw.

'Nee hoor,' zei mijn moeder. 'Alle ingrediënten zijn bij de buurtsuper te krijgen.'

Alweer een illusie armer.

Mijn moeder vond dat ik William moest bellen in Nigeria. Ik deed het met tegenzin. Hij vertelde me dat zijn stiefvader Wole een nieuwe fiets voor hem heeft gekocht. Terwijl hij vrolijk babbelde over zijn nieuwe leven en zijn halfbroers en -zusjes, voelde ik een sterk verlangen om mijn armen om hem heen te slaan, om zijn huid te ruiken en zijn kleverige handjes vast te houden. Ik vroeg me af of de stiefvader William op zijn fiets over een stoffig trottoir in Lagos had geduwd. Misschien had ik hem niet zo makkelijk moeten laten gaan.

Ik vertelde hem van het nieuwe hondje, en hij vroeg of het hondje al een naam had. Ik legde uit dat het bij de Moles traditie is om honden geen naam te geven.

'Je gaat de nieuwe hond toch niet doodmaken, hè, pap?' vroeg hij.

'Ik héb de vorige nieuwe hond niet doodgemaakt,' wierp ik scherp tegen.

Mijn moeder nam de telefoon van me over en mijn vader kroop dicht tegen haar aan. Ik verliet de kamer en ging op de trap zitten. Het is werkelijk vreselijk om je ouwelui te zien huilen. De hele gang stond vol verhuisdozen. Het bed waar ik sinds mijn tiende in heb geslapen, was uit elkaar gehaald en stond tegen de muur.

Ik was de kerstjus aan het opwarmen toen Glenn belde op mijn mobiele telefoon om me te laten weten dat hij naar Cyprus wordt uitgezonden. Ik vroeg of ik hem nog kon zien voor zijn vertrek, maar hij zei nee, ze zouden morgen bij zonsopgang vertrekken. Dat van die 'zonsopgang' beviel me niet; het klonk naar spoed en gevaar, en mijn maag keerde zich om van angst. Ik deed mijn best niets te laten merken en vroeg of hij zijn kerstcadeau had ontvangen.

Er was een lichte aarzeling voordat hij antwoord gaf. 'Ja, pap, reuze bedankt. Het was precies wat ik wilde hebben.'

Wat is het toch een aardige jongen. Ik vergeef hem dat hij tegen me heeft gelogen. De trieste waarheid, dagboek, is dat ik ben vergeten hem een kerstcadeau te sturen. Ik had Tante Pos de schuld willen geven.

Toen ik mijn ouders vertelde dat Glenn wordt uitgezonden, trok mijn moeder wit weg. 'Toch niet naar Irak!' riep ze uit.

Ik vertelde dat Glenn met zijn zeventien jaren te jong is om uitgezonden te worden naar Irak, maar wel oud genoeg om naar Cyprus te gaan. Toch vind ik het niet prettig dat die jongen overzee is, dagboek, niet in deze turbulente tijden.

Om vijf uur hielden we een minuut stilte voor de hond die ik precies op dat uur een jaar geleden zou hebben vermoord.

Aan het eind van de stilte zei ik voor de zoveelste keer: 'Ik heb die hond geen kalkoenbotje gegeven!'

Maar het was wel duidelijk dat mijn ouders me niet geloofden.

Mijn moeder ging naar de tuin en plantte een poinsettia op het graf van de hond. Toen ze weer binnenkwam, gaf mijn vader haar een stuk keukenpapier om haar ogen mee af te drogen. Hij sloeg een arm om haar heen. 'Wil je hem opgraven als we gaan verhuizen, Pauline?'

'Nee,' zei mijn moeder. 'Hij was altijd zo gelukkig in de achtertuin, als hij het wasgoed van de lijn kon trekken.'

Ze glimlachten vertederd bij deze herinnering, hoewel ik nog goed weet dat mijn vader een keer des duivels was toen de hond zijn beste spijkerbroek van de lijn had getrokken en door de modder had gesleept.

Na het nuttigen van een snee kerststol met amandelspijs ging ik naar huis. Ik liet mijn ouders achter voor de televisie; ze keken naar een video van Kerstmis 2001 die voornamelijk bestaat uit een drumsolo van William Mole, maar ze leken de herrie niet erg te vinden.

Donderdag 26 december

Tweede kerstdag

Ik had een opgewonden gevoel bij het ontwaken, maar ik kon me niet herinneren waar ik me op verheugde. Toen wist ik het weer. Ik zou Daisy zien in Beeby on the Wold.

Het ergert me dat Marigold altijd naar buiten komt voordat ik de kans heb gekregen om mijn auto te parkeren. Ik vind het prettig om een moment voor mezelf te hebben voordat ik een ander huishouden bezoek.

Ze hield een takje mistletoe boven onze hoofden en drukte een kus op mijn wang. Ze droeg een jurk met lovertjes en een wijde rok, eerder geschikt voor ballroomdansen dan voor een lunch op tweede kerstdag.

Het lukte me om een plaatsje te krijgen naast Daisy, elegant in het zwart. Ze vroeg hoe mijn eerste kerstdag was geweest. 'Het was een nachtmerrie,' zei ik.

'Het kan nooit erger zijn geweest dan hier,' zei ze. 'Poppy's haar kwam vast te zitten in de Magimix toen mama knoflook pureerde. En papa was dronken van zijn smerige bisschopswijn en begon toen te huilen om mama en Roger Middleton.'

Netta Flowers liet zelfgemaakte knalbonbons rondgaan. 'Ik vind het haast onverdraaglijk dat ze nu kapot worden gemaakt,' zei ze. 'Ik heb er wekenlang tot diep in de nacht aan gewerkt.'

Ik trok samen met Marigold een knalbonbon open. Er zat een plastic ring in met een knots van een neprobijn. Marigold wilde dat ik de ring om haar ringvinger schoof.

Toen ik dat deed, kirde ze: 'Kijk eens, allemaal, kijk eens, nu ben ik echt verloofd!'

Wat hebben we gelachen.

'Ik weet zeker dat Adriaan iets heel moois voor je gaat kopen zodra de juweliers weer open zijn,' zei Netta. 'Een entouragering met diamanten zou je prachtig staan, Mazzie.'

Op dat moment besefte ik dat Marigold haar ouders niet had laten weten dat de verloving is verbroken.

Er gebeurde iets vreemds met me. Ik distantieerde me van mijn omgeving. Het leek wel of ik boven de tafel zweefde. Stemmen klonken alsof ze van heel ver weg kwamen.

Ik besef nu pas, zittend in mijn stille loft, dat ik vanmiddag in een staat van acute angst verkeerde. Als Daisy niet onder de tafel mijn hand had vastgehouden, had ik waarschijnlijk een inzinking gekregen. Ik voel me net een man die vastzit in een graansilo, hoe harder ik graaf om eruit te komen, des te meer graan stroomt er over me heen, des te dieper kom ik vast te zitten.

Vrijdag 27 december

Mijn ouders zijn vandaag verhuisd naar de linker bovenhoek van een winderig veld. Hun adres is: De Varkensstallen, Het Laatste Veld, Karrenpad, Mangold Parva, Leicestershire. De meeste van hun meubels en bezittingen zijn opgeslagen, hoewel het, moet ik eerlijk bekennen, dagboek, een daad van barmhartigheid zou zijn geweest om de spullen uit hun lijden te verlossen door ze in brand te steken.

Bij het opzetten van de tent leverden we strijd tegen een straffe noordooster. Het was allang donker voordat de laatste haring de modderige grond in ging. We zaten in de camper met het nieuwe hondje terwijl mijn moeder thee zette op een kleine butagasbrander. De wind huilde en kreunde en de hele auto stond te stampen alsof we in een motorjacht hoge golven trotseerden.

Ik vond het vervelend om ze achter te laten en had ze bijna gevraagd om met mij mee naar huis te komen en te blijven logeren totdat in elk geval een van de varkensstallen bewoonbaar is gemaakt. Maar toen dacht ik aan de luidruchtigheid waarmee het toiletbezoek van mijn vader gepaard gaat en zag ik ervan af.

Toen ik in het aardedonker over het veld naar mijn auto baggerde, werd ik opeens heel erg verdrietig omdat zij tenminste elkaar hadden, terwijl ik niemand heb om mijn problemen mee te bepraten.

Zaterdag 28 december

Vandaag begon onze uitverkoop. Meneer Carlton-Hayes vertelde me dat hij tijdens de kerst ernstig met Leslie heeft gepraat en dat hij van plan is om alle door mij voorgestelde veranderingen door te voeren.

Ik krijg de titel 'manager', en ik word geheel verantwoordelijk voor het bestellen van nieuwe boeken, afspraken met vertegenwoordigers, het oprichten van een lezersclub, het aanschaffen van een koffiezetapparaat en serviesgoed, het installeren van een computer en deze aansluiten op internet. De veranderingen zullen geleidelijk worden doorgevoerd omdat we onze vaste klanten niet kwijt willen raken.

Meneer Carlton-Hayes gaat zich bezighouden met huisbezoeken voor taxaties, de bankzaken, de salarissen, reparaties en de boeken die opnieuw ingebonden moeten worden. Als het druk is, staan we beiden achter de kassa. We gaan ons toilet openstellen voor de klanten en de boekenkasten verplaatsen, zodat we meer meubels kwijt kunnen.

Meneer Carlton-Hayes heeft niet gezegd dat hij mijn salaris gaat verhogen, maar ik neem aan dat hij het gewoon is vergeten.

Een oudere vrouw met een konijnenpoot als broche kwam zich beklagen omdat ik haar *Trainspotting* van Irving Welsh had verkocht als kerstcadeau voor haar zesenzeventigjarige echtgenoot die gek is op alles wat met treinen te maken heeft.

'Het is een smerig boek en er staan allemaal Schotse woorden in,' zei ze. 'Toen mijn man het uit had, moest hij twee keer zoveel bloeddrukverlagende pillen slikken als normaal.'

Ik heb het geruild voor *Moord in de Oriëntexpres* van Agatha Christie.

Zondag 29 december

Vanochtend belde Bolleboos Henderson, terwijl ik naar het jaaroverzicht van *The Archers* zat te luisteren. Hij had gehoord dat ik in contact stond met het Madrigaal Ensemble en wilde weten of hij lid kon worden. Ik heb hem het telefoonnummer van Michael Flowers gegeven.

Ik vroeg of hij een oplossing had gevonden voor de gecomputeriseerde tafelgrill van juf Fossington-Gore. Hij vertelde dat hij de grill heeft geruild voor een elektrische citruspers.

Hij wilde het hebben over de situatie in Irak. Hij is ook al een ongelovige Thomas wat betreft de massavernietigingswapens. Ik heb het gesprek afgebroken door te zeggen dat mijn koffie overkookte; bovendien maakten de zwanen buiten zo'n ongelofelijke herrie dat ik nauwelijks kon verstaan wat hij zei.

Een uur later belde Marigold om te vertellen dat Bolleboos Henderson morgenavond auditie doet. Ze vroeg als wat ik verkleed zou gaan naar het feest op de eenendertigste.

'Ik ga waarschijnlijk als de Franse schrijver Flaubert,' zei ik.

'Zal ik als Coco gaan?' vroeg ze.

Toen snaterde Gielgud zo luid dat de rest van haar woorden verloren gingen. Het lijkt me leuk om Marigold voor de verandering eens in elegante kleren te zien.

Maandag 30 december

Vanochtend in het donker opgestaan. Mijn auto zat onder een dikke laag ijs. Ik moest de voorruit schoon schrapen met mijn Visacard, en daarna ben ik naar de Varkensstallen gereden om te zien of mijn ouders de nacht hadden overleefd. Ik ben langs Wisteria Walk gegaan om afscheid te nemen van het lege huis. Ik heb er goede herinneringen aan; niet veel, maar zeker wel een paar.

Er stond een straffe wind toen ik uit mijn auto stapte. De tent was half ingezakt en het doek flapperde. Zachtjes deed ik de deur van de camper open. Mijn ouders lagen elk op een smal soort plank, boven elkaar. Het lelijke hondje werd wakker en begon te keffen.

Mijn vader draaide zich om en mompelde: 'Laat de hond even uit, Adriaan.'

Ik deed de deur open en het hondje rende dwars over het veld naar het pad. Er zat niets anders op, ik moest erachteraan. Er is daar bijna geen verkeer, maar je zult het altijd zien, zo'n stomme hond wordt dan natuurlijk net overreden door de enige auto die daar op een hele dag voorbij komt.

Bij de sloot kreeg ik hem te pakken. Het water kwam tot aan zijn nek. Ik sleurde hem aan zijn halsband uit het water en droeg hem terug naar de camper, waar hij met de mooiste handdoek werd afgedroogd en warme melk te drinken kreeg. Ik kreeg daarentegen helemaal niets aangeboden en werd weer naar buiten gestuurd om in de tent naar nog een handdoek te gaan zoeken.

Mijn hemel, wat een troosteloze plek. Toen ik op weg ging naar mijn auto, zei mijn vader: 'Er zijn tussen hier en de Oeral geen bergen, Adriaan. De wind komt rechtstreeks uit Rusland.'

Toen ik me omdraaide en zwaaide, zag ik dat mijn moeder, die gekleed was in een duffelse jas, een werkmansbroek en kaplaarzen, felrode lippenstift op deed. Doodzonde. De enige persoon die haar vandaag te zien zal krijgen is mijn vader.

Dinsdag 31 december

Ik vroeg meneer Carlton-Hayes of ik op Gustave Flaubert lijk. Hij kneep zijn ogen half dicht en zei: 'Als je gezetter was, langer haar had en een grote snor, zou er misschien sprake zijn van een vage gelijkenis.'

Aldus aangemoedigd toog ik in mijn lunchpauze naar Party! Party!, een zaak die feestkleding verhuurt. Ik had een exemplaar van *Madame Bovary* meegenomen en liet de onnozele assistent het portret van Flaubert zien. 'Zo wil ik eruitzien,' liet ik hem weten.

Hij liep de ruimte achter de winkel in. Ik was omringd door andere klanten die op het laatste moment een kostuum wilden huren. Ze verdrongen zich voor de grote spiegels. Er was een Elvis, een geestelijke, een Nell Gwyn – compleet met plastic sinaasappelen – en een tube Colgate-tandpasta met haar man, een tandenborstel.

De onnozele jongen kwam terug met een zwarte pruik, een zwarte krulsnor, een slappe cravate en een fluwelen huisjasje. Toen ik eindelijk aan de beurt was voor de spiegel, was ik bijzonder content met het resultaat.

Ik was de eerste gast voor het feest.

Pandora deed open, zoals gewoonlijk verkleed als buikdanseres. 'Je bent te vroeg,' zei ze. 'We zijn nog niet klaar.'

'Op de uitnodiging staat "vanaf 8 uur" en het is nu precies acht uur,' betoogde ik.

'Heb je nou nog steeds niet door dat het een sociale zonde is om op tijd te komen?' Ze gaf me een opzichtig roze sieraad en een stukje Blu-Tack en vroeg of ik het in haar navel wilde vastzetten. Toen me dat na een paar minuten eindelijk was gelukt, zei ze tegen me: 'Wie moet jij eigenlijk voorstellen?'

Ik haalde *Madame Bovary* uit de zak van mijn huisjasje en liet haar de titel zien.

'Dus je bent de man van Madame Bovary?' vroeg ze.

'Ik ben Gustave Flaubert, dat zie je toch.'

'Nee, Adriaan,' zei ze, 'dat zie ik helemaal niet.'

Ik kreeg opdracht om kleine schaaltjes met dure snacks strategisch verspreid neer te zetten.

Hun villa The Lawns heeft de prijs voor de beste architectuur gewonnen toen het huis aan het eind van de jaren zeventig van de vorige eeuw werd gebouwd. Het is ontworpen voor grote ontvangsten: de kamers op de begane grond lopen allemaal in elkaar over, maar er zijn wel niveauverschillen. Het interieur heeft vele veranderingen ondergaan sinds ik er in 1982 voor het eerst kwam. In die tijd waren er overal boeken en grote planten en Indiase kleden, maar tegenwoordig is alles roomkleurig en minimalistisch. Tania Braithwaite is flink aan het verbouwen geslagen nadat mijn vader bij haar weg is gegaan en weer terug is bij mijn moeder.

Tot mijn ontzetting stapte niet Coco Chanel uit een taxi op de oprijlaan, maar Coco de Clown.

Marigold droeg een oranje krulletjespruik, een grote geruite jas, een pofbroek, een bolhoed en van die veel te grote clownsschoenen.

Ze had totaal niet begrepen dat jonge vrouwen juist een verleidelijke outfit horen te kiezen. Alleen oudere vrouwen zoals Tania, die verkleed was als wortel, hoeven zich niet aan deze regel te houden.

Ik kon het niet helpen, ik moest er iets van zeggen. 'Marigold, je hebt een redelijk goed figuur, waarom verberg je dat dan onder een clownskostuum?' Daarop zei zij: 'Het leek me gewoon leuk.'

Ik probeerde haar uit te leggen dat clowns helemaal niet leuk zijn, dat ze juist ontzettend ónleuk zijn, sinister zelfs. Ze trok de rode bal van haar neus om te kunnen snuiten.

Tania kwam naar buiten om Marigold te begroeten, en ze zei door een spleet in de wortel: 'Adriaan, hoe komt het toch dat die vrouwen van jou altijd huilen?'

Ik antwoordde kil dat alle vrouwen die ik had bemind, op haar dochter Pandora na, stuk voor stuk gevoelige schepsels waren, snel tot tranen toe geroerd.

Toen sloeg de wortel een arm om de clown heen om haar aan mijn ouders en verschillende vrienden voor te stellen.

Nigel had een pluchen golden retriever aan zijn voeten en droeg een viezige valse baard. Hij was David Blunkett, de blinde minister. 'Ik ben net aan je verloofde voorgesteld,' zei hij tegen me. 'Ze zegt dat jullie in de lente gaan trouwen. Ik neem aan dat je mij als getuige wilt hebben?'

'Ze is mijn ex-verloofde,' zei ik. 'En een getuige moet goed kunnen zien aangezien hij allerlei verantwoordelijke taken heeft.'

Mijn moeder en vader kwamen binnen met uitpuilende vuilniszakken waar hun verkleedkleren in zaten. Nadat ze de beide badkamers een halfuur lang bezet hadden gehouden, kwamen ze te voorschijn als Dolly Parton en Saddam Hoessein.

Parvez en zijn vrouw Fatima waren verkleed als Robin Hood en Maid Marian.

'Ik hoop dat je de hand op de knip houdt, Moley,' zei Parvez tegen me.

Ik heb hem niet verteld van Barclays gulheid.

'Ik ben net aan je verloofde voorgesteld,' zei Fatima. 'Ze heeft duidelijk gevoel voor humor.'

'Ze is mijn ex-verloofde, Fatima.'

'Dat zou ik haar dan maar gauw gaan vertellen,' zei Fatima. 'Ze heeft het over een bruiloft in april.'

Ik keek naar Marigold. Ze stond aan de andere kant van de kamer te praten met Bolleboos Henderson, die de domme vergissing had gemaakt om als Tarzan te komen. Tot overmaat van ramp had hij zijn zwarte schoenen en grijze sokken aangehouden.

Pandora zette een cd met Motown-hits op en draaide het geluid harder. Ik hoopte in stilte dat mijn vaders slechte rug hem bij de dansvloer uit de buurt zou houden.

Mijn moeder trippelde naar me toe (waarschijnlijk dacht ze zelf dat het een speels huppeltje was) en zei: 'Moet je niet met je verloofde dansen?'

'Ze is mijn ex-verloofde,' zei ik. 'Dat heb ik haar op kerstavond ondubbelzinnig laten weten. Ze is hier als Tania's gast, niet de mijne!'

Bovendien was het onmogelijk om dicht genoeg bij Marigold te komen om met haar te kunnen dansen vanwege de hoepels in haar pofbroek en de clownsschoenen.

Mijn moeder keek naar Marigold en zei: 'Ja, haar kostuum is bedroevend slecht gekozen. Misschien moet je een paginagrote advertentie in de *Leicester Mercury* zetten om half Leicestershire uit te leggen dat je niet langer met dat arme wicht verloofd bent.'

Om een minuut voor twaalf verzamelde Pandora haar gasten in de woonkamer en zette ze Radio Four aan, zodat we de Big Ben twaalf konden horen slaan. Maar we hoorden niets. Radio Four zweeg in alle talen.

Mijn vader zaaide paniek door te roepen: 'Irak heeft een massavernietigingswapen afgevuurd en de Big Ben kapot geschoten!'

Dat was nogal pikant, want mijn vader moest op dat moment de Iraakse leider voorstellen.

Pandora riep boven het rumoer uit dat ze in het kabinet zat en dat ze het als eerste te horen zou krijgen als ons land werd aangevallen.

Even later verontschuldigde een presentator van Radio Four zich voor het uitblijven van het klokgelui van de Big Ben, maar Marigold zag het als een slecht voorteken. 'Onderweg hierheen vloog er een kerkuil voor de taxi langs,' zei ze. 'Dat is een voorbode van de dood.'

'Kerkuilen moeten toch op de een of andere manier de weg oversteken, Marigold,' zei ik.

Met zijn allen zongen we 'Auld Lang Syne', op de traditionele manier met gekruiste armen hand in hand. Ik hield de hand vast van Rocky (Othello), Pandora's ex-vriend, die pas laat was gekomen maar die avond wel haar partner leek te zijn, en de vin van een buurvrouw van Tania, mevrouw Moore, die slechts beperkt van het feest kon genieten aangezien ze als pinguïn was gekomen.

Na het zingen vroeg ik Rocky of hij zijn keten sportscholen in Oxford nog had.

Hij vertelde dat hij de sportscholen had verkocht en nu een mastersopleiding Afrikaanse talen deed. Hij keek naar Pandora, die haar feestnummer deed – een worstje in evenwicht houden op het puntje van haar neus – en zei: 'Ze heeft gevraagd of ik haar gast wil zijn bij het nieuwjaarsdiner van haar Afro-Caribische kiezers. Denk je dat ze me gebruikt, Aidy?'

'Ik zeg niets, Rocky, maar met Chinees nieuwjaar had ze Wayne Wong en zijn gezin uitgenodigd in het paleis van Westminster. De foto's hebben zelfs de *Hong Kong Times* gehaald.'

Om een uur 's nachts begonnen mijn moeder en de wortel herinneringen op te halen aan Ivan Braithwaite, met wie ze allebei getrouwd zijn geweest (hoewel niet tegelijkertijd, uiteraard).

'Arme Ivan,' zei de wortel. 'Hij is vandaag precies twee jaar en twee maanden dood, Pauline.'

Mijn moeder knipperde met haar eindeloos lange valse wimpers. 'Ik voel me nog steeds verantwoordelijk voor zijn dood,' verzuchtte ze.

De wortel zei met gespleten tong: 'Je moet je niet schuldig voelen, Pauline. Ik weet zeker dat je hem niet hebt gedwóngen om bijna een kilometer terug te zwemmen naar dat eilandje om te zien of jij je zonnebril op de rotsen had laten liggen. En zelfs al heb je dat wel gedaan, hoe kon jij nou weten dat hij op de terugweg kramp zou krijgen en zou verdrinken?'

Een enkele traan biggelde over mijn moeders wang. 'Ja, maar vijf minuten nadat hij was weggezwommen, vond ik de zonnebril terug in mijn strandtas. Ik had gewoon niet goed gezocht!'

'Daar is tijdens de lijkschouwing niets over gezegd,' zei de wortel kil.

Het leek me verstandig om tussenbeide te komen, en ik nam mijn moeder mee voordat de cocktail die ze dronk haar tong nog verder los kon maken.

Om een uur of twee schoof ik de terrasdeur open en ging ik naar buiten om een frisse neus te halen. De sterren fonkelden aan de zwarte hemel, en niet voor de eerste keer voelde ik een jongensachtige verwondering dat dezelfde maan die in Ashby de la Zouch op mij scheen, ook bij Glenn in Cyprus en bij William in Nigeria aan de hemel stond.

Ik vroeg me af hoe Daisy de eerste uren van het nieuwe jaar doorbracht.

2003

Woensdag 1 januari 2003
Nieuwjaarsdag

Toen ik vanochtend wakker werd, zag ik tot mijn schrik dat Marigold naast me lag op de futon. Ze droeg nog steeds een deel van haar clownspak. Toen ze zich naar me omdraaide, zag ik in het ochtendlicht dat de schmink over haar hele gezicht was uitgesmeerd. Ik was poedelnaakt. Van pure ellende trok ik het dekbed over mijn hoofd.

Marigold sloeg haar armen om me heen en zei met een klein stemmetje: 'Je bent een fantastische minnaar, Adriaan.'

'Heb je soms keelpijn?' vroeg ik vals. 'Wil je een Strepsil?'

'We hebben uren gevrijd,' zei ze iets duidelijker.

'Uren?' herhaalde ik.

'Zeker twintig minuten,' zei ze.

Ik vond het een stuitende gedachte dat ik seksueel opgewonden was geraakt van een als Coco de Clown verklede vrouw. Wat betekent het? Ik ben een keer met mijn moeder naar het circus geweest, en er kwam een clown bij haar op schoot zitten. Ze gilde en duwde hem weg. Is er een verband? Ik zou het eigenlijk moeten weten.

Twintig minuten is niet slecht voor mijn doen.

Ik moest ontzettend nodig plassen, maar ik wilde niet dat ze me naakt zou zien. Ik vroeg Marigold wat haar plannen voor die dag waren.

'Ik kan de hele dag met je samen zijn. Ik hoef nergens heen,' zei ze. 'Ik zou het leuk vinden als je ergens met me gaat lunchen.'

'Ik ben geen conventionele man, Marigold,' zei ik, 'maar op nieuwjaarsdag ergens gaan lunchen met een clown aan mijn arm gaat me echt te ver.'

Mijn blaas stond op knappen, dus uiteindelijk moest ik wel uit bed komen. Ik bleef langer in de badkamer dan strikt noodzakelijk was. Onder de douche probeerde ik me te herinneren hoeveel ik gisteravond heb gedronken en wanneer ik bewusteloos ben geraakt. Ik weet niet eens meer hoe ik thuis ben gekomen. Het laatste wat ik me herinner, is een paars drankje waarvan Pandora zei dat het een tropische cocktail was.

Toen ik uit de badkamer kwam, stond Marigold op het balkon tegen de zwanen te praten. Ze vertelde me een of ander sprookje over een prins die in een zwaan was veranderd. Ze gebaarde naar Gielgud, die aan de overkant van het kanaal naar drijvend afval pikte.

'Misschien is hij wel een prins die wacht op een meisje dat de betovering kan verbreken,' zei ze.

'Probeer het eens,' opperde ik. 'Ga naar beneden en geef hem een kus op zijn snavel. Maar pas op: wist je dat een zwaan iemands arm kan breken?'

Ik vond haar aanwezigheid mateloos irritant. Mijn hoofd bonkte en ik had een ongelooflijk smerige smaak in mijn mond. Het mag een wonder heten dat mijn tong niet van pure walging op de vlucht is geslagen om zich in een hoekje van de kamer schuil te houden. Ging ze maar weg.

Terwijl zij onder de douche stond, schreef ik mijn goede voornemens op:

1 Ik wil Marigold Flowers nooit meer zien.
2 Ik drink alleen nog maar mijn gewone drankjes: bier met citroen, rode wijn vanaf £ 4,99 per fles, en droge witte wijn.
3 Ik ga becijferen hoe hoog mijn schulden zijn.
4 Ik ga arme blinde Nigel regelmatig voorlezen.
5 Ik ga leren hoe mijn thuisbioscoop werkt.
6 Ik eet elke dag vijf stuks fruit en groente.
7 Ik zal William en Glenn elke week mailen.
8 Ik ga bewijzen dat Saddam Hoessein over massavernietigingswapens beschikt, zodat Latesun Ltd me mijn aanbetaling moet teruggeven.

Marigold droeg mijn witte badjas toen ze uit de douche kwam. Ze vroeg of ik haar kleren kon lenen om naar huis te gaan. Ik gaf haar een kaftan die ik ooit uit Tunesië heb meegenomen, de broek van een trainingspak en de halflange parka die ik droeg toen ik nog een brommer had. Aan de schoenen kon ik niets doen. Marigolds voeten zijn maar net iets groter dan die van een barbiepop, dus liep ze in de clownsschoenen (one size, past iedereen) naar het parkeerterrein.

De timing was een beetje ongelukkig. We kwamen Mia Fox tegen op de trap en professor Green op het parkeerterrein. Ik voelde me verplicht om Marigold aan hen voor te stellen. Misschien had ik uit moeten leggen waarom ze er zo bespottelijk uitzag, maar ik wilde Marigold niet kwetsen omdat ze dan de hele weg naar Beeby on the Wold zou zitten huilen.

Voordat ze uitstapte gaf ik haar een hand. 'Dit was waarschijnlijk de laatste keer dat we elkaar hebben gezien, tenzij we elkaar toevallig tegenkomen.'

'Doe niet zo mal,' zei ze en ze rende naar de voordeur, lichtelijk gehinderd door de clownsschoenen.

Donderdag 2 januari

Volgens de *Daily Telegraph* verbergt Saddam Hoessein 360 ton chemische wapens, 30.000 lanceerinrichtingen voor massavernietigingswapens en nog eens 3.000 ton chemicaliën. Ik heb het artikel uitgeknipt en met een begeleidend briefje naar Latesun Ltd opgestuurd.

Beste Johnny Bond,

Ik verzoek u vriendelijk het bijgesloten krantenartikel te lezen. Zoals u ziet verscheen het in de *Daily Telegraph*, en u bent het ongetwijfeld met me eens dat deze kwaliteitskrant volkomen betrouwbaar is. Ik hoop uw cheque van £ 57,10 spoedig te ontvangen.

Vriendelijke groet,

A.A. Mole

Vrijdag 3 januari

Meneer Carlton-Hayes vertelde me dat een neef van hem majoor is in het leger, en dat hij in de Golf is gestationeerd. Naar het schijnt heeft Tony Blair de Britse troepen in de Golf met Kerstmis het volgende bericht gestuurd: 'Maak u gereed voor oorlog.'

Godzijdank wordt Glenn pas op 18 april achttien. Dan is de oorlog met Irak alweer achter de rug.

Bij WH Smith een *Survivalist* gekocht. Er stond een advertentie in voor een alles bedekkend pak dat beschermt tegen biologische en chemische wapens. Misschien bestel ik er wel een. Mijn loft ligt vlak bij het epicentrum van Leicester.

Zaterdag 4 januari

Een drukke dag in de winkel, allemaal mensen die kerstcadeaus wilden ruilen. Het deed me genoegen dat iemand Barry Kents *Making Love with Wendy* wilde ruilen. Ik vertelde meneer Carlton-Hayes dat ik het uit heb gemaakt met Marigold.

'Dat vind ik heel verstandig van je, lieverd,' zei hij. 'De familie Flowers was bezig je hun vreselijke wereld binnen te zuigen.'

Nigel belde. 'Je hebt beloofd dat je me zou komen voorlezen. Lulde je maar wat of ben je van plan je belofte na te komen?'

Ik zei dat ik morgen kan komen.

'Dan kun je beginnen met de zondagskranten,' zei hij. 'Neem de *Observer* maar mee.'

Zondag 5 januari

Lord Jenkins of Hillhead, voorheen Roy Jenkins, is vandaag op tweeëntachtigjarige leeftijd overleden. Als hij de 'r' had kunnen uitspreken, zou hij vrijwel zeker premier zijn geworden.

Mijn moeder belde om zichzelf en mijn vader uit te nodigen voor een zondagse lunch. Ik zei dat ik ze niet op de lunch kan vragen aangezien ik al met Nigel had afgesproken dat ik hem de zondagskranten kom voorlezen.

'Je vader en ik hoopten dat we vandaag ergens zouden kunnen zijn waar het droog en warm is. Het regent nu al twee dagen onafgebroken. Alles is uit de tent gespoeld, en het is onmogelijk om ook maar iets droog te houden. Ik denk dat je vader loopgravenvoet heeft. En ik word stapelgek in die stomme camper.'

Nigel toonde geen enkele waardering en snoof ongeduldig toen ik struikelde over een paar woorden van het 3.000 woorden tellende artikel in de *Observer* waarin breed wordt uitgemeten waarom het onverstandig zou zijn als Engeland en Amerika Irak de oorlog verklaren. Hij is, net als Ken Blunt, anti-Amerikaans. Dat is hij al sinds een bezoek aan Disneyland, waar hij twee uur in de rij moest staan voor de Jungle Cruise. Tijdens het wachten kreeg Nigel het aan de stok met een man in een Mickey Mouse-pak die de wachtenden een beetje moest opvrolijken, maar die Nigel een 'eikel' noemde toen hij klaagde over het lange wachten.

Maandag 6 januari

Het regent nog steeds. De zwanen zwemmen over het parkeerterrein.

Dinsdag 7 januari

Het parkeerterrein van Rat Wharf is in een ijsbaan veranderd. Gielgud en zijn vrouw zagen er vanochtend uit als een slechtgehumeurde Torvill en Dean.

Woensdag 8 januari

Ik ben vanavond na mijn werk naar mijn ouders gegaan, en ik trof ze in bedroevende omstandigheden aan. Het viel niet mee om ze rillend bij hun butagaskacheltje achter te laten. Toen ik over het bevroren veld naar mijn auto sjokte, moest ik denken aan Alexander Solzjenitsyns *Een dag uit het leven van Ivan Denisovitsj*. Ik had geen in lappen gewikkelde voeten, maar mijn schoenzolen waren veel te dun voor dit barre weer.

Donderdag 9 januari

Zodra ik thuis kwam van mijn werk belde ik mijn moeder op haar gsm om te vragen of er nog steeds ijs aan de binnenkant van de camper zat. Ze zei: 'Ik ben koud tot in mijn beenmerg en de handen van je vader zijn blauw. We hebben al in geen dagen warm gegeten.'

Ik had medelijden met ze en belde Domino's om een extra grote pizza voor ze te bestellen, te bezorgen bij De Varkensstallen, Het Laatste Veld, Karrenpad, Mangold Parva.

Vervolgens belde ik mijn ouders om ze te vertellen dat er warm eten onderweg was.

'Dank je wel, Aidy,' zei mijn moeder. 'Ik wist dat je ons zou komen redden en ons mee zou nemen naar je huis.'

Ik vertelde haar van de pizza en toen werd ze heel stil. Even later zei ze een beetje zwakjes: 'Bedankt.'

Ik hoopte dat ze niet in het eerste stadium van onderkoeling verkeerde.

Om halfnegen belde Domino's om te zeggen dat hun chauffeur op het adres Het Laatste Veld, Karrenpad, Mangold Parva geen huis kon vinden dat De Varkensstallen heette. Ik gaf een gedetailleerde routebeschrijving. Toch belde mijn moeder om tien voor halftien om te zeggen dat de pizza nog steeds niet was bezorgd.

'Ik houd het niet nog een nacht uit met een depressieve man en een hyperactieve jonge hond,' zei ze.

Ik verzekerde haar dat de koudegolf volgens de weerman snel weer voorbij zou zijn.

Ging naar bed, maar kon niet slapen. Weer opgestaan en mijn ouders gebeld om ze uit te nodigen op het parkeerterrein van Rat Wharf. Ze zeiden dat ze misschien wel op de uitnodiging zouden ingaan.

Vrijdag 10 januari

De camper stond vanochtend op het parkeerterrein. Ik gaf mijn ouders een sleutel zodat ze van de voorzieningen gebruik konden maken terwijl ik aan het werk was. Wel heb ik benadrukt dat dit een eenmalige daad van barmhartigheid is.

Meneer Carlton-Hayes en ik zijn begonnen met het moderniseren van de winkel. Ik heb een poster in de etalage gehangen om leden te werven voor de schrijversclub, die een keer per maand in de winkel bij elkaar zal komen.

'Ik verheug me erop om nieuwe mensen te leren kennen,' zei meneer Carlton-Hayes. 'Ik ben zo vreselijk oud dat de meeste van mijn vrienden dood zijn.'

Ik bekende dat ik eerder aan de commerciële dan aan de sociale voordelen dacht.

Hij zei: 'Ik denk wel eens dat Leslie er een beetje genoeg van heeft dat ik 's avonds altijd over boeken praat. Leslie is meer een televisiemens.'

Ik vertelde hem dat ook ik me verheug op discussies over literatuur.

Ik heb bij Debenhams een koffiezetapparaat gekocht, en daarna ging ik naar de handel in koffie en thee. Ik kon kiezen uit vierentwintig verschillende soorten bonen, en ik kon de boon van mijn keuze grof, medium en fijn laten malen.

De bonen zagen er in hun plastic dozen allemaal precies hetzelfde uit en ik had geen idee wat ik moest nemen. Een meisje stond klaar met een schep en een zakje van bruin papier in de aanslag. Al vrij snel begon ze ongeduldig met haar voet te tikken.

'Wat kun je me aanbevelen?' vroeg ik.

'Ik heb d'r de ballen verstand van,' zei ze. 'Ik loop stage.'

De klant na mij, een vrouw die eruitzag als een paard, schoot me te hulp. 'De grof gemalen Blauwe Donau is werkelijk verrukkelijk.'

Het zou onbeleefd zijn geweest om het advies van de vrouw in de wind te slaan, dus nam ik de Blauwe Donau.

Zaterdag 11 januari

Vier mensen zijn lid geworden van onze lezersclub. De eerste bijeenkomst staat gepland voor woensdag 29 januari.

Meneer Carlton-Hayes heeft voorgesteld om allemaal *Animal Farm* van George Orwell te lezen. Ik zei dat ik het heb gelezen toen ik veertien was en geen zin had om het nog een keer te lezen.

Vandaag werden de twee banken bezorgd die meneer Carlton-Hayes in de uitverkoop bij Habitat heeft gekocht. De mysterieuze Leslie gaat nu van geschikte stof twee losse hoezen maken, want meneer Carlton-Hayes vindt dat limoengroen niet past bij de ambiance van de winkel.

Vanavond geprobeerd om naar *Brief Encounter* te kijken op het kanaal met oude films, maar om redenen die alleen zijn geopenbaard aan Zap, de god van de afstandsbedieningen, versprong het beeld telkens naar BBC 24, waar saaie nieuwslezers met saaie kapsels in saaie pakken die in saaie studio's zaten saaie verhalen hielden over saaie gebeurtenissen in de wereld. Aan de andere kant heb ik wel weer gezien dat de *Ark Royal* met 3.000 mariniers aan boord uitvoer richting Golf, waar ze door de 150.000 Amerikaanse troepen die daar al zijn met open armen zullen worden ontvangen.

Toen ik de familieleden van onze dappere jongens op de kliffen van ons Sceptred Isle zag staan om hun dierbaren uit te zwaaien, kreeg ik een brok in mijn keel.

Zondag 12 januari

Een paar uur aan *Roem en waanzin* gewerkt, maar ik begin te denken dat het boek nooit af zal komen, voornamelijk omdat nog niet één beroemdheid zich door mij heeft willen laten interviewen.

Naar de Homebase gegaan en een hangmand met vorstbestendige viooltjes gekocht, plus een haak om de mand aan op te hangen, maar thuis besefte ik dat ik helemaal geen gereedschap heb, dus terug naar de Homebase, een elektrische schroevendraaier en schroeven gekocht, naar huis, beseft dat ik geen pluggen had, terug naar de Homebase, pluggen gekocht, naar huis, toen was het al donker, beseft dat ik geen zaklamp heb, terug naar de Homebase, die was dicht, dus ik hang de mand morgen op.

Maandag 13 januari

Meneer Carlton-Hayes heeft een paar van zijn aandelen Marks & Spencer verkocht, zodat er nu geld is om een computer voor de winkel aan te schaffen.

Bolleboos Henderson gebeld bij Idiotech, het door hem opgerichte bedrijf dat technologische diensten verleent aan idioten.

Volgens Nigel werkt hij achttien uur per dag om niet te hoeven denken aan een meisje dat hem heeft laten staan voor het altaar van de Whetstone Baptist Church, samen met 150 gasten, een Schotse doedelzakspeler en een antieke bolide met chauffeur. Het schijnt dat Henderson uiteindelijk met zijn moeder op huwelijksreis naar Barbados is geweest. Geen wonder dat hij er nu al zo oud uitziet.

Bolleboos heeft een ruwe schatting van de kosten gegeven en gaat nu aan de slag om een computer met draadloze internetverbinding te regelen en te installeren. We krijgen speciale software voor boekhandels.

Hij vertelde dat hij naar een repetitie van het Madrigaal Ensemble is geweest en in geen jaren zo'n leuke avond heeft gehad. Hij zei ook nog dat Marigold een 'juweel van een meisje' is en dat ik mijn handen mocht 'dichtknijpen'.

Ik liet hem weten dat ik niet langer met haar verloofd ben en dat onze relatie is beëindigd.

'Wat zul je daar kapot van zijn,' zei hij.

Om te voorkomen dat hij over zijn eigen liefdesperikelen begon, nodigde ik hem uit om woensdagavond iets bij me te komen drinken. Mijn snode plan is om hem over te halen mijn thuisbioscoop volgens de regelen der kunst te installeren en de vijf afstandsbedieningen op de juiste wijze af te stellen. Om hem op een dwaalspoor te brengen heb ik gezegd dat ik Nigel ook heb uitgenodigd.

Ken Blunt, Gary Milksop en de twee ernstige meisjes waren vandaag bij mij thuis voor de eerste bijeenkomst van onze schrijversclub in het nieuwe jaar. Het grootste deel van de avond werd verpest door alle klachten over ons kerstdiner. Ken Blunt las nog een van zijn anti-Amerikaanse gedichten voor. Gary Milksop zaagde eindeloos door over zijn mislukte roman, en hoe moeilijk het was om er een einde aan te breien. 'Al mijn personages willen blijven leven,' zei hij.

Ik wilde het liefst zeggen dat al zijn personages een gewelddadige en pijnlijke dood verdienen, maar ik hield mijn mond.

Gary las zwijgend verder, keek toen naar een van zijn volgelingen en zei kwaad: 'Wie van jullie heeft dit hoofdstuk uitgetikt? Het barst van de spelfouten.'

'Ik, Gary,' zei het meisje met de pony nerveus. 'Het spijt me, ik zat tegen mijn menstruatie aan.'

Ik las een van mijn eigen gedichten voor, geschreven toen het stil was in de winkel:

> Meneer Blair
> u hebt flair.
> U verdedigt met hand en tand
> ons dierbare Engeland.
> Dictators zijn bevreesd
> en tirannen zijn er geweest.
> Dankzij u, minister-president,
> is er straks een happy end.

'Hoe lang heb je daarover gedaan?' vroeg Ken Blunt.

'Nog geen vijf minuten.'

'Dat dacht ik al.'

De stilte die hierop volgde, werd doorbroken door commotie op het balkon. Ik stond op en zag dat Gielgud het mandje met viooltjes vernielde. Er staken bloemetjes uit zijn snavel. Ik greep het eerste het beste voorwerp binnen handbereik, een garde, en smeet die naar de losgeslagen zwaan.

Een van de ernstige meisjes zei dat ze me aan zou geven bij de Vogelbescherming. Ze zou nooit voor Gielgud zijn opgekomen als hij zich had omgedraaid en haar arm had gebroken.

Dinsdag 14 januari

Ik zocht in het telefoonboek van mijn telefoontje naar het nummer van mijn tandarts (pijn in half ingegroeide verstandskies), toen ik Daisy's nummer tegenkwam. Tijdens de kerstlunch hebben we telefoonnummers uitgewisseld, nadat Daisy had gezegd dat ze voor noodgevallen beslist het nummer moest hebben van een boekverkoper, mocht ze ooit midden in de nacht wakker worden en dringend literatuur nodig hebben.

We waren allebei een beetje aangeschoten van de smerige zelfgemaakte rode uienwijn van haar vader.

Ik bouwde voort op de analogie: 'Je zou je wild schrikken van mijn nachttarief.'

'Dus als ik je na twaalven bel en zeg dat ik een goede eh... Kipling nodig heb, zou je dan komen?'

Een preutse oude dame zou hebben gezegd dat het schunnige praatjes waren, een roddelaar dat we met elkaar flirtten, een pragmaticus dat we aan het netwerken waren en een letterknecht dat we het oprichten van een nooddienst voor bibliofielen bespraken.

Ik ga tegen het plafond van de kiespijn. Ik kan niet praten, ik kan niet eten, ik kan niet lachen. Kan wel drinken, maar alleen door een rietje. De auto genomen naar de tandarts in Ashby de la Zouch.

Strenge assistente zei: 'Tandarts doet geen ziekenfondspatiënten meer. Meneer Marshall behandelt alleen nog particuliere patiënten.'

Rondgereden door Ashby op zoek naar een ziekenfondstandarts. De pijn was zo erg dat ik terug moest naar de praktijk van tandarts Marshall, waar ik de assistente smeekte om een spoedbehandeling.

Er is daar heel wat veranderd sinds de laatste keer dat ik er was, in 1987. Boven de stoel zit nu een aquarium met tropische vissen.

Meneer Marshall zei dat ik hem Marcus mocht noemen, en na controle van mijn gebit liet hij me weten dat een volledige behandeling, inclusief het verwijderen van de verstandskies, me £ 999 pond zou gaan kosten, exclusief BTW en de kosten van de tandtechniek en behandeling door een mondhygiëniste.

Ik was zo duf als een konijn van de Nurofen Extra en had een slapeloze nacht van de pijn achter de rug, dus ik knikte instemmend en overhandigde mijn creditcard.

Ik ben nu wat rustiger.

Woensdag 15 januari

BbH en N op bezoek.

Mia Fox klaagde alweer over geluidsoverlast. Ze kwam vanavond beneden om te vragen tot wanneer het feest zou duren. Bolleboos Henderson demonstreerde net het stopzetten van de thuisbioscoop. Helaas was het bij de scène met de cognacsaus uit *Last Tango in Paris*, en de helft van mijn muur werd gevuld met het achterwerk van Marlon Brando. Ik zag de uitdrukking van weerzin om het gezicht van mijn bovenbuurvrouw.

'Ik begrijp niet waarom ik u nooit hoor door mijn plafond,' zei ik.

Mevrouw Fox zei: 'Ik leef heel eenvoudig, zonder enige vorm van geluidsweergave. Ik denk na, ik mediteer en ik loop op blote voeten. Ik praat met niemand. Ik leef in stilte. Mijn appartement is mijn heiligdom, mijn toevluchtsoord.'

Ik vroeg wat ze deed voor de kost.

'Ik werk bij de verkeersleiding van East Midlands Airport,' zei ze.

'Een baan met veel stress,' mompelde ik.

'Precies,' zei ze, 'en ik moet morgenochtend om zes uur beginnen, en jullie pornografisch getinte feestje houdt me uit mijn slaap.'

Bolleboos verdedigde me. 'Ik ken niemand die zo weinig belangstelling heeft voor porno, en het is hier beslist geen feestje.'

'Dat kan ik volmondig beamen,' zei Nigel, die al de hele avond in een merkwaardige stemming was. 'Ik zie het ontstoppen van een afvoer nog eerder als een feestje dan dit.'

Bolleboos Henderson drukte op een afstandsbediening, en Marlon Brando's achterwerk begon te draaien en te pompen op het plasmascherm. Mia Fox vertrok.

Bolleboos deed een paar keer voor hoe je de afstandsbediening gebruikt, maar ik kon me niet goed concentreren. Ik was me te sterk bewust van de hypergevoelige zenuwen van Mia Fox.

Ik vroeg Bolleboos of je het geluid niet op de een of andere manier kon moduleren.

Hij keek me aan alsof ik gek was geworden. 'Zacht geluid bestaat tegenwoordig niet meer, Moley. THX is niet meer weg te denken.'

Hij bood aan om Nigel thuis te brengen, wat mij een rit bespaarde. Ik was blij dat ze weg waren.

Ik kleedde me uit en ging op mijn futon liggen. Ik probeerde een hoestje te onderdrukken, me ervan bewust dat Mia Fox boven me lag en dat een hoestaanval haar misschien wakker zou houden, met desastreuze gevolgen voor het vliegverkeer.

Dinsdag 21 januari

Ik ben al vijf dagen doodziek. Op een gegeven moment (vrijdag de 17e om drie uur 's middags) was het een dubbeltje op zijn kant of ik met een ernstige ontsteking van de bovenste luchtwegen in het ziekenhuis opgenomen zou worden.

De assistente van dokter Ng zei dat dokter Ng niet naar me toe kon komen omdat ik niet langer in zijn wijk woon. 'U zult zelf op zoek moeten gaan naar een gezondheidscentrum,' zei ze tegen me.

Ik vroeg haar wat een gezondheidscentrum was.

'Een huisartsenpraktijk,' verduidelijkte ze.

Ik was er veel te slecht aan toe om de gezondheidscentra in Leicester af te struinen op zoek naar een dokter die me hebben wil.

Ik heb het ziekenfonds rechtstreeks gebeld, en de dame aan de andere kant van de lijn zei: 'U kunt een ambulance laten komen, maar waarom kruipt u niet lekker onder de wol met een Antigrippine? Bedrust doet wonderen, weet u.'

Ik nam de antigrippine, maar zoals ik al zei, het was kantje boord.

Uiteindelijk schoot meneer Carlton-Hayes me te hulp door zijn buurman, dokter Sparrow, te vragen of hij bij me langs kon gaan. Sparrow was bijzonder aardig, maar de medicijnen die hij voorschreef werden evenmin door het ziekenfonds vergoed. Toen de apothekersassistente me een kwitantie voor dertig pond overhandigde, vroeg ik of ik met mijn creditcard mocht betalen. 'Dat mag,' zei het meisje, 'maar dan brengen we wel vijf procent administratiekosten in rekening.'

Nigel en Bolleboos Henderson zijn allebei geveld door hetzelfde virus, dat voortgekomen schijnt te zijn uit de intensieve garnalenteelt in Indonesië. Globalisering is een tweesnijdend zwaard.

Woensdag 22 januari

Nu ik er niet ben, werkt Leslie in de winkel. Ik hoop dat hij/zij alleen tijdelijk een handje helpt. Waarom kan ik niet gewoon eerlijk en onbevreesd de koe bij de hoorns vatten, de stoute schoenen aantrekken en meneer Carlton-Hayes vragen of Leslie een man of een vrouw is?

Donderdag 23 januari

Opgetogen over een sms'je van Daisy:

> Beste meneer Kipling, Via via gehoord dat je ligt te draaien en te woelen in je bed. Lijkt me leuk. Liefs, Tom Poes

> Lieve Tom Poes, was je maar een stoeipoes en was je maar hier. Meneer Kipling

Vrijdag 24 januari

Het is me vandaag gelukt om onder de douche te kruipen.

Daisy sms'te:

> Lieve Kipling, Mijn muffin is vochtig. Tom Poes

Urenlang heb ik mijn hersens gepijnigd, en uiteindelijk mijn vader gebeld, die het volledige assortiment van banketbakker Kipling uit zijn hoofd kent. Toen ik klein was, stonden er altijd minstens drie dozen koek en gebak bij ons in de kast.

'Wacht, ik steek even een peuk op,' zei hij. Ik hoorde hem aan een van zijn smerige filtersigaretten trekken. 'Heb je pen en papier bij de hand?'

Dat had ik.

'Daar gaan we dan,' zei hij. 'Je hebt gevulde koeken, botertongen, tompoezen, appelkruimelstukjes, kokosmakronen, rondo's, appelsterren. Dan natuurlijk waar je moeder zo dol op is, grootmoeders appeltaart. Verder nog amandelbroodjes, boterkoek, kano's, mergpijpjes, bokkenpoten, notenkoekreepjes en roomsoezen.'

Ik hoorde mijn moeder schreeuwen van het veld: 'Appelsterren, hazelnootzandjes, fijne zandmoppen en browniereepjes.'

Mijn vader schreeuwde terug: 'Die jongen belt mij, Pauline. Waarom moet je je er nou altijd mee bemoeien?'

'Bosbessenmuffins en donuts,' riep mijn moeder beledigd.

Ik weet precies hoe mijn vader zich voelt. Mijn ex-vrouw Jo Jo maakte ook altijd mijn zinnen voor me af.

> Lieve Tom Poes, Mijn botertong zou graag van je room willen likken. Kipling

Zaterdag 25 januari

Alweer een sms van Daisy:

> Lieve meneer Kipling, misschien ben ik meer stoeipoes dan tompoes. Wil je de kers op mijn muffin opeten? Liefs, Tom Poes

> Lieve TP. Ja. K.

Ontving vanochtend een uitnodiging:

Wij nodigen u op zondag 2 februari 2003 vanaf 16.00 uur uit in de Hoxton Gallery, London N1, voor de opening van een nieuwe tentoonstelling van excrementale schilderijen van Catherine Leidensteiner.

In de linker benedenhoek van het kaartje had iemand met grote letters 'z.o.z.' gekrabbeld. Ik draaide het kaartje om en las: 'Kom alsjeblieft. Het wordt lachen!!! Tom Poes.'

Excrementale schilderijen zal toch wel een drukfout zijn? Ze bedoelen natuurlijk extreme. Of experimentele.

Ik RSVP'de door het nummer te bellen en een robot van mijn voornemen om te komen op de hoogte te brengen.

Zondag 26 januari

Vandaag had ik bijna 5.000 pond gewonnen! Bij mijn kiosk waren de zondagsedities van de kwaliteitskranten uitverkocht, zodat ik me gedwongen zag om de roddelbladen te lezen. De seks in die bladen bleef steken in mijn keel. Tussen de pagina's van de kleurenbijlage zat een envelop, en die heb ik uit verveling opengemaakt. Er stond: 'Maak uw persoonlijke geluksenvelop open. Bent u de gelukkige die een platina zegel ter waarde van £ 10.000 pond heeft gewonnen?' Ik scheurde de envelop open en las: 'GEFELICITEERD! U HEBT EEN GOUDEN ZEGEL GEVONDEN!'

Ik was lichtelijk teleurgesteld, want goud is nu eenmaal minder waardevol dan platina.

Met dit zegel heeft u een van de onderstaande cadeaus gewonnen.
£ 5.000 in contanten
Een Sony tv/dvd/videospeler met 32" scherm
Uw hypotheek een jaar lang betaald
Een cadeaubon van B&Q ter waarde van £ 250
De uitgaven met uw creditcard tot £ 2.500 vergoed
Een waardebon van £ 450 voor overnachtingen in Engelse hotels
Een cadeaubon van Woolworths ter waarde van £ 125
£ 300 handje contantje
Een cruise over Lake Windermere
Een halfjaar gratis kattenvoer van het merk Kutz Kat

Spelcode: 29801

Om uw cadeau te ontvangen belt u onze hotline. U krijgt dan te horen welk van bovenstaande cadeaus u hebt gewonnen, afhankelijk van uw spelcode. Aan het eind van het gesprek ontvangt u een persoonlijk ontvangstnummer. Dit nummer is heel belangrijk, dus noteer het zorgvuldig! Vul uw persoonlijke gegevens in en stuur die samen met het ontvangstnummer naar onderstaand adres.

Hebt u geen telefoon, dan kunt u uw ontvangstnummer ook schriftelijk aanvragen, eveneens bij onderstaand adres. Om uw cadeau op te vragen, dient u op te sturen:

1 Deze zegel
2 Uw ontvangstnummer
3 Een munt of postzegel van 20 penny

Zonder het bovenstaande kunnen wij de door u gewonnen prijs niet opsturen.

Om een lang verhaal kort te maken, nadat ik zesenhalve minuut aan de telefoon was geweest met een hyperventilerende man die herhaalde wat ik al had gelezen, deelde het type me mede dat ik de voorraad kattenvoer voor een halfjaar had gewonnen. Hij waarschuwde dat ik mijn prijs misschien met andere gelukkige winnaars zou moeten delen. Ik vraag mijn prijs maar niet op, voornamelijk omdat ik geen kat heb en niet van plan ben er ooit een te nemen.

Maandag 27 januari

Kwam vanochtend op het jaagpad een wat verfomfaaide man tegen. Hij droeg een donker jasje met het logo van de posterijen, en in zijn hand hield hij een stapel brieven. Ik nam aan dat hij de postbode was, dus gaf ik hem mijn naam en adres zodat hij kon kijken of er post voor me was.

Helaas sprak hij heel slecht Engels. Ik vroeg waar hij vandaan kwam.

'Ik ben Albanees, man, David Beckham goed, Manchester United goed,' zei hij enthousiast, waarbij hij zijn duimen omhoog stak.

Ik deed het gebaar na en liep verder naar mijn werk.

Dinsdag 28 januari

Gielgud versperde me vanochtend de weg op het jaagpad. Hij wilde me er niet langs laten. Ik moest wel over het hek klimmen, zodat ik via de lange route naar de winkel moest lopen.

Woensdag 29 januari

Meneer Carlton-Hayes en ik zijn bijna de hele middag bezig geweest met het verschuiven van meubels, dit met het oog op de eerste bijeenkomst van onze schrijversclub.

Lorraine Harris arriveerde als eerste. Ze is ongelooflijk mooi, zwart, en ze heeft haar eigen kapsalon. Terwijl ik koffie zette, vertelde ik haar dat mijn ex-vrouw Jo Jo Nigeriaans is. Lorraine keek me aan en zei: 'Ja, en?' Ik hoop dat ze niet moeilijk gaat doen.

Dit waren de eerste woorden van Melanie Oates: 'Ik ben maar een huisvrouw.' Ze vertelde dat ze lid is geworden omdat ze haar kinderen wil helpen met hun 'vooruitzichten'.

Darren Birdsall droeg speciaal voor de gelegenheid een pak en een overhemd met das. Ik was diep geroerd. De laatste keer dat ik hem had gezien was op kerstavond, toen hij in beschonken toestand en stukadoorsoverall een boek over de valkenjacht kocht.

'Nog naar *The Maltese Falcon* geweest?' vroeg ik.

Hij glimlachte beleefd.

Mohammed Udeen werkt voor de Alliance and Leister-bank. Hij vertelde dat hij na zijn vrouw en kinderen het meest van lezen houdt.

We zaten gezellig in een halve kring om de open haard met kopjes koffie of glaasjes sap toen Marigold op de winkeldeur klopte. Ik ging naar de deur en liet haar weten dat ik midden in een belangrijke vergadering zat en niet kon praten.

'Ik wil lid worden van de lezersclub,' zei ze. 'Laat me erin.'

Ik had geen zin in een scène, dus liet ik haar binnen. Ze ging in de stoel zitten waaruit ik net was opgestaan.

Ik haalde een andere stoel uit het kantoortje, maar het was die met de losse poot, dus ik heb de rest van de avond niet meer lekker kunnen zitten.

Meneer Carlton-Hayes opende de discussie met een verhandeling over de aard van totalitaire regimes. Volgens hem gaat *Animal Farm* over de voormalige Sovjet-Unie en het stalinisme. Toen hij zei dat het karrenpaard Boxer de vakbond vertegenwoordigde, zei Darren: 'Ik dacht dat Boxer gewoon een paard was.'

Meneer Carlton-Hayes legde Darren geduldig uit wat een metafoor is.

Darren is snel van begrip, en hij verbaasde ons allemaal door te zeggen: 'Dus als ik een muur heb gestuukt, en ik ben klaar en ik kijk ernaar, en ik zie dat het pleisterwerk prachtig glad is, en ik denk bij m'n eigen dat die muur net een diep en stil meer is zonder een rimpeltje op het oppervlak, dan is dat een metafoor?'

'Niet helemaal,' zei meneer Carlton-Hayes. 'Dat is een vergelijking. Maar als je zou zeggen dat diezelfde gestuukte muur net een pasgeboren baby is die wacht om aangekleed te worden, dan zou dat een metafoor zijn.'

'Huisvrouw' Melanie Oates wilde weten of *Animal Farm* een goed of een slecht boek is.

Meneer Carlton-Hayes zei dat je boeken niet volgens morele maatstaven kunt beoordelen, dat de individuele lezer zelf zijn oordeel moet vormen.

Lorraine gaf haar mening over de varkens Napoleon en Snowball, die in haar ogen niet deugen omdat ze de andere dieren verraden om er zelf beter van te worden. 'Een nachtmerrie,' noemde ze de varkens.

Darren vroeg: 'Is dat een metafoor?'

En toen Mohammed dit bevestigde, kreeg Darren applaus van de groep.

Marigold had tot dan toe voornamelijk zwijgend zitten luisteren, maar nadat Darren had gezegd dat de schapen in het boek te vergelijken waren met de lezers van de *Sun*, barstte ze uit in een hartstochtelijke verdediging van meneer Jones, de wrede, dronken boer.

Ik wist niet waar ik het moest zoeken.

'Boer Jones,' vervolgde ze, 'kan duidelijk elk moment een zenuwinzinking krijgen, en waarschijnlijk lijdt hij al jaren aan een aan stress gerelateerde ziekte. En vergeet mevrouw Jones vooral niet. Ze heeft hem in het begin van het boek in de steek gelaten. Geen wonder dat hij gaat drinken. En ik zie ook helemaal niet in waarom boer Jones niets aan zijn dieren mag verdienen. Ik bedoel, het zijn maar dieren.'

Er viel een stilte die door mindere schrijvers meestal als pijnlijk wordt beschreven.

Uiteindelijk zei Darren: 'Volgens mij is het net zoiets als wat er met de Labour Party is gebeurd. *Four legs good, two legs better:* socialisme goed, New Labour beter.'

'Als de schapen de parlementsleden van Labour zijn,' vroeg Mohammed, 'welk dier in het boek is dan Gordon Brown?'

Aan het eind van de bijeenkomst zei meneer Carlton-Hayes: 'We hebben je bijna niet gehoord, Adriaan.'

'Ik wilde me niet al te dominant opstellen,' zei ik.

Maar in werkelijkheid, dagboek, herinner ik me *Animal Farm* gewoon als een kinderachtig boek over dieren op een boerderij.

Darren bleef nog met meneer Carlton-Hayes napraten over andere boeken van Orwell, en ik was gedwongen om Marigold naar huis te brengen, want de laatste bus naar Beeby on the Wold was al uren geleden vertrokken.

Ik vroeg waarom ze het had opgenomen voor de onderdrukker in plaats van voor de onderdrukten.

'Boer Jones en papa hebben veel gemeen,' zei ze.

'Ik dacht dat je vader zo links was.'

'Nu niet meer. Hij zei vandaag in de winkel dat iedereen van boven de dertig die zich nog een socialist noemt een stomme idioot is.'

Toen ze uitstapte, waarschuwde ik haar dat ze er niet op moest rekenen dat ik haar in het vervolg altijd thuis zou brengen. 'Het is uit tussen ons, Marigold,' zei ik. 'Het betekent dat we niet meer met elkaar omgaan.'

Ze drukte haar handen tegen haar oren en zei: 'Ik heb je niet gehoord.'

Michael Flowers verscheen in de deuropening in zijn slaapkaftan, en ik reed weg.

Donderdag 30 januari

Nigel vandaag uit *Private Eye* voorgelezen.

'Je begrijpt nog niet de helft van wat je leest, hè, Moley?' zei hij.

Ik moest toegeven dat hij gelijk had.

'Neem de volgende keer maar gewoon een boek mee waar je zelf ook een beetje plezier in hebt,' zei hij.

Toen we samen een flesje Japans bier dronken, vroeg hij of ik wist dat de overgrootmoeder van Iain Duncan Smith Japans was.

'Nee,' zei ik, 'maar ik heb wel altijd gevonden dat hij iets oosters had.'

'Ik vraag me af of hij een genetische aanleg heeft om sushi lekker te vinden of origami in zijn vingers te hebben,' merkte Nigel op.

Ik waarschuwde hem dat dit soort stereotypen ook een vorm van rassendiscriminatie zijn.

'O, houd toch je mond,' viel Nigel uit, 'jij bekrompen Engelse rukker.'

Het volgende boek voor de lezersclub is *Jane Eyre* van Charlotte Brontë.

Vrijdag 31 januari

Glenn belde om te zeggen dat hij nu nog op Cyprus is, maar dat zijn eenheid in de barakken moet blijven vanwege schermutselingen tussen soldaten en de plaatselijke Cypriotische jeugd. Hij vertelde dat hij nu pakjes van thuis mag ontvangen.

Ik vroeg hem wat hij het meest miste en verwachtte dat hij Marmite zou zeggen, of de chocolade-eieren met romige vulling van Cadbury's, maar tot mijn verbazing zei hij: 'De familie.'

Zaterdag 1 februari

Ik heb Glenn een pakje gestuurd met 'verheffende boeken', Marmite en Cadbury's Creme Eggs.

Zondag 2 februari

Met de trein naar St. Pancras. Volgens mij was het niet slim om roken in de trein helemaal te verbieden, want het tuig dat vroeger bij elkaar hokte in de rookcoupés zit nu overal verspreid.

Hoewel ik het geld absoluut niet kan missen, heb ik toch een zwarte taxi naar Hoxton genomen. Ik was blij dat ik helemaal in het zwart was, want iedereen in de galerie droeg zwart, op één vrouw na, duidelijk een excentriekeling, die een rode jurk droeg.

Ik kreeg een miniatuurflesjes Moët & Chandon, een zilveren rietje en een catalogus. Op de omslag stond een foto van wat er op het eerste gezicht uitzag als een wegwerpluier met poep. Ik dacht dat het een optische illusie was, maar toen ik me tussen de menigte in het zwart geklede kunstkenners heen wurmde en in de grote zaal van de galerie kwam, zag ik aan alle muren smaakvol ingelijste vuile wegwerpluiers hangen.

Voor een van de 'werken' bleef ik staan, *Nachtluier* getiteld.

Een dame naast me zei: 'Het is zo heerlijk áárds, zo... zo... lekker klíéderig. Het herinnert ons op een viscerale manier aan ons animalisme.'

De man naast haar mompelde: 'Het is in elk geval anders.'

'We hebben iets nodig voor boven de open haard in de woonkamer,' zei ze. 'Wat vind je ervan?'

'Die bruine stukjes kleuren goed bij de bank,' zei hij.

Daisy sloeg van achteren haar armen om mijn middel. 'Wat vind jij van *Nachtluier*, meneer Kipling?'

Ik zei zonder me om te draaien: 'Ik weet veel van kunst maar ik weet niet wat ik goed vind.'

'Ik hoop niet dat je iets wilt kopen,' zei ze, 'want alles wat hier hangt is al door Saatchi gekocht.'

Ik draaide me naar haar om. Ze droeg een zwarte jurk, en met haar mooie armen, schouders en decolleté was ze helemaal Nigella. Haar losse zwarte haar omlijstte haar sensuele gezicht. Ze was zó zwoel en sexy dat ik haast in zwijm viel.

'Wil je de kunstenares ontmoeten, Catherine Leidensteiner?' vroeg ze, wijzend op de vrouw in de rode jurk.

'Waarom niet?' zei ik.

Handig manoeuvreerde Daisy ons door de menigte. Het leek wel of ze iedereen kende.

'Wat heb jij een hoop vrienden,' merkte ik op.

'Ik doe public relations, lieve schat: het zijn geen vrienden, het zijn cliënten.'

Ik vond het geweldig om 'lieve schat' genoemd te worden door een vrouw die gemakkelijk voor Nigella aangezien kan worden.

Catherine Leidensteiner was omringd door bewonderaars.

'Catherine,' zei Daisy, 'ik wil je graag voorstellen aan mijn vriend Adriaan Mole.'

De artieste stak een elegante hand naar me uit. 'Aangenaam.'

Mijn tong leek vastgeplakt aan mijn verhemelte, en ik kon absoluut niets bedenken wat ik tegen deze vrouw zou kunnen zeggen, maar Catherine zei: 'Ik begrijp wat je bedoelt, Daisy. De combinatie van zachte grijze ogen en lange donkere wimpers is op de een of andere manier inderdaad hartverscheurend.'

Tegen mij zei ze: 'Daisy heeft me verteld dat jij in Leicester het vuur van de cultuur brandend houdt.'

'Ik verkoop alleen een paar boeken,' zei ik bescheiden, en ik feliciteerde haar met de verkoop van haar stukken.

'Ik moet toegeven,' zei ze, 'dat het een hele opluchting is. Weet je wel wat Pampers tegenwoordig kosten?'

We lagen dubbel.

Daisy woont in Baldwin Street, vlak bij de galerie, in een studio-appartement in een gebouw waar vroeger zuurtjes werden gemaakt. Haar appartement rook naar ananaszuurtjes. Binnen tien minuten nadat we haar spectaculair slordige kamer hadden betreden, lagen we al met elkaar in bed. Onze kleren vormden een zwarte berg op de vloer.

Ik heb nog nooit zoveel schoenen, tassen, riemen en sieraden bij elkaar gezien, behalve in winkels.

De seks was *fabelhaft*.

Daisy bracht me naar het station, waar ik op het nippertje de laatste trein haalde. Ik had geen tijd gehad om me te wassen voordat ik bij haar wegging, en haar geur bleef bij me totdat ik thuis onder de douche ging.

Ik wilde iemand over Daisy vertellen, maar het was te laat om Nigel te bellen. Ik ging op het balkon staan. Gielgud was er, slapend naast zijn vrouw, met zijn kop onder een vleugel. Ik ben blij dat hij sliep. Het zou bespottelijk zijn geweest om tegen een zwaan te praten, en bovendien heeft hij een hekel aan me.

Maandag 3 februari

Toen ik vanochtend op mijn balkon ging staan, zag ik dat Gielgud tussen het riet aan de overkant van het kanaal iets aanviel wat op een lijk leek. Ik vreesde het ergste en belde het politiebureau in mijn wijk. Een stem op een bandje vertelde me dat agent Aaron Drinkwater, onze wijkagent/buurtregisseur, niet op zijn plaats was maar me later terug zou bellen als ik mijn nummer insprak op zijn voicemail.

Een paar minuten later klopte professor Green luid op mijn deur om me te vertellen dat er een postzak vol brieven in het kanaal lag.

We liepen naar Packhorse Bridge en staken over naar het jaagpad aan de andere kant. Gielgud en zijn bende bevonden zich op veilige afstand; ze waggelden richting centrum.

We hesen de postzak uit het water. Bijna de eerste brief die ik zag, was voor mij. Het was een schrijven van M&S, die me een klantenkaart aanbieden.

Professor Green en ik probeerden te bedenken hoe de organisatie die de brieven bezorgt tegenwoordig ook alweer heet, nog steeds Royal Mail, of Consignia, Parcelforce of gewoon het postkantoor? We wisten geen van beiden met wie we contact moesten opnemen. Uiteindelijk nam ik het heft in handen, ik belde 999 en vroeg om de politie. Na een korte pauze vroeg een vrouw mijn naam en adres, en daarna wat er aan de hand was. Ik vertelde het verhaal van de postzak in het kanaal.

'Dat vind ik geen noodgeval, meneer,' zei de politievrouw. 'U vraagt van mij of ik politiepersoneel naar u toe stuur, terwijl ze op dit moment misschien bezig zijn mensenlevens te redden.'

'Ik vraag toch niet om een ploeg kikvorsmannen en een politiehelikopter?' zei ik.

'Onze auto's zijn allemaal ingezet om boeven te vangen, meneer.'

Ik vertelde haar dat ik op de A6 laatst een surveillancewagen in een parkeerhaven zag staan en dat de beide politiemannen in de auto Kentucky Fried Chicken aten.

'Ik ga dit gesprek nu beëindigen,' zei ze, 'maar u hoort binnenkort van ons. Het is strafbaar om de politie lastig te vallen als het niet nodig is.'

Professor Green en ik zeulden de kletsnatte postzak naar de kelder van de Old Battery Factory, in afwachting van de autoriteiten, hoewel ik steeds sterker het gevoel krijg dat er tegenwoordig helemaal geen autoriteiten meer zijn die ergens verantwoordelijkheid voor willen nemen.

Ik was te laat op mijn werk. Meneer Carlton-Hayes had alle begrip voor mijn postzakprobleem. Hij schrijft al jaren elke week naar een tweevoudige moordenaar in Dartmoor Prison, maar de moordenaar belde hem laatst om zich te beklagen, aangezien hij al een maand geen brieven meer had ontvangen. Het schijnt dat de man binnenkort vrijkomt. Als ik hoofd was van het sorteercentrum waar Dartmoor onder valt, zou ik 's nachts niet zo rustig meer slapen.

In mijn lunchpauze ging ik naar de Flower Corner, en ik zei dat ik een boeket Engelse tuinbloemen ter waarde van vijftig pond via Interflora bij Daisy's kantoor wilde laten bezorgen.

'Er zijn in februari geen Engelse tuinbloemen, meneer,' zei de bloemiste. 'Tenzij u voor vijftig pond sneeuwklokjes wilt sturen.'

Ik vroeg wat ze me kon aanraden.

'Zijn de bloemen voor een speciale gelegenheid, meneer?' vroeg ze.

Ik merkte dat ik bloosde, iets wat ik al in geen jaren meer had gedaan. Ik wilde deze vriendelijke dame alles over Daisy vertellen, hoe mooi ze was, hoe opwindend het leven was als ik met haar samen was.

'Ik zou hyacinten nemen,' zei de dame beslist. 'Ze zijn mooi om te zien en ze ruiken heerlijk.'

Op het kaartje schreef ik:

Tom Poes, Ik denk de hele tijd aan je muffin. Meneer Kipling

Om vijf uur kreeg ik een sms'je van Daisy:

> Kipling, wouw! Bedankt en liefs. Ik ben tot de 14e weg. Kom naar Londen op de 15e. Verheug me.
> Tom Poes

Dinsdag 4 februari

Vanochtend viel Gielgud me aan op het jaagpad. Zijn ogen schoten vuur. Ik heb mijn rode das afgedaan en daarmee naar hem gemept, maar hij wilde niet wijken. Een fietser trad op als mijn redder in de nood. De voortdurende intimidatie begint op mijn zenuwen te werken. Er moet iets aan worden gedaan.

Ik stond perplex toen Bolleboos Henderson vandaag zijn factuur kwam afgeven in de winkel. De afzetter wil 150 pond van me voor 'professionele diensten', terwijl hij die avond iets bij me is komen drinken!

'Ik heb je vijftig procent korting gegeven omdat we vrienden zijn,' zei hij. 'En ik heb je maar één uur in rekening gebracht.'

Ik wees hem erop hoe onredelijk het was om me überhaupt te laten betalen, en dat ik mijn thuisbioscoop niet eens kan gebruiken vanwege de hypergevoelige oren en zenuwen van Mia Fox.

Ik heb besloten proactief te zijn en vertrouwen te stellen in de Engelse wet.

Beste meneer Barwell,

Ik heb de laatste tijd veel last van zwanen. Is het mogelijk om de vogels een straatverbod op te leggen?

Ik zou uw advies bijzonder waarderen. Ik heb u gebeld, maar volgens uw secretaresse bent u zelden op kantoor.

Ik hoop dat u me voor dit korte briefje geen rekening zult sturen. Ik stel u alleen een simpele vraag.

Aangezien ik u niet op kosten wil jagen, sluit ik een geadresseerde en gefrankeerde envelop bij.

Hoogachtend,

A.A. Mole

Donderdag 6 februari

Vandaag belde mijn ex-vrouw Jo Jo. Ze deed erg bot en zei: 'Ik bel je alleen om William te laten horen dat je niet dood bent.' Toen gaf ze de hoorn aan hem.

Hij hield een lang verhaal over zijn jonge leven en wederwaardigheden. Die jongen pauzeert nauwelijks om adem te halen. Ik snap niet van wie hij die breedsprakigheid heeft. Jo Jo en ik hadden elkaar nooit zoveel te vertellen. Nadat we eenmaal getrouwd waren, hebben we bijna geen woord meer tegen elkaar gezegd. Misschien heeft William dat spraakwatervallige van mijn moeder. Hij vroeg wanneer ik naar Nigeria kom. 'Gauw,' zei ik.

Vrijdag 7 februari

Na mijn werk ben ik bij mijn ouders gaan kijken. Ze zaten in elkaar gedoken om een klein kampvuurtje, waar aan een metalen driepoot een pot met iets bruins boven hing. Ze waren allebei ingepakt in vele lagen haveloze kleren. Hun gezichten waren zwart van de rook van het vuur. Het was net een scène uit een film over de slag om Stalingrad.

Mijn vader stond op om een canvas klapstoel uit de tent te halen, en ik ging zitten en probeerde mijn handen te warmen bij het vuur. Het nieuwe hondje speelde in de modder met in zijn bek iets wat eruitzag als het dijbeen van een groot dier. Ze hadden geen enkele vooruitgang geboekt bij het neerhalen van de varkensstallen. Ik vroeg naar de reden.

'Je vader kan geen moker optillen,' zei mijn moeder met nauwelijks verholen minachting.

Weer ging mijn vader staan, dit keer om in de bruine smurrie in de kookpot te roeren. Het viel me op hoe broos en uitgemergeld hij er tegenwoordig uitziet. Er ging een steek van medelijden door me heen. In dit stadium van zijn babyboomersleven hoort hij in een kamer met vier muren bij een nephoutvuurtje voor de televisie te zitten, in plaats van op een open veld omdat mijn moeder het in haar hoofd heeft gehaald dat ze in een verbouwde varkensstal wil wonen.

Ik zei dat ik Darren, een bevriende stukadoor, zou vragen of hij geen mokerarbeider kent die bereid is om tegen een zacht prijsje de twee varkensstallen te slopen.

Mijn moeder bood me een kom van de bruine smurrie aan. Ik loog en zei dat ik geen trek had.

Onderweg naar huis ging ik naar een snackbar om een zak frites te eten. Ik vroeg om extra zout en azijn, en de vrouw achter de toonbank zei: 'Op uw leeftijd zou u voorzichtig moeten zijn met zout en azijn.'

Ik verliet de zaak zonder te reageren, maar toen ik weer in de auto zat, bestudeerde ik mijn gezicht in de achteruitkijkspiegel. Zie ik er nou echt zo oud/ziek uit dat een verkoopster in een snackbar het nodig vindt om mij op risico's voor mijn gezondheid te wijzen?

Zaterdag 8 februari

Vandaag een brief van Glenn:

Beste pa,

Bedankt voor het paketje. Je had niets beters kunnen sturen. Robbie en ik hadden meteen de eerste dag de hele pot Marmite opgegeten. We hadden een heel gesneden brood gekocht in de kampwinkel en dat hebben we geroosterd. De Creme Eggs waren voor toe. Ze waren een beetje geplet, maar we hebben de stukjes zilverpapier eruit gepeutert en toen ging het best.

Robbie is *Van het westelijk front geen nieuws* aan het lezen. Hij zegt dat het goed is. Hij verheugt zich erop om de andere boeken die je hebt gestuurd te lezen. Hierna begint hij aan *Catch-22* en dan aan die bundel met gedichten uit WO I.

Aan *Wat en hoe in het Grieks* hebben we hier niet veel, pa. Ik heb een paar woordjes Grieks geprobeert, maar hun hier spreken beter Engels als ik.

Volgens een gerucht gaan we binnenkort naar Kuweit. Ik krijg een opleiding in comunicatietechniek. Best wel interesant. Ik heb William geschreven en gezegd dat ik ga sparen, zodat ik hem volgend jaar op kan zoeken in Nigeria.

Mama schreef dat ze elke nacht om me ligt te huilen, omdat ze bang is dat ik naar Irak wordt gestuurd. Wil jij alsjeblieft bij haar langs gaan, pa? Ze heeft ook een pakje wat ze me wil sturen, maar het postkantoor in haar wijk is gesloten alsvanwege de bezuinegingen. Ze zegt dat ze alsvanwege d'r aderen niet in de rij kan staan bij het hoofdpostkantoor in Leicester.

Robbie en ik spelen morgen een wedstrijd darts tegen de SAS (we dubbelen). Wens ons maar geluk, pa. Het zijn harde jongens. Als we winnen slaan ze ons in elkaar, en als we verliezen slaan ze ons ook in elkaar.

Liefs van je zoon, Glenn

Het is om werkelijk wanhopig van te worden dat een product van mijn zaad zoveel spelfouten maakt. Het liefst had ik zijn brief met een rode pen gecorrigeerd en teruggestuurd, maar ik heb me ingehouden.

In de winkel heb ik Koeweit opgezocht in *The Times Atlas of the World*. Ik kreeg het helemaal benauwd toen ik zag hoe klein dat landje is, ingeklemd tussen het immens grote Saoedi-Arabië en dito Irak.

Sharon gebeld en met haar afgesproken dat ik langskom als Ryan er niet is.

Zondag 9 februari

Sharon deed open met de haarloze baby op haar extra brede heup. Ze vertelde me dat het kind naar 'Donna Karan' is genoemd. Ik glimlachte geforceerd en zei: 'Een meisje, dus. Hallo, Donna.'

'Nee, 't is een jongen. Hij heet Karan. Ka-ran,' herhaalde ze alsof ik een domme allochtoon was die ze Engels moest leren.

Ze nodigde me uit in de zitkamer. Als die kamer een persoon was geweest, had hij zijn polsen doorgesneden. Ik heb zelden zo'n deprimerend vertrek gezien. William Morris heeft ooit gezegd dat alles in een huis óf mooi óf functioneel moet zijn, maar daar heeft Sharon duidelijk nog nooit van gehoord. Alles in die kamer was lelijk, overbodig of kapot.

Ze zette Karan in een autostoeltje voor de televisie, zodat het kind kon kijken naar Britse soldaten die zich in Koeweit in speciale beschermende pakken hesen. Toen ze hun maskers opzetten, begon Karan te huilen.

Sharon haalde een brief uit haar handtas en die gaf ze aan mij.

Lieve mam,

Ik wou weten of je nog heb nagedacht over pa en jouw. Ik zou het fijn vinden als jullie weer bij elkaar kwamen. Ik weet wel dat pa soms moeielijk doet en dat hij altijd klaagt over dingen waar hij toch niks aan kan veranderen, maar in zijn hart is hij best wel oké.

Je vind hem een snob, dat weet ik best, maar hij houd er gewoon van als de dingen schoon en netjes zijn. Wees maar niet bang voor Pandora. Pa krijgt haar toch nooit. Ze is boven zijn stand. Robbie en ik zijn allebei verliefd op Britney Spears, maar we weten best dat we haar ook nooit kunnen krijgen.

Jij en papa zijn samen naar bed geweest, toen na mijn parade. Ik viel haast van mijn stoel toen Ryan het me vertelde. Daaraan kan je zien dat er een kans is, mam. Waarom vraag je pa niet een keer gezellig te eten?

Papa is eenzaam alsvanwege alle boeken die hij leest. Het is het proberen waard, mam. Doet alle kinderen maar de groeten en zeg tegen ze dat ik voor hunnie allemaal een echte Cypriotische spons ga meenemen.

Liefs van je zoon Glenn

p.s. Robbie is op 27 februari jarig. Wil jij hem alsjeblieft een kaart sturen? Hij heeft geen ouders meer omdat hij van de kinderbescherming naar een tehuis moest. (Z'n ma deed het met Chinese matrozen, en z'n pa liet d'r alle hoeken van de kamer zien toen hij het in de smiezen kreeg.)

Ik vouwde de brief op en gaf hem haar terug, niet in staat om een woord uit te brengen. Bij de deur heb ik nog een paar woorden ten afscheid gekraakt. Ik had zelf het idee dat ik mijn gevoelens heel aardig wist te verbergen, maar Sharon belde me later op om te vragen of het weer een beetje ging.

Ze wees me erop dat ik ben vergeten het pakje voor Glenn en de kaart voor Robbie mee te nemen.

Maandag 10 februari

Twee verjaardagskaarten voor Robbie en Sharons pakje voor Glenn gepost.

Darren kwam na zijn werk naar de winkel om de haard te stuken. Hij gaf me het mobiele nummer van een type dat Beest heet. 'Hij kan nog geen puzzel van vier stukjes leggen,' zei hij, 'maar hij hanteert een moker alsof het een zak met veren is.'

De club van creatieve schrijvers kwam bij mij thuis. Aanwezig waren Gary Milksop, de twee ernstige meisjes, Ken en Glenda Blunt en ikzelf. Er waren klachten omdat ik vijftig penny vroeg voor een kop koffie. Ik legde uit dat de Blauwe Donau £ 3,20 per pak kost.

Milksop heeft een gedicht over blindheid geschreven. Hij wil dat ik het aan Nigel geef.

> '*Hello darkness my old friend*,
> mijn ogen zijn naar binnen gewend,
> sinds de duisternis viel.
> Nu kijk ik mensen in hun ziel,
> en ben ik voor eens en altijd
> verlost van de banale werkelijkheid.'

Een van de ernstige meisjes zei: 'Het is absoluut briljant, Gary. Het is waanzinnig diepzinnig.'

Ken Blunt zei: 'Die eerste regel heb je anders wel gepikt van een nummer van Simon en Garfunkel.'

'Dustin Hoffman zong het in die prachtige film *The Graduate*,' voegde Glenda eraan toe.

Ze begon een heel verhaal over Hoffmans filmcarrière. Ik probeerde het gesprek in goede banen te leiden, terug naar poëzie. Ik vertelde over mijn eigen pogingen om een opus getiteld *Het rusteloze kikkervisje* te schrijven, maar Glenda bleef me telkens in de rede vallen als ze zich weer een van Hoffmans prestaties herinnerde.

De bijeenkomst begon geleidelijk te verzanden en eindigde in verwarring, met verschillende mensen die door elkaar heen praatten.

Toen Glenda naar de wc was, zei Ken: 'Wees maar niet bang, Adriaan, ik zal haar nooit meer meenemen.'

Ik belde Nigel en las hem Milksops gedicht voor. Hij lachte een hele tijd, en zei uiteindelijk: 'Ja, ik vergeet steeds dat ik meer kan "zien" dan gewone mensen. Bof ik even.'

Dinsdag 11 februari

Ik was net bezig de winkeldeur op slot te doen, terwijl ik meneer Carlton-Hayes vroeg of ik zaterdag een vrije dag kan nemen, toen Michael Flowers belde op mijn gsm.

Ik gebaarde naar meneer Carlton-Hayes dat het zijn nemesis was, en hij trok een gezicht en zei heel zacht: 'Goeie genade.'

'Ik moet je vanavond spreken,' blafte Flowers. 'Ik verwacht je om zeven uur in Beeby.'

'Waarover wilt u me spreken?' vroeg ik.

'Het is te belangrijk om je dat door de telefoon te vertellen.'

Die uitspraak heeft me altijd verbaasd. Daar is een telefoon toch voor?

Ik beloofde Flowers dat ik er om zeven uur zou zijn, hoewel ik behoorlijk de smoor in had. Ik had me verheugd op een rustig avondje in mijn loft, zodat ik rustig kleren voor mijn weekend in Londen klaar kon leggen.

Poppy deed open.

'Wat is er aan de hand?' vroeg ik.

'Weet ik niet,' zei ze.

Ik vroeg haar waar Daisy was.

'Ze is met Jamie Oliver op tournee langs de Europese hoofdsteden om zijn nieuwe boek te promoten.'

Ik voelde een steek van jaloezie. Ik ben altijd al jaloers geweest op Olivers succes. Hij is niet alleen knap, hij kan ook nog lekker koken én hij heeft een mooie vrouw.

'Als hij Daisy ook maar met een vinger aanraakt, draai ik zijn kop eraf,' zei ik.

Poppy zette grote ogen op. 'Zijn vrouw is erbij, en wat kan jou het eigenlijk schelen?' Ze nam me mee naar de zitkamer.

Marigold lag in foetushouding op de bank. Netta masseerde haar voeten. Michael Flowers stond wijdbeens voor de open haard en plukte aan zijn baard. Niemand nodigde me uit om te gaan zitten.

'Wil je het hem zelf vertellen, lieve schat,' zei Flowers tegen Marigold, 'of zal ik het doen?'

'Je ziet toch hoe ze eraan toe is,' berispte Netta haar echtgenoot. 'Jij moet het hem vertellen, Michael.'

Ik keek naar Poppy, die haar schouders ophaalde en op een sliert haar kauwde.

'Honderd jaar geleden had ik je laten geselen,' zei Flowers.

Ik vroeg waarom.

Hij begon langzaam te praten, waarbij hij dreigend op me af liep. 'Omdat je hebt beloofd dat je met mijn dochter zou trouwen. Je hebt haar verleid, je hebt haar bezwangerd en nu hoor ik vanavond dat je haar in de steek hebt gelaten.'

Ik deinsde achteruit omdat hij me bijna aanraakte, en zei tegen Marigold: 'Waarom heb je het me niet verteld?'

'Je houdt niet meer van me,' kermde ze gekweld. 'Wat kan het je dan nog schelen?'

Voordat ik nog iets kon zeggen, bulderde Flowers: 'Hoe kún je niet houden van dit aanbiddelijke meisje en haar ongeboren kind?'

'Marigold is emotioneel erg broos,' zei Netta. 'Ze kan er niet tegen om afgewezen te worden.'

'De laatste keer dat ze werd gedumpt ging ze helemaal door het lint,' voegde Poppy eraan toe.

Ik zei dat ik graag even met Marigold alleen wilde zijn. Toen ze weg waren, vroeg ik haar hoe ver heen ze was.

'Hoe ver heen?' herhaalde ze alsof ze niet begreep waar ik het over had.

'Je weet best wat ik bedoel, Marigold,' zei ik. 'Je kondigt aan dat je zwanger bent, en in die context is het een logische vraag.'

'O, context,' snoof ze laatdunkend.

Ik gooide het over een andere boeg. 'Hoe zwanger ben je?'

'Dat weet ik niet,' zei ze. 'Ik ben niet zo goed in rekenen. Ik moet op nieuwjaarsdag zijn bevrucht.'

Snel rekende ik het uit. September. Ik rook dat muffige van de herfst. Ik zag de mist en dacht meteen aan Keats' gedicht, 'Season of mists and mellow fruitfulness'. In gedachten zag ik mezelf achter een wandelwagen op paden met knisperende dorre bladeren.

'Heb je al een zwangerschapstest gedaan?' vroeg ik.

'Ja!' schreeuwde ze. 'En die was positief! En zeg niet dat ik het weg moet laten halen.' Ze werd compleet hysterisch en gilde: 'Ik wil geen abortus!'

Michael en Netta stormden de kamer weer binnen. Marigold stortte zich in de armen van haar moeder, en Netta zei: 'Vertel ons eens wat je wilt, lieverdje. Wat zou je gelukkig maken?'

'Ik wil mijn lieve kleine baby'tje houden,' zei Marigold snikkend. 'Ik wil met Adriaan trouwen en samen lang en gelukkig leven.'

Vijf minuten later verliet ik het huis, nadat ik had beloofd dat ik op de eerste zaterdag in mei met Marigold zal trouwen. Het betreden van Huize Flowers was alsof ik in de Starship Enterprise was gestraald: ik ging naar binnen als Adriaan Mole, en kwam eruit als de willoze marionet van Michael Flowers.

Onderweg luisterde ik naar de klassieke radiozender. Er werd een opera uitgezonden, *Nixon in China*. Het atonale kermen en kattengejank paste perfect bij mijn stemming.

Waarom, dagboek, verlaat ik, een weldenkend mens, deze aarde en alles wat me dierbaar is om een onbekende reis naar de koude ruimte te gaan maken met een vrouw die ik niet bemin, die ik nooit seksueel aantrekkelijk heb gevonden en die de zuurstof uit mijn lichaam wegzuigt, zodat ik ademloos van verveling achterblijf?

Woensdag 12 februari

Ik werd wakker van *De notenkraker*, die in het appartement beneden mij zo hard stond dat mijn houten vloer ervan trilde. Zo te horen gaat professor Green ook met zijn tijd mee. Ik zag als een berg tegen de dag op en bleef op mijn futon liggen luisteren naar de muziek. Als Marigold een dochter krijgt, gaat ze dan op ballet? Ik stelde me een klein meisje voor, met Marigolds vooruitstekende tanden en mijn bril, dat gekleed in een tutu op haar tenen danst.

Ik heb de naam Grace altijd mooi gevonden. Grace Pauline klink wel goed. Grace Pauline Mole.

De wet laat me in de steek.

Geachte heer Mole,

Hierbij refereer ik aan uw schrijven van 4 februari, waarin u informeerde naar de mogelijkheid om juridische stappen te ondernemen tegen een zwerm zwanen waar u naar eigen zeggen hinder van ondervindt.

Ik heb mijn collega Phoebe Wetherfield gevraagd om de zaak voor u uit te zoeken. Mw. Wetherfield doet de civielrechtelijke zaken op ons kantoor. Ik ben zo vrij geweest om een afspraak met haar te maken (voor u), zodat u de kwestie uitgebreider kunt bespreken.

Ik maak u erop attent, meneer Mole, dat ik geen gratis adviezen geef. Ik reken een honorarium in overeenstemming met de door mij geïnvesteerde tijd, een en ander volgens de regels en tarieven zoals vastgesteld door de Orde van Advocaten.

Een factuur voor mijn werkzaamheden tot op heden sluit ik bij.

Dit is de factuur:

Binnengekomen stukken lezen	£ 50
Overleg met mw. Wetherfield	£ 90
Het schrijven van een brief	£ 50

Honderdnegentig pond omdat ik een eenvoudige vraag heb gesteld! Ik ga hem aangeven bij de Orde van Advocaten. Hij heeft misbruik van me gemaakt op een moment dat ik geestelijk uit mijn evenwicht was.

In mijn boosheid ging ik naar het balkon, ik verscheurde Barwells brief en smeet de snippers in het kanaal.

'Vuile milieubarbaar!' riep Mia Fox. 'Papier hoort in de papierbak!'

Gielgud doemde op uit zijn schuilplaats achter het riet en pikte naar het natte papier. Ik hoop dat hij erin stikt.

Zorgen:
Baby
Trouwen
Daisy
Geld
Glenn
William
Zwanen
Massavernietigingswapens

Donderdag 13 februari

Mia Fox kwam vandaag naar beneden om zich te beklagen over het zogenaamde kabaal van mijn kleine transistorradio! Ze zei dat ze niet naar *The Archers* wilde luisteren terwijl ze aan het mediteren is.

Ik zei dat ik niet besefte dat onze appartementen zó gehorig zijn, en wees haar erop dat ik, juist om haar ter wille te zijn, niet langer van mijn thuisbioscoop gebruikmaak als zij thuis is. Ze zei dat ze al mijn telefoongesprekken kan horen en precies weet wanneer mijn wasmachine gaat centrifugeren.

'We zijn voor het lapje gehouden, mevrouw Fox,' zei ik. 'Bij dit soort appartementen zou je hoogwaardige geluidsisolatie verwachten.'

Ik heb nog niemand van Grace Mole verteld. Ik wil het er eerst met Daisy over hebben.

Pak naar de stomerij gebracht. Tegen de dame gezegd dat de vlek bij het kruis aangemaakte maïzena was van toen het eierdopje omviel. Ze geloofde me duidelijk niet.

Naar de Flower Corner om een roos te bestellen die ik naar Daisy's kantoor wilde laten sturen. Bloemiste zei: 'Vindt u één roos romantisch?'

'Ja,' antwoordde ik.

'Mis,' zei ze. 'Twee dozijn rode rozen, twee dozijn keer romantischer.'

'Vooruit dan maar,' zei ik, 'stuur er maar twee dozijn.'

Ik wilde net naar bed gaan toen Netta belde om me eraan te herinneren dat het morgen Valentijnsdag is. Ik loog en zei dat ik al een attentie voor Marigold had besteld.

Vrijdag 14 februari

Valentijnsdag

Weer naar de Flower Corner en de dame gevraagd om één rode roos naar Marigold te sturen. Roos kostte vijf pond, het bezorgen drie pond vijftig. Op het kaartje geschreven: 'Voor Marigold van Adriaan.'

'Geen liefs, of het allerbeste, of kusjes?' wilde ze weten.

Ik legde haar de situatie uit. Ze was opmerkelijk geduldig, vooral als je bedenkt dat het voor haar de drukste dag van het jaar is. Ik moest op haar aanwijzingen helemaal opnieuw beginnen: 'Voor Marigold van...'

Die vrouw is een geboren diplomate. Ze zou voor de Verenigde Naties moeten werken.

Meneer Carlton-Hayes vroeg hoeveel valentijnskaarten ik heb gekregen. Twee, vertelde ik hem, de gebruikelijke van mijn moeder en een van Marigold.

Ik vroeg hem of hij Valentijnsdag vierde.

'Natuurlijk,' antwoordde hij. 'Leslie schonk vanochtend een glas roze champagne bij het ontbijt, en ik heb Leslie een werkelijk beeldige antieke stop voor wijnflessen cadeau gedaan. En vanavond gaan we uit eten bij Alberto's in Market Bosworth.'

Het was vandaag druk in de winkel. Onze hele voorraad liefdesgedichten en bijna alle sonnetten van Shakespeare zijn uitverkocht.

Marigold belde toen we net dichtgingen en ze vroeg of ik haar op wilde halen bij Country Organics. Toen ik er was, vertelde ze me dat ze een tafel had gereserveerd bij Healthy Options, het nieuwe restaurant in Chalk Street.

Er stond een brandende kaars tussen ons in op het tafeltje, en de eigenaar, een moddervette man die Warren heette, flikflooide met de klanten en gaf de 'lieftallige jongedames' een rode roos in een cellofaantje.

Marigold maakte er een nogal onaardige opmerking over. 'Dat is dan vandaag mijn tweede roos.'

Er was een valentijnsmenu met de tekst: 'Al onze gerechten worden met liefde klaargemaakt en zijn zo vers als een pasgemaaid gazon.'

Op een gegeven moment zwaaide de keukendeur open, en zag ik een jongmens in een koksjasje een schaal dampende pasta uit een magnetron halen. Vlak daarna stopte er een grote vrachtwagen voor het restaurant, en de chauffeur duwde ongegeneerd karren met grote stapels dozen met gekoelde kant-en-klaarmaaltijden naar binnen.

Marigold droeg voor de gelegenheid een bordeauxrode blouse met groene blaadjes. 'Bij Marks & Spencer gekocht,' vertelde ze trots. 'Volgens mij zijn het lijsterbesblaadjes.'

Ik knikte en snakte naar een glas sterkedrank. Ik vroeg Marigold of we samen een fles Shiraz zouden nemen. Snel legde ze een hand over haar glas, alsof ik haar had gevraagd een fles bleekmiddel leeg te drinken. 'Ik mag niet meer drinken totdat de baby is geboren.'

Ik vertelde haar dat mijn eigen moeder volgens de familielegende elke avond drie blikjes Guinness dronk en dertig sigaretten per dag rookte toen ze van mij in verwachting was.

Ik bestelde de vleespastei, met preipuree en cranberry's. Marigold prikte lusteloos in een treurige caesarsalade.

Ons gesprek haperde voortdurend. Ik vroeg Marigold hoeveel valentijnskaarten ze had gekregen. Ze haalde er twee uit haar tas. De ene was mijn kaartje van de Flower Corner. Op de andere kaart stond een plaatje van een Victoriaans meisje op een schommel en erin, samengesteld uit woorden en letters die uit een krant waren geknipt alsof het een losgeldbriefje was, stond een versje:

> Marigold, wil je met me trouwen,
> ik zal altijd van je blijven houwen,
> je bent de mooiste goudsbloem van Engeland,
> en ik vraag je nederig om je hand.

'Het is een prachtig gedicht,' zei ze. 'Heel erg bedankt.'

'Dat heb ik niet geschreven,' zei ik. 'Kennelijk heb je een stille aanbidder.'

'Je bent gewoon jaloers, Adriaan.'

'Niet op het gedicht,' zei ik. 'Zoiets kan alleen een leek schrijven. In vakjargon noemen we zoiets een kreupelrijm.'

'Ik begrijp het tenminste,' zei ze. 'Aan die gedichten van jóú is geen touw vast te knopen.'

Ik ging er niet op in en maande haar om vooral een beetje door te eten. Ik wilde weg uit dat restaurant. Het was er koud en vochtig, en het begon me op mijn zenuwen te werken dat Warren om de twee minuten kwam vragen: 'Alles naar wens, meneer?'

Bij hartvormige aardbeiengebakjes begon Marigold over de bruiloft. 'Ik wil graag dat je je vrijgezellenavond een maand voor ons huwelijk organiseert. Ik moet er niet aan denken dat je op de ochtend van onze bruiloft naakt en ingesmeerd met pek en veren aan een lantaarnpaal geketend bent.'

Ik knikte gedwee, terwijl ik in stilte dacht: maak je geen illusies, Marigold. Er komt geen bruiloft.

Om negen uur kwam een nepzigeuner met een viool het restaurant binnen en hij begon met zijn mierzoete gefiedel de tafeltjes af te werken. Bij ons speelde hij 'La Vie en Rose'. Hij droeg me op om Marigolds hand vast te houden, en dat heb ik toen maar gedaan, hoewel ik de hele tijd aan Daisy moest denken.

Ik wist dat er van me werd verwacht dat ik hem geld gaf, maar ik had niet meer dan £ 1,53 in kleingeld bij me en omdat ik bang was dat hij me zou uitschelden en het geld in mijn gezicht zou smijten, heb ik hem uiteindelijk niets gegeven.

Ik vroeg Warren of hij een taxi voor Marigold wilde bestellen en liep langs het jaagpad terug naar huis. Gielgud en zijn vrouw dreven naast elkaar op het water. Misschien waren ze uit eten geweest in een ander kanaal.

Toen ik bovenkwam, stond er een feestelijk verpakte doos met tompoezen van Kipling voor mijn deur. Er zat geen kaartje bij, maar ik wist toch wel van wie het was.

Nigel belde om te vertellen dat hij, Parvez en Fatima morgen naar Londen gaan in een touringcar die door de moskee van Parvez is gehuurd. Ze gaan demonstreren tegen de oorlog in Irak. Hij vroeg of ik mee wilde in de bus.

Ik sloeg het aanbod af. 'Nigel,' zei ik, 'ik vertrouw meneer Blair. Hij krijgt alle geheime informatie onder ogen. In september heeft hij gewaarschuwd voor Saddam en zijn massavernietigingswapens. Waarom kun je Tony niet gewoon op zijn woord geloven? Doe toch je vaderlandslievende plicht en steun onze troepen!'

'Wie is er hier eigenlijk vaderlandslievend, Moley?' snoof Nigel schamper. 'Niet jíj, maar ík heb achttien uur in een kilometers lange rij gestaan om langs de kist van de koningin-moeder te lopen.'

Ik wenste hem een leuke dag in Londen.

'We hebben met Pandora afgesproken in de VIP-ruimte in Hyde Park,' zei hij. 'Kom je nog niet in de verleiding, Moley? Ik weet dat je nog steeds smoor op haar bent.'

'Als Pandora zich in het openbaar tegen de oorlog uitspreekt,' zei ik, 'wordt dat het einde van haar politieke carrière.'

Zaterdag 15 februari

Ik moest de hele weg staan in de trein.

Demonstranten hadden alle zitplaatsen ingepikt. Tot mijn verbazing waren het voor het overgrote deel doodgewone, fatsoenlijke mensen.

Daisy haalde me van de trein. Tot mijn schrik droeg ze een rood T-shirt met de tekst: 'Stop the War!' Ik wilde zo snel mogelijk naar Baldwin Street, maar ze zei: 'Daar kunnen we niet komen, zelfs al zouden we het willen. Ze verwachten een miljoen mensen op straat, schattebout.'

Als ik had geweten dat Daisy eerst wilde demonstreren voordat we met elkaar naar bed gingen, had ik wandelschoenen aangedaan.

Ik heb haar niet verteld dat ik volledig achter meneer Blair sta, maar ik kon mezelf er niet toe brengen om mee te doen met de spreekkoren, en ik vertikte het ook om een fluitje te kopen en er de hele tijd op te blazen.

Toen we meeliepen in de eigenlijke demonstratie, schreeuwde Daisy allerlei lelijke en beledigende leuzen over meneer Blair en meneer Bush, en ze zweepte iedereen op. Ze is een echte volksmenner, die Daisy.

Vanwege de drommen mensen konden we niet bij het podium in Hyde Park in de buurt komen, dus bleef een pijnlijke ontmoeting met Pandora en mijn vrienden me bespaard en hoefde ik gelukkig ook niet uit te leggen waarom ik daar met Daisy was.

Pandora begon aan haar toespraak, en Daisy luisterde in vervoering naar wat ze zei. Ze juichte elke keer dat Pandora twijfels uitte over het bestaan van Saddam Hoesseins massavernietigingswapens. Ik wilde het opnemen voor Glenn en meneer Blair, maar hield wijselijk mijn mond. Ik was per slot van rekening in de minderheid: een miljoen tegen één.

Later in bed, in de rommelige kamer in Baldwin Street, vroeg ik Daisy of ze het manuscript waar ik aan werk wilde lezen, *Roem en waanzin*.

'Nee, lieve schat,' zei ze, 'dat wil ik niet. Ik weet wel dat ik er geen verstand van heb, maar ik wil niet tot de ontdekking komen dat je niet kunt schrijven. Ik denk niet dat ik van je zou kunnen houden als je een slechte schrijver bent.'

Met geveinsde nonchalance informeerde ik of er nog andere dingen waren die haar liefde voor mij eventueel in de weg konden staan.

'Ik zou niet van iemand kunnen houden die voorstander is van een oorlog tegen Irak,' zei ze.

'Laten we een hypothetische situatie nemen, Daisy,' opperde ik. 'Zou je van me kunnen houden als ik een zus van je zwanger had gemaakt en had beloofd dat ik op de eerste zaterdag in mei met haar ga trouwen?'

Daisy stapte uit bed en liep rond door haar chaotische kamer, op zoek naar sigaretten en een aansteker. Naakt lijkt ze minder op Nigella Lawson. Ze nam een paar gretige trekjes van haar Marlboro en zei: 'Wie van mijn zussen heb je zwanger gemaakt en een trouwbelofte gedaan?'

'Marigold,' bekende ik.

Ze ging niet mee naar het station om me weg te brengen. Ik moest weer de hele weg staan. Bij Kettering kreeg ik een sms van haar:

Lazer op en val dood.
Ik wil je nooit meer zien, lul.

Nou, dagboek, ik heb een glimp opgevangen van het paradijs, en nu is het me weer wreed ontnomen.

Zondag 16 februari

In de regen naar Mangold Parva gereden, mijn auto op het karrenpad gezet en over de zompige velden naar de varkensstallen gesjokt. De hond kwam me tegemoet, springend op zijn magere poten. Hij rende langs me heen naar het pad. In de verte zag ik mijn moeder, die op een ladder stond en uithaalde naar iets op het dak. Mijn vader schuilde in de deuropening van de tent voor de regen, zittend op een kampeerstoel. Een uitzonderlijk grote man met een hanenkamkapsel kwam achter de andere varkensstal vandaan, een moker in zijn hand. Ik nam aan dat dit Beest was. Het was een lastige situatie: ik was te ver weg om iets tegen hem te kunnen zeggen, maar ik kon zijn aanwezigheid ook niet negeren. Ik tilde mijn hand op bij wijze van begroeting en hij zwaaide terug.

Toen ik wat dichterbij was en 'Hallo, mam,' zei, keek mijn moeder om, en ze begon meteen te gillen: 'Ivan! Ivan! Kom terug! Kom terug!'

Het bloed stolde in mijn aderen. Was ze ten slotte toch bezweken onder de zware last van de schuldgevoelens die ze moet hebben omdat ze de dood van Ivan Braithwaite op haar geweten heeft?

'Haal hem terug, Adriaan!' krijste ze. 'Haal Ivan terug!'

Ik snelde naar haar toe en sloeg mijn armen troostend om haar heen. 'Niets kan Ivan terugbrengen, mam.'

Ze duwde me weg. 'Ren achter hem aan voordat hij bij het pad is!'

Beest stak zijn vingers in zijn mond en produceerde een snerpende fluittoon. De hond draaide zich onmiddellijk om en draafde terug.

'Wat ontzettend smakeloos,' zei ik, 'om de nieuwe hond naar een overleden echtgenoot te vernoemen. Waarom heb je met de traditie gebroken? De honden van de familie Mole hebben geen naam.'

'Ik heb mijn buik vol van tradities,' zei mijn moeder. 'Ik ga mezelf helemaal opnieuw uitvinden. Ik heb genoeg van Pauline Mole. Ik verlang naar spanning en sensatie.'

Het viel me op dat Beest van grote hoogte met een vertederde uitdrukking op zijn gezicht op mijn moeder neerkeek. Ik was nog steeds niet formeel aan hem voorgesteld. Mijn moeder schijnt haar goede manieren in het huis aan Wisteria Walk te hebben achtergelaten toen ze naar dit veld verhuisde, dus stelde ik mezelf maar voor. Ik vroeg hoe hij echt heette. Hij fronste zijn wenkbrauwen en zei: 'Beest.'

Mijn vader hing de ketel aan de driepoot, en we zaten om het vuur te wachten tot het water kookte. Ik wilde mijn ouders niet waar Beest bij was vertellen dat Marigold in verwachting is en dat ik de belofte heb gedaan om op de eerste zaterdag in mei met haar te trouwen, maar hij maakte geen aanstalten om ons met rust te laten, dus toen we eindelijk thee hadden, bracht ik het onderwerp ter sprake. 'Jullie mogen me trouwens feliciteren,' zei ik. 'In september worden jullie weer opa en oma.'

Mijn moeder zette haar thee neer en sloeg haar armen om me heen. 'Wat een fantastisch nieuws!' zei ze. 'Ik had al van Nigel gehoord dat Pandora bij je heeft geslapen. Mijn droom wordt werkelijkheid.'

Mijn vader zei: 'Godzijdank trouw je niet met dat humorloze clownsmens met die tanden en die bril. Ik moet er niet aan denken hoe een kind van jou en haar eruit zou zien.'

Mijn vader is echt een grootmeester van de faux pas. Gedurende zijn kortstondige huwelijk met Tania Braithwaite zat hij bij een diner een keer naast een man die hij niet kende, en zijn bijdrage aan het gesprek over bevallingen was dat gynaecologen volgens hem allemaal perverse smeerlappen waren die alleen maar gynaecologie hadden gestudeerd omdat ze anders niet klaar konden komen. Het werd stil aan tafel. 'George,' zei Tania ijzig, 'volgens mij ben je niet aan Barry voorgesteld. Hij is gynaecoloog.'

'Als je hoort wat ik je te vertellen heb,' zei ik tegen mijn vader, 'krijg je spijt van je gemene opmerking over Marigold.'

Mijn moeder kreeg het heel mediterraan op haar heupen. 'Nee! Nee!' kermde ze. 'Niet Marigold! Lieve Heer! Niet Marigold!' Ze stak haar armen in de lucht alsof ze de donderwolken omlaag wilde trekken, en schreeuwde: 'Waarom? Waarom? Waar heb ik deze straf aan verdiend?'

Beest rolde met een kolossale hand een sigaret en gaf die zwijgend aan haar.

'Als het een dochter is,' zei ik, 'noemen we haar misschien Grace.'

Maar volgens mij was Beest de enige die het hoorde. Mijn ouders hadden me allebei de rug toegekeerd. 'We mogen hem niet laten vallen, Pauline,' hoorde ik mijn vader zeggen. 'Als Adriaan met die macro-idioot gaat trouwen, zal hij onze steun hard nodig hebben.' 'Ik weet wel dat ik een post-feministische feministe ben,' zei mijn moeder met trillende stem, 'maar je kunt de haren op Marigolds benen bijna vléchten.'

Maandag 17 februari

Mijn financiële situatie is werkelijk zeer nijpend. Ik kreeg vandaag een brief van de bank waarin ze me laten weten dat mijn 'kredietlimiet' is overschreden. Als gevolg daarvan sta ik nu £ 5.624,03 rood. Ze willen dat ik het tekort aanvul en ze brengen me vijfentwintig pond voor hun brief in rekening.

Vanavond Parvez gebeld en hem gevraagd of hij uit mijn naam een brief aan de bank wil schrijven. Hij vertelde me dat ik failliet zou kunnen gaan als ik een kleine ondernemer was. Hij wil me eerst spreken voordat er beslissingen worden genomen, en hij heeft me bevolen om al mijn creditcards en klantenkaarten te vernietigingen voordat ik morgenochtend de deur uitga. 'Je bent niet te vertrouwen, Moley,' zei hij.

Dinsdag 18 februari

Gered! De Mastercard met een kredietlimiet van £ 10.000 die ik bij de Bank of Scotland had aangevraagd, lag vandaag in de bus. Ergo, mijn creditcards en klantenkaarten zijn nog allemaal intact.

Ik heb nu een Mastercard én een Visacard. Ze zien er indrukwekkend uit, boven elkaar in mijn portefeuille. Ook hebben ze me in een aparte envelop vier cheques gestuurd, op naam van Adriaan Mole. Elke cheque is £ 2.500 waard. Het enige wat ik hoef te doen, is er een handtekening op zetten en ze verzilveren bij mijn bank. In mijn lunchpauze heb ik de bank drie cheques gegeven om mijn saldotekort op te heffen. De vierde heb ik opgevouwen en in mijn portefeuille gedaan, voor noodgevallen.

Woensdag 19 februari

In mijn lunchpauze met Parvez afgesproken in het café tegenover de winkel. Hij vroeg of ik mijn creditcards en klantenkaarten in stukken had geknipt.

'Nee,' zei ik. 'Ik kon de schaar niet vinden.'

Ik zei dat het niet meer nodig is dat hij de bank een brief schrijft, aangezien er inmiddels weer genoeg op mijn rekening staat. Hij las me de les over mijn manier van leven en waarschuwde dat ik ernstig in de problemen kom als ik op deze manier geld over de balk blijf smijten.

Ik vertelde hem dat ik was herverloofd met Marigold omdat ze in september een kind van me krijgt.

'Ik ben blij dat je haar niet laat zitten,' zei hij. 'Een kind heeft een vader nodig, ja toch?'

Mijn moeder belde me en zei dat zij en mijn vader de afgelopen drie dagen aan één stuk door over mijn verloving met Marigold hebben gepraat. 'We moeten je dringend spreken, Adriaan,' zei ze. 'Kunnen we binnenkort bij je langskomen?'

Donderdag 20 februari

Ik wil mijn ouders nooit meer zien, geen van beiden. Hoe dúrven ze me te vertellen hoe ik moet leven, met wie ik moet trouwen en van wie ik een kind moet krijgen? Ik ben vierendertig!

Vandaag zijn duizend Britse para's naar Koeweit gevlogen, als versterking voor de al aanwezige 17.000 manschappen. Ik ga ervan uit dat dit slechts wapengekletter van meneer Blair is. Als Saddam niet snel inbindt, zit straks een kwart van het Britse leger in Irak.

Sharon belde me om te vragen of ik denk dat er oorlog komt. Ik verzekerde haar dat Saddam Hoessein nu elk moment een toontje lager kan gaan zingen, en toe zal geven dat hij grote voorraden nucleaire en biologische wapens verborgen houdt.

Ze vroeg of er zandvlooien zijn in Kuweit en vertelde me dat Glenn toen hij klein was gemeen is gebeten op het strand van Skegness. Ik heb gelogen en Sharon op de mouw gespeld dat er daar maar heel weinig zandvlooien zijn.

Vrijdag 21 februari

Er stond een bericht van mijn moeder op de voicemail om te zeggen dat ze spijt heeft van hun gedrag van gisteren. Ze zei: 'Ik had niet moeten zeggen dat Marigold een manipulatieve hysterica is die zich nog slechter kleedt dan prinses Anne. Als jij het per se nodig vindt om je leven te vergooien, dan mag dat van mij.' Ze sloot af met de woorden: 'Geen van mijn familieleden of vrienden kan het begrijpen, Adriaan. Ze denken allemaal dat je niet goed bij je hoofd bent.'

Ik had mijn moeder best de waarheid willen vertellen – dat ik niet van plan ben om met Marigold te trouwen – maar ze moet vooral niet denken dat ze mij als een klein kind de wet kan voorschrijven.

Meneer Blair is in Rome op bezoek bij de paus, die tegen de oorlog is. Toen hem werd gevraagd wat hij tegen zijne heiligheid zou gaan zeggen, antwoordde meneer Blair: 'Het zal duidelijk zijn dat ik de standpunten van de paus van a tot z ken, net als iedereen. Een ding wil ik echter heel duidelijk maken. Wij willen geen oorlog. Niemand wil oorlog. Vorig jaar zomer zijn we geen oorlog begonnen, we zijn juist naar de Verenigde Naties gegaan omdat we een vreedzame oplossing willen.'

Ik belde Sharon op en las haar deze verklaring voor, in de hoop dat het een geruststelling voor haar zou zijn, maar ze heeft zich nu eenmaal voorgenomen om het ergste te vrezen: ze is ervan overtuigd dat Glenn naar het front in Irak gestuurd zal worden als hij op 18 april van dit jaar achttien wordt.

Ik sta nog steeds voor de volle honderd procent achter meneer Blair. Ik voorspel dat meneer Blair op een gegeven moment heilig zal worden verklaard door de paus.

Ik hoop dat mevrouw Blairs hechte relatie met haar coach en goeroe Carole Caplin, meneer Blairs plaats in de geschiedenis niet in gevaar zal brengen.

Zaterdag 22 februari

Marigold kwam vanochtend naar de winkel toen we nog maar net open waren. Ik was achter om koffie te zetten toen ik haar aan meneer Carlton-Hayes hoorde vragen of hij misschien een boek wist over de etiquette bij bruiloften.

'Het verbaast me eigenlijk een beetje dat je een dergelijk boek wilt raadplegen,' zei hij. 'Om de een of andere reden vind ik een hoge hoed en jacquet niets voor je vader.'

'Mijn vader is juist dol op de tradities van het oude Engeland,' zei ze. 'Een vriend van hem leent ons een paard en wagen om mij naar de kerk te brengen. En als we eenmaal getrouwd zijn, gaan Adriaan en ik ook weer met paard en wagen naar het raadhuis voor de receptie.'

Tegen de tijd dat ik uit de achterkamer kwam, wist meneer Carlton-Hayes meer over de bruiloft dan ik.

Zondag 23 februari

God weet dat ik niet religieus ben, en ik ben beslist geen zevendedagadventist, maar ik vind wel dat winkels zondag de hele dag gesloten horen te zijn.

Ik moest vandaag met Marigold mee om een ring te kopen. Een onbekende zou misschien kunnen denken dat ze een broos en zwak schepsel is, iemand zoals de naamloze, vestdragende heldin uit *Rebecca*, maar dan zou deze persoon zich deerlijk vergissen. Marigold heeft de koppige onverzettelijkheid en de ijzeren wilskracht van de huishoudster, de hardvochtige mevrouw Danvers.

Ik werd meegesleept naar een klein winkeltje in een zijstraatje van de grote markt. Boven de deur stond te lezen: 'Henry Worthington, exclusieve sieraden. Sinds 1874.' We moesten aanbellen, en werden binnengelaten door een verwaand jongmens in een tweedpak. Op zijn naamplaatje stond: 'Max Tusker, assistent-manager'. Hij begroette ons met de woorden: 'U zult misschien even geduld moeten hebben. Iedereen koopt goud vanwege de oorlog.'

We zaten op fluwelen krukjes te wachten. Meerdere mensen stonden bij de toonbank, onder wie een gangstertype en zijn snolletje. Hij paste een dikke gouden halsketting.

'Wat ordinair,' fluisterde ik tegen Marigold.

Helaas viel mijn gefluisterde opmerking samen met het stilvallen van het geroezemoes in de winkel. De gangster draaide zich om en keek me onvriendelijk aan. 'Ordinair? Ik vind van niet. Dit stukkie *bling* kost me wel vijftien ruggen.'

Ik draaide mijn hoofd weg en bestudeerde een zilveren babybeker in de vitrine naast me.

Na lang wachten waren we eindelijk aan de beurt. We werden geholpen door Max Tusker, die mij al bij voorbaat het etiket 'krent' opgeplakt leek te hebben. Toen hij hautain informeerde: 'Aan welke prijsklasse denkt meneer?' antwoordde het ruimtemannetje uit de Starship Enterprise: 'O, dat laat ik geheel aan mijn verloofde over.'

Marigold haalde openlijk haar neus op voor elke ring onder de duizend pond, zelfs als het prijskaartje £ 999,99 vermeldde. Ze leende de loep van Max en bestudeerde elke karaat van elke diamanten ring die ons werd getoond. Van elke edelsteen wilde ze de herkomst, de geschiedenis en de kwaliteit weten. Het enige waar ze niet naar vroeg, was de prijs.

Na veel vijven en zessen koos ze een platina ring uit met opvallend flonkerende diamanten en saffieren van £ 1.399. Aangezien Tusker me met haast openlijke minachting had behandeld, veinsde ik desinteresse toen ik de prijs te horen kreeg. Op de vraag hoe 'meneer' wilde betalen, zei ik langs mijn neus weg: 'O, ik schrijf wel een chequeje uit.'

Marigold wilde dat er een inscriptie aan de binnenkant zou worden gegraveerd: 'Voor mijn beminde Marigold, mijn liefde voor jou is zo diep als de zee, Adriaan.' Tusker rekende twee pond per letter.

Hij informeerde of we misschien ook trouwringen wilden uitkiezen, voordat de goudprijs nog verder steeg.

Ik heb altijd geweigerd een trouwring te dragen toen ik met Jo Jo was getrouwd. Ik zie zo'n gouden ring niet als een symbool van eeuwige liefde maar als een cirkelvormige gouden gevangenis. Geconfronteerd met Tuskers agressieve verkoopmethode en Marigolds enthousiasme, stemde ik er echter toch mee in om naar een plateau met trouwringen te kijken. Het waren er veel te veel. Na een tijdje zagen ze er allemaal hetzelfde uit. Ik had in de Sovjet-Unie geboren moeten worden, daar viel niets te kiezen. Marigold koos een ring voor me uit. Toen de ring aan mijn ringvinger was geschoven, voelde ik het leven uit me wegebben. Ik probeerde mezelf in de toekomst voor te stellen. Als ik niet heel snel iets doe, ben ik straks aan handen en voeten geboeid én gekneveld.

Ik verkeerde al in een diepe depressie, dus toen ik te horen kreeg dat de drie ringen samen me £ 3.517 zouden kosten, knikte ik zwijgend en schreef ik een cheque uit.

Later, toen we koffie dronken bij Starbucks, stelde ik in gedachten een brief op:

Beste accountmanager,

Op zondag 23 februari heb ik een cheque ter waarde van £ 3.517 uitgeschreven ten name van Henry Worthington, juwelier, hoewel ik op dat moment geestelijk niet in evenwicht was. Ik slik antibiotica voor een zeer ernstige virale aandoening.

Ik verzoek u vriendelijk de cheque te herroepen.

Hoogachtend, enz.

Ik schreef 'Daisy' in het schuim op mijn cappuccino. 'Wat heb je geschreven, liefste?' vroeg Marigold, en met mijn lepeltje schepte ik wat van het schuim en cacaopoeder in mijn mond.

Maandag 24 februari

Marigold heeft de ring vanmiddag opgehaald bij de juwelier nadat ze speciale steunkousen had gekocht bij Mothercare, en ze kwam ermee naar de winkel om hem aan mij te laten zien. Ze was van streek omdat de graveur een fout heeft gemaakt, zodat de inscriptie nu luidt: 'Voor mijn beminde Marigold, mijn liefde voor jou is zo diep als de zee, A. Drain'.

Meneer Carlton-Hayes en ik moesten er hardop om lachen. Marigold begon te huilen en ze beschuldigde Max Tusker van opzettelijke sabotage. Ze wilde dat ik meeging naar Worthington om te klagen.

Tusker weigerde elke vorm van persoonlijke verantwoordelijkheid te aanvaarden. Hij schreef de vergissing toe aan mijn handschrift, en aan de graveur, die licht dyslectisch schijnt te zijn. De ring wordt zonder extra kosten opnieuw gegraveerd. Marigold kan hem woensdag ophalen.

Dinsdag 25 februari

Jane Eyre doorgebladerd als voorbereiding op de bijeenkomst van de lezersclub van morgenavond. Tussendoor naar het nieuws over Irak geluisterd op de radio. Meneer Blair spreekt als een echte oorlogsleider. Op een verzoek van Hans Blix om meer tijd voor het zoeken naar massavernietigingswapens zei hij: 'Dit is geen weg naar vrede, maar dwaasheid en lafheid, en het zal er uiteindelijk alleen toe leiden dat het conflict nog bloederiger wordt.'

Meneer Blair kijkt zo alwetend in de camera, alsof hij zeggen wil: ik beschik over zeer geheime informatie, ik weet meer dan ik kan zeggen. Daarom moet het Britse volk meneer Blair vertrouwen.

Woensdag 26 februari

Meneer Carlton-Hayes had vandaag zijn kleine transistorradio mee naar de winkel genomen. Hij wilde naar het vragenuurtje met de minister-president luisteren, en ook naar het parlementaire debat om twee uur vanmiddag, waarna het Lagerhuis moest stemmen over de beslissing of dit land wel of geen oorlog gaat voeren tegen Irak.

Ik vertelde meneer Carlton-Hayes van mijn lange platonische relatie met Pandora Braithwaite, tegenwoordig staatssecretaris van Milieu.

'Mevrouw Braithwaite heeft aangekondigd dat ze tegen de regering zal stemmen, samen met de gebruikelijke dissidenten,' zei meneer Carlton-Hayes. 'En er zitten een paar rebellen bij de Tory's, lieve schat. Ken Clarke, John Gummer en Douglas Hogg hebben laten weten dat ze niet van plan zijn om aan de leiband van hun leider Iain Duncan Smith te lopen.'

Ik vroeg hem hoe hij aan deze vertrouwelijke informatie kwam.

'Ik scheer me altijd bij het actualiteitenprogramma op Radio Four,' vertelde hij. 'Gisterochtend hoorde ik Pandora Braithwaite. Ze had het over haar goede vrienden Parvez en zijn vrouw Fatima, en ze bleek enorm veel sympathie te hebben voor de wereld van de islam.'

Ik had hem natuurlijk de waarheid kunnen vertellen, namelijk dat ik heel zeker weet dat Pandora haar oude schoolvriend Parvez de afgelopen tweeëntwintig jaar slechts twee keer heeft gezien. Maar waarom zou ik een oude man beroven van de illusie dat alles wat hij op de radio hoort waar is?

De ring is nog steeds bij de juwelier. De dyslectische graveur is ontslagen en heeft, volgens Tusker, een juridische procedure tegen Worthington aangespannen. Marigold zei dat ze zich 'niet lekker' voelde, en ze vroeg of het goed was dat ze de rest van de middag bij ons in de winkel bleef, zodat ze voor het vuur kon zitten. Ik kon moeilijk nee zeggen, hoewel ze met haar voortdurende gezucht en ergerlijke gekreun de sfeer in de winkel compleet bedierf. Ze bleef ook nog voor de bijeenkomst van de lezersclub.

De eerste paar minuten maakten Mohammed en Marigold ruzie over Irak. Marigold verkondigde dat Saddam het land uit gegooid moest worden omdat hij zijn eigen volk vergast en vermoordt.

'Maar meneer Blair is helemaal niet van plan om een ander regime te installeren, Marigold,' betoogde Mohammed rustig. 'Hij vindt dat wij Irak moeten binnenvallen omdat Saddam zich niet aan resolutie 1441 van de Verenigde Naties heeft gehouden, en om te voorkomen dat hij massavernietigingswapens inzet tegen zijn vijanden.'

'Het gaat toch allemaal over olie?' merkte Lorraine Harris op. 'Wij hebben niks meer. In Amerika is de olie bijna op. Misschien komt er wel revolutie in Saoedi-Arabië, en Irak zwemt in de olie. Het is zo klaar als een klontje.'

Darren Birdsall zei: 'Zelf zie ik George Bush als een soort meneer Rochester en Tony Blair als, zeg maar, Jane Eyre.'

'En wie is dan Saddam?' vroeg meneer Carlton-Hayes.

'Saddam is de verknipte vrouw op zolder,' zei Darren.

Ik had het boek alleen vluchtig doorgebladerd, dus ik kon niets tegen deze onwaarschijnlijke vergelijkingen in brengen, maar gedurende de hele bijeenkomst bleef ik Tony Blair voor me zien in een lange jurk en een luifelhoed terwijl hij een diepe buiging maakte voor de norse meneer Rochester.

Melanie Oates, die nog steeds vrijwel elke bijdrage begon met: 'Ik ben maar een huisvrouw maar...' zei dat ze niet begreep waarom meneer Rochester aan het eind van het boek blind wordt.

In haar gretigheid om antwoord te geven schudde Lorraine zo heftig haar hoofd dat haar korte dreadlocks als een zweefmolen om haar hoofd zwiepten. 'Die Charlotte Brontë wist heel goed wat ze deed. Jane Eyre was geen mooi meisje, oké? En geen enkele held wordt ooit verliefd op een misbaksel, toch? Vandaar dat Charlotte Brontë meneer Rochester blind heeft gemaakt, ja toch? Op die manier kan hij met een spiegelhater trouwen. Heb ik gelijk of zit ik ernaast?'

'Volgens mij heb je gelijk, Lorraine,' zei Darren bewonderend.

'Lorraine,' zei meneer Carlton-Hayes, 'je hebt me een andere kijk gegeven op de rol die schoonheid, of het gebrek daaraan, in dit boek speelt.'

'Zou de brand op zolder een metafoor zijn voor alle gekibbel in het leven van meneer Rochester?' wilde Darren weten.

Er ontspon zich een boeiende discussie, maar die werd in de kiem gesmoord doordat Marigold een heel verhaal begon over de kosten van brandverzekeringen.

Mohammed sprak met enige heftigheid over het draconische regime op de school in het boek, Lowood School. Hij zei dat het hem deed denken aan de koranlessen in de moskee van toen hij klein was. 'Maar nu ben ik er dankbaar voor,' voegde hij eraan toe.

Ons volgende boek is *Madame Bovary*.

Om tien uur zette meneer Carlton-Hayes zijn kleine radio aan, en we hoorden dat de regering dankzij de steun van de conservatieve partij het debat heeft gewonnen.

'We gaan dus oorlog voeren,' verzuchtte meneer Carlton-Hayes en hij ging naast de laatste gloeiende kooltjes in de open haard op een leunstoel zitten.

Marigold wilde dat ik iets met haar ging drinken in het café aan de overkant. We bleven niet lang; het hele café zat vol met dronken tieners. Toen een van de jongeren tegen onze tafel aan viel, waardoor Marigolds mineraalwater en mijn rode wijn omvielen, zijn we weggegaan.

Ik lag wakker en probeerde te bedenken hoe ik me voel over de naderende oorlog. Ik heb Ken Clarke en Roy Hattersley altijd bewonderd. Als deze twee kloeke patriotten tegen de oorlog zijn, zit ik dan toch in het verkeerde kamp?

Nog een zorg: als de massavernietigingswapens van Saddam Hoessein Cyprus kunnen bereiken, betekenen ze zeker een gevaar voor Kuweit, waar Glenn is gelegerd.

Ik wilde Daisy bellen en haar vertellen hoe groot mijn bezorgdheid om Glenn is, maar ze vertikt het op te nemen als ik bel.

Donderdag 27 februari

Meneer Carlton-Hayes is de hele dag heel stil geweest. Vanmiddag hoorde ik hem praten met de oude meneer Polanski van de delicatessenwinkel. Hij zei: 'Ik ben mijn hele leven lang een aanhanger van Labour geweest, Andrezj, en ik had nooit gedacht dat ik dit nog mee zou maken, een Labour-premier die ons land in een oorlog stort.'

'We zijn oude mannen, Hughie,' zei meneer Polanski triest. 'Wij hebben een oorlog aan den lijve ondervonden.'

Vrijdag 28 februari

Irak heeft erin toegestemd om hun bescheiden voorraad Al Samoud 2 raketten te vernietigen. Misschien dat met dit gebaar een oorlog voorkomen kan worden. Ik hoop het van harte. Glenn wordt op 18 april achttien. Het is mogelijk, maar hoogst onwaarschijnlijk, dat hij over negenenveertig dagen moet vechten in Irak.

Zaterdag 1 maart

Een afschrift van Barclaycard. Ik ben ze bijna £ 12.000 pond schuldig. Ik moet maandelijks een minimumbedrag van £ 220 aflossen. Het komt er dus op neer dat ik een volle dag per week voor Barclaycard moet werken totdat mijn schuld ergens in 2012 eindelijk is afbetaald!

Zondag 2 maart

Marigold kwam vanochtend met haar moeder naar Rat Wharf om haar te laten zien 'waar ik ga wonen als ik getrouwd ben'.

Netta liep rond als een inspecteur van de volksgezondheid. Opnieuw viel het me op dat ze sprekend op een biggetje lijkt. Ik bedoel, ze is veel mooier dan een varken, maar de wijde neusgaten, de grote oorlellen en de varkensachtige oogjes doen toch vermoeden dat mens en dier in een grijs verleden op een of ander boerenerf met elkaar in botsing zijn gekomen. Ik huiverde toen ik moest denken aan Orwells varkens, die op hun achterpoten op de boerderij paradeerden.

Ze verklaarde dat mijn appartement een feng shui-rampgebied is. Ze zei: 'Al je welvaart spoelt weg door het toilet, en de schuine stand van je futon verzwakt je seksuele energie.'

'Vandaar dat je de laatste tijd geen zin meer hebt in seks,' zei Marigold.

'Een handvol zonnebloempitten op zijn quinoapap en hij is na een tijdje weer helemaal het stiertje,' adviseerde Netta haar dochter.

Ik schoof de glazen deuren open en we gingen naar buiten.

'Dit appartement is totaal ongeschikt voor een jong kind, met name het balkon,' zei Netta afkeurend. 'Een hoofdje raakt gemakkelijk beklemd tussen de spijlen.'

Marigold droeg orthopedisch schoeisel, evenals haar moeder. In combinatie met de kleine rugzakjes die ze allebei droegen, zagen ze eruit als Duitse toeristen die aan een wandelvakantie gaan beginnen.

Netta had twee zakjes frambozenthee meegenomen. Terwijl de thee stond te trekken, zei ze: 'Het leek Michael en mij gezellig om aanstaande zondag een borrel te geven om de verloving te vieren en te bespreken wat er nog allemaal gebeuren moet voor de bruiloft. Nodig dus vooral je getuige uit, de bruidsjonkers, een bruidsmeisje en natuurlijk je ouders.'

'Is het niet een beetje vroeg om plannen te maken voor de bruiloft?' zei ik.

'Adriaan,' zei Netta, 'er moeten jurken worden gemaakt, pakken gehuurd, we moeten een feesttent uitzoeken en bestellen, de kerk moet het ruim van tevoren weten, er moeten klokkenluiders komen, het raadhuis moet worden schoongemaakt en gedesinfecteerd, we moeten een bruidstaart bestellen en iemand zal het Kanaal over moeten steken om champagne te kopen.'

Ik had er niet van terug.

Marigold vroeg wie ik als getuige en bruidsjonker op het oog had.

'Nigel, denk ik,' zei ik. 'Hij is mijn oudste en beste vriend.'

'Is dat die blinde vent?' vroeg Netta. 'Is dat nou wel verstandig? Ik bedoel, straks struikelt hij nog over het altaar of hij verwisselt de ringen.'

'Wat vind je van Parvez?' opperde ik.

'Hij is toch moslim? Lijkt het je niet een beetje tactloos om hem in deze politiek gevoelige tijden in een christelijke kerk uit te nodigen? Nu de twee culturen met elkaar in oorlog zijn?'

'Ik vind Bruce Henderson erg aardig,' zei Marigold. 'Lijkt hij je niet geschikt?'

'Bolleboos Henderson is nooit een goede vriend van me geweest,' wierp ik tegen. 'Waarom kan het geen vrouw zijn? Ik weet zeker dat Pandora Braithwaite in de wolken zou zijn.'

Marigold wilde de rest van de dag blijven, maar ik zei tegen haar dat ik met Nigel had afgesproken om hem de zondagskranten voor te lezen. Dat was een leugen. Het was wel waar dat ik iemand nodig had om te praten over het drijfzand waar ik in wegzak.

Nigel was thuis met zijn blindengeleidehond Graham. Hij luisterde naar het vragenuurtje over tuinieren op de radio. Toen ik hem vroeg waarom (hij heeft ooit eens gezegd dat hij letterlijk ziek wordt van tuinen), zei hij: 'Die stomme planten kunnen me gestolen worden. Ik probeer uit de dingen die ze tegen elkaar zeggen op te maken wie het met wie doet.'

Terwijl we samen zaten te luisteren, vroeg een vrouw uit het publiek hoe je een manlijke van een vrouwelijke hulststruik kunt onderscheiden.

Nigel kakelde. Zijn lach heeft de laatste tijd een manische klank.

'Je zou er wat vaker uit moeten gaan, Nigel,' zei ik.

'Weet ik,' zei hij. 'Ik wacht totdat Graham het verkeersreglement uit zijn kop kent.'

Ik begon hem een artikel in de *Observer* voor te lezen, over Amerika en Engeland die Irak bombarderen in een poging om de afweer van dat land alvast murw te maken voordat ze een oorlog beginnen. Maar Nigel werd zo kwaad en hij begon zo vreselijk te vloeken, helaas ook tegen mij persoonlijk, dat ik ermee ben opgehouden.

Ik veranderde radicaal van onderwerp en nodigde hem uit voor mijn verlovingsfeest van aanstaande zondag.

'Dat zou ik voor geen goud willen missen, Moley,' zei hij, en hij kakelde nog een keer.

Soms denk ik dat hij compleet de kluts kwijt is. Het leek me beter om niet over mijn problemen te beginnen.

Maandag 3 maart

Vanochtend ontving ik het rekeningoverzicht van mijn creditcard van de Bank of Scotland. Ik had verleden week beter niet die zevendelige echt leren kofferset bij Marks & Spencer kunnen kopen. Nu heb ik er spijt van; ik ga nooit op reis. Ik ben ze £ 8.201,83 schuldig, en de minimale afbetaling per maand bedraagt £ 164,04.

Mijn schulden:

Mastercard	min. maandbedrag	£	164,04
Barclaycard	min. maandbedrag	£	220,00
Hypotheek	aflossing p. maand	£	723,48
Totaal	maandelijks	£	1107,52

Dat is £ 24,19 meer dan ik maandelijks netto verdien. Ik verdrink in een zee van schulden. Ik zal een beter betaalde baan moeten zoeken.

Dinsdag 4 maart

Meneer Brown heeft 1,75 miljard pond gereserveerd voor de oorlog.

Woensdag 5 maart

De ministers van Buitenlandse Zaken van Frankrijk, Rusland en Duitsland hebben in een gezamenlijke verklaring laten weten dat ze in de Veiligheidsraad van de VN tegen zullen stemmen als er een resolutie wordt ingediend die militaire actie sanctioneert.

Nu staan meneer Blair en meneer Bush dus helemaal alleen in hun strijd tegen de tirannie. De toespraken van onze premier zijn beter dan ooit. Zijn neusgaten zijn opengesperd, zijn kaak is vierkant en wilskrachtig en zijn ogen schieten vuur. Hij doet me de laatste tijd denken aan Robert Powell in de televisieserie over Jezus die ik als jongetje heb gezien. Meneer Blair zou een steracteur zijn geweest. Het is een verlies voor het National Theatre, maar een zegen voor het Britse volk.

Donderdag 6 maart

Mia Fox is op skivakantie in de Alpen, dus kon ik naar de uitzending over president Bush op CNN kijken. Hij zei dat een oorlog heel dichtbij is.

Vrijdag 7 maart

De minister van Buitenlandse Zaken Jack Straw, heeft Saddam Hoessein een ultimatum gesteld: als Irak op 17 maart nog steeds niet 'volledig, onvoorwaardelijk en actief' heeft meegewerkt, zullen Britse troepen Irak binnenvallen.

Sharon was vandaag in de winkel met Karan in zijn buggy. Dat kind gaat met de dag meer op William Hague lijken. Sharon zei dat ze geen oog meer dichtdoet vanwege de zorgen om Glenn.

Mijn vader belde vandaag met het smoesje dat ze Nigels mobiele nummer kwijt zijn, maar het was zonneklaar dat mijn moeder er spijt van heeft dat ze zich met mijn leven heeft bemoeid en hunkert naar verzoening. Nadat ik hem Nigels nummer had gegeven, zei hij: 'Kom morgen gezellig op de thee met Marigold, dan kunnen we haar beter leren kennen.'

Zaterdag 8 maart

Beest was net bezig met het neerhalen van een van de varkensstallen toen we aankwamen. Hij liet de moker door de lucht zwaaien alsof hij trainde voor het onderdeel discuswerpen van de Olympische Spelen.

Mijn ouders deden enorm hun best om Marigold op haar gemak te stellen door haar de beste klapstoel te geven en haar een gepofte aardappel uit de as van hun altijd brandende kampvuur aan te bieden. Ze zijn zelfs opgestaan om meters verderop een sigaret te roken, met het oog op Marigolds zwangerschap.

Mijn vader vroeg wanneer Marigold een echo zou krijgen. Marigold zei dat ze niet in zo'n echoscopie gelooft omdat 'het mysterie van de baarmoeder daarmee wordt ontheiligd'.

Mijn vader zei, *sotto voce*, tegen mijn moeder: 'Het enige mysterie is hoe ze in vredesnaam ooit zwanger is geraakt.'

Ik geneerde me enigszins voor Marigold. Ze draagt de laatste tijd Birkenstock-sandalen. Toen ik me discreet beklaagde bij mijn moeder, zei ze: 'Adriaan, Birkenstocks zijn vét gaaf.'

Ik vroeg haar om een vertaling.

'Birkenstocks zijn *très chic*.'

Maar ze staan Marigold helemaal niet *très chic*. Met die sandalen ziet ze eruit als een Duitse *Hausfrau*. Toen ik voorzichtig opperde dat ze haar nagels zou kunnen lakken om het orthopedische karakter van het schoeisel iets te verminderen, zei Marigold: 'Alleen sletten lakken hun teennagels.'

Helaas zei ze dit waar mijn moeder bij was; zij kon natuurlijk niet weten dat mijn moeders teennagels in haar werkmansschoenen met Chanels Vurig Fraise zijn gelakt.

In een poging om als vrouwen onder elkaar vertrouwelijk te worden met Marigold, wees mijn moeder op het ontblote bovenlijf van Beest. 'Ben jij een fan van een *sixpack*, Marigold?'

Marigold keek naar Beest. 'Gespierde mannen zijn niets voor mij. Ik houd van slanke, gevoelige mannen met een glad lichaam, lang haar en fijne gelaatstrekken.'

'Jezus, Marigold,' zei mijn moeder lachend, 'dat is een beschrijving van zangeres Kylie Minogue. Wat doe je dan in godsnaam met Adriaan?'

Een muur van de varkensstal kwam met veel geraas omlaag, en mijn ouders applaudisseerden. Beest deed een stap naar achteren en straalde als een peuter die zojuist een houten blokkentoren heeft omgegooid.

'Wat gaan jullie met alle puin doen?' vroeg Marigold.

'Daar maken we een rotstuin van,' zei mijn vader, 'compleet met waterpartij.'

Marigold wees erop dat er geen elektriciteit is voor de waterpomp.

'Maak de droom van mijn man niet kapot, hij is een visionair,' zei mijn moeder en ze legde een arm over zijn gebogen rug. 'Je kunt de waterval toch helemaal voor je zien, George? Je kunt je precies voorstellen hoe het water klinkt als het over de rotsen kabbelt en in de vijver stroomt. Je kunt de rimpeling in het stille wateroppervlak zien.'

Mijn vader zette grote ogen op. 'Ja,' zei hij, 'ik zie alles helemaal voor me, Pauline. We zitten aan de rand van de vijver op de tuinset van Homebase, die groene met vier stoelen, een tafel en een parasol voor honderdnegenennegentig pond. De zon gaat onder en we hebben een glas in onze hand, we roken een sigaret en er zijn geen muggen.'

‘Maar Adriaan vertelde me dat jullie hier ook geen water hebben,’ hield Marigold vol. ‘Hoe kun je nou een waterpartij maken zonder water?’

‘Beest gaat een sloot van een kilometer lang graven om ons op de dichtstbijzijnde hoofdleiding aan te sluiten,’ legde mijn moeder uit.

Ik vroeg mijn ouders hoeveel ze Beest betaalden.

‘Drie pond vijftig per uur,’ antwoordde mijn moeder.

‘Zijn jullie dan niet in overtreding?’ vroeg Marigold. ‘Dat is minder dan het minimumloon.’

‘Hij woont in onze tent,’ zei mijn moeder, ‘en ik geef hem drie maaltijden per dag. Bovendien houdt hij George gezelschap.’

‘Maar hij zegt nooit wat,’ zei ik.

‘Nee,’ brieste mijn moeder, ‘maar hij luistert naar alle oersaaie anekdotes van je vader waar ik mijn buik vol van heb.’

Marigold vroeg mijn ouders of ze morgenavond naar Beeby on the Wold komen om onze verloving te vieren en te bespreken wat er nog allemaal gebeuren moet voor de bruiloft.

Mijn moeder keek me kwaad aan. ‘Dat hoor ik nu pas.’

Ik vertelde haar dat ik het straal was vergeten.

‘Is er een kledingvoorschrfit, Marigold?’ wilde mijn vader weten.

‘Nee hoor,’ zei ze, ‘kom maar gewoon zoals u bent. Of misschien niet helemaal precies zoals u bent.’

Ik was blij dat ze het onderscheid maakte, want mijn vader droeg gerafelde kleren van de legerdump en afgetrapte schoenen. Alweer zag hij eruit als een soldaat die net aan de slag om Stalingrad heeft meegedaan.

Beest ging op een blok beton zitten en begon met de hond te spelen. Hij zag eruit als Lenny die het konijn aait in Steinbecks *Of Mice and Men*. Ik hoop dat hij het beest niet per ongeluk wurgt.

Er kwam wind opzetten, en Marigold rilde en zei dat ze naar huis wilde.

‘We overwegen hier een windmolenpark op te zetten,’ zei mijn vader. ‘Het is doodzonde van al die wind. Het is de beste wind van de wereld, helemaal uit de Oeral.’ De paar overgebleven grijze haren op zijn hoofd wapperden in de stijve bries. Het leek net of hij een grijze stralenkrans had.

Marigold zei dat windmolens het landschap vervuilden.

Ik heb haar keurig thuisgebracht.

Zondag 9 maart

Vanochtend naar het actualiteitenprogramma gekeken om te horen hoe het met de oorlog staat. Clare Short was een van de gasten. Ze dreigt uit het kabinet te stappen als Engeland en Amerika Irak binnenvallen. Ze beweert dat we internationale wetten schenden, tenzij er toestemming komt van de Verenigde Naties.

Ik vond het teleurstellend om te zien dat ze, ondanks mijn advies, nog steeds van die rare sjaaltjes draagt.

Het verlovingsfeest en het bespreken van de plannen voor de bruiloft was de ergste sociale beproeving die ik ooit heb meegemaakt. Zeker een derde van de gasten had me van tevoren laten weten dat ze mijn verloofde afkeuren. Zelfs Fatima, de liefste vrouw die ik ken, zei tegen me: 'Dat huwelijk wordt een nachtmerrie, Moley. Ze is niet goed bij haar hoofd.'

Het lijkt wel of mijn moeder de laatste tijd geen normale kleren meer heeft. De ene keer ziet ze eruit als een bouwvakker, de andere keer als een van de gasten in de koninklijke loge van Ascot.

Mijn vader droeg wat hij zijn 'goeie goed' noemt, een blazer en een marineblauwe honkbalpet. Toen ik hem vroeg om in huis zijn pet af te zetten, zei mijn moeder: 'Dat kan niet vanwege de tatoeage. Daarom draag ik een hoed, uit solidariteit.'

Toen Netta aan mijn moeder werd voorgesteld, zei ze: 'Wat dapper van u, mevrouw Mole. Er zijn maar heel weinig vrouwen die 's avonds een hoed durven dragen.'

Ik kon merken dat mijn moeder spijt had van de hoed; ze bleef de hele avond zwarte veren uit haar gezicht blazen.

Mijn vader raakte in paniek toen hij het eten op de buffettafel zag, en hij fluisterde dat er niets bij was dat hij door zijn keel kon krijgen. 'Met al die troep is geknoeid,' zei hij. Ik zei dat hij zich niet zo moest opwinden en wees hem op het brood, de boter en de kaas.

'Geitenkaas,' klaagde hij. 'Die rotzooi stinkt alsof het uit de oksel van een geit is geschraapt.'

Michael Flowers verscheen pas ten tonele toen alle gasten aanwezig waren. Nigel was er, in Paul Smith met een donkere zonnebril;

Parvez en Fatima droegen hun traditionele kleren; Bolleboos Henderson zijn Charlie Chaplin-pak; Marigold had vrijetijdskleding gekozen, een soort pyjama van bordeauxrood fluweel; Poppy droeg een op-art retro-jurk uit de jaren zeventig met witte laarzen; folkloristische dansers van beiderlei kunne waren ook in burger nog herkenbaar; de vrouwelijke dominee droeg een zwart broekpak met wit boordje; en dan waren er nog de zus van Michael Flowers, een magere, verbitterde vrouw met een vlassig baardje, en Alexandra, een oude schoolvriendin van Marigold, een verlegen vrouw met een vierkante kaak die bang leek te zijn voor Marigold.

Michael Flowers klapte in zijn handen en verzocht om stilte. Hij gaat met de dag meer op Peter Ustinov lijken. 'Dames en heren, mag ik u verzoeken om nog even geduld te hebben voordat we met het eigenlijke feest beginnen. We wachten op een belangrijke gast, Marigolds zus Daisy. Ze zit in een trein die op ditzelfde moment het station van Leicester binnen rijdt. Ze neemt zo snel mogelijk een taxi en kan hier over ongeveer een halfuur zijn.'

Zodra hij Daisy zei, trok mijn hart samen en ging ik bijna van mijn stokje. Elke vezel, elk atoom, elk bloedlichaampje in mijn lichaam verlangde ernaar om haar te zien. Tegelijkertijd wilde ik gillend wegrennen, de donkere nacht in, om de afstand tussen haar en mij zo groot mogelijk te maken. Zonder te beseffen dat ik hardop sprak, liet ik me ontvallen: 'Waarom is Daisy in godsnaam uitgenodigd?'

Margaret, de vrouwelijke dominee, stond toevallig naast me. 'Is zij niet een van de bruidsmeisjes?' zei ze.

Er volgde een moeizaam gesprek over de dienst die ze zou houden. Marigold kwam bij ons staan en zei dat ze graag de woorden 'liefde, eerbied en gehoorzaamheid' wilde horen, aangezien ze vindt dat 'het feminisme te ver is doorgeschoten'.

Ik kreeg het idee dat de dominee een beetje schrok toen ze dit hoorde, en later op de avond kwam ik er achter dat ze er radicale denkbeelden op nahoudt en voor haar vijftigste bisschop hoopt te zijn.

Het wachten op Daisy's komst was een absolute marteling voor me. Ik geneerde me dood, want mijn moeders hoed was in de rui en ze strooide allemaal zwarte veren over het buffet, en bovendien moest ik me vier keer verontschuldigen om naar de wc te gaan.

Toen ik terugkwam van mijn vierde bezoek, werd ik aangeklampt door Michael Flowers. 'Problemen met de waterhuishouding, Adriaan? Heb je al kompressen van mosterzaad geprobeerd? Houd dat zes weken vol, maar als je dan nog steeds om de tien minuten je zwager een hand moet geven, dan weet ik een verdomd goede uroloog voor je.'

Ik verontschuldigde me en zei dat ik weer naar de wc moest. Nadat ik de deur had vergrendeld, waste ik mijn handen met lavendelzeep en staarde ik in de spiegel boven de wastafel naar mijn leugenachtige tronie. Vervolgens bekeek ik de boeken die op een plankje naast de wc stonden. *Psychologie in dichtvorm* van R.D. Laing, *Ulysses, The Rise and Fall of the Roman Empire, Mein Kampf* en *The Lord of the Rings*. Er zat geen enkel boek van waarde bij, maar het viel me wel op dat Michael Flowers in de kantlijn van *Mein Kampf* allerlei onleesbare aantekeningen heeft gemaakt. Er waren heel veel uitroeptekens bij.

Ik hoorde Daisy binnenkomen, verliet de badkamer en liep naar de trap om naar beneden te kijken. Er stonden allemaal mensen om haar heen. Bolleboos Henderson hielp haar uit haar lange zwarte jas. Ze keek op en zag me staan. We keken elkaar strak aan. Uit de uitdrukking op haar gezicht kon ik niet opmaken of ze a) nog steeds van me houdt en haar mond zou houden over onze kortstondige romance, of b) van me houdt maar zó wordt verteerd door jaloezie en woede dat ze me waar al onze familieleden en vrienden bij waren zou ontmaskeren, of c) niet meer van me houdt en het haar een rotzorg zal zijn of ik wel of niet met Marigold ga trouwen.

Netta haastte zich naar de gang en stelde Daisy aan mijn ouders voor. Ik zag dat Daisy mijn moeder complimenteerde met haar hoed, en vervolgens dat mijn moeder de hoed afdeed en Daisy aanmoedigde om hem op te zetten. Ik hoorde Daisy zeggen: 'Ik ga even naar boven, dan kan ik in de badkamer in de spiegel kijken.' Halverwege de trap zei ze: 'Hallo, Adriaan.'

'Hallo, Daisy,' zei ik.

'Er is hier in de gang toch een spiegel!' riep Marigold beneden aan de trap.

Daisy keek achterom. 'Ik moet mijn make-up bijwerken,' riep ze terug.

Toen ze boven was, zei ze zacht: 'Ik vind het onvoorstelbaar dat je doorgaat met deze poppenkast.'

'Dat weet ik, Daisy,' zei ik, 'maar Marigold krijgt een kind van me. Ik heb al twee kinderen in de steek gelaten. Dat kan ik niet voor de derde keer doen.'

Ze liep door naar de badkamer, waar ze haar lippen met rode lippenstift bewerkte. Daarna stak ze van bovenaf een hand in haar zwarte trui om haar decolleté bij te werken.

'Heb je het niet koud in die rok?' vroeg ik vanuit de deuropening. 'Hij is maar net iets breder dan een riem.'

'Ja, ik heb het koud,' zei ze, 'maar ik voel me zo ellendig en ongelukkig dat het me niet kan schelen.'

Toen kwam ze op me af met het staafje van haar mascara uitgestoken alsof het een degen was. Ik deinsde achteruit en ging naar beneden.

Het hele gezelschap verzamelde zich in wat Michael Flowers de 'salon' noemde, en toen kon de vreselijke vertoning beginnen.

Flowers stelde de dominee voor, Margaret. 'Netta en ik hebben de kinderen altijd vrij gelaten in hun keus voor een bepaalde religie. Zelf ben ik humanist. Daisy is volgens mij een uitgesproken hedonist...'

Er werd beleefd gelachen. Ik keek naar Daisy. Ze nam een flinke teug champagne en daarna een nog flinkere haal van de sigaret die ze net van mijn moeder had gebietst.

'Poppy is een aanhangster van Ron Hubbard,' vervolgde Flowers, 'en een actief lid van de Scientology Kerk, maar lieve, zachte Marigold is nog niet zo lang geleden lid geworden van de oude vertrouwde Church of England. Vandaar dat ik nu het woord geef aan de dominee. Ga je gang, Margaret.'

Margaret had een fris, open gezicht en kortgeknipt haar. Ze deed een beetje te hard haar best om te bewijzen dat ze een van ons was. 'Het huwelijk,' begon ze, 'is wel een beetje te vergelijken met het buffet op deze tafel. Er staan dingen op die ik lekker vind, zoals de ratatouille en de courgettes uit de oven. Toch staan er ook gerechten die ik niet te eten vind, zoals de kwarktaart met aardbeien, en van paddestoelen word ik altijd ziek.'

'Wat een ondankbare trut,' fluisterde mijn vader. 'Ik vind al dat eten even vies, en ik klaag toch ook niet.'

Margaret zette de vergelijking tussen eten en het huwelijk voort totdat ze op een gegeven moment vastliep. Het gezelschap kon haar allang niet meer volgen.

Hierna liet Netta voorlopige schetsen van de bruidsjurk en de jurken voor de bruidsmeisjes rondgaan. Ze berispte me quasi-streng dat ik niet mocht gluren.

Toen Daisy de schetsen in handen kreeg, zag ik haar gezicht vertrekken van weerzin. 'Pistachegroen?' hoorde ik haar zeggen. 'Groen staat me absoluut niet.'

Ik werd door Netta voor het blok gezet toen ze me vroeg of ik al een getuige had. Nigel en Parvez draaiden zich verwachtingsvol naar me om, maar ik dacht razendsnel na en zei tegen mijn vader: 'Pa, je hebt me altijd door dik en dun gesteund, zou je me nu ook terzijde willen staan, alsjeblieft?'

Mijn vader deed zijn honkbalpet af en veegde zijn ogen ermee af. 'Adriaan,' zei mijn moeder, 'je hebt een oude man dolgelukkig gemaakt.'

Nadat de bruidsjonkers waren aangewezen – Nigel, Parvez, Bolleboos Henderson en een baardige neef van Flowers – nam Michael Flowers opnieuw het woord. 'Ik wil graag een dronk uitbrengen op het gelukkige jonge paar. Maar voordat ik dat doe, wil ik eerst enige woorden wijden aan mijn eigen huwelijk. Netta en ik zijn nu meer dan dertig jaar met elkaar getrouwd en we zijn, denk ik zelf, over het algemeen gelukkig geweest, maar nu is ons huwelijk na al die jaren helaas ten einde. Netta heeft iemand ontmoet van wie ze meer houdt dan van mij, en dus moet ik haar laten gaan.' Zijn stem brak, en de glimlach bevroor op de gezichten van de feestgangers. Hij keek naar Netta en zei: 'Ga maar naar hem toe, ga maar snel, mijn liefste.'

'Wat? Nu meteen?' zei Netta. 'Doe niet zo idioot, Michael. Ik ben de gastvrouw van dit feest.'

Mijn moeder verbrak de pijnlijke stilte door luidkeels te roepen: 'Een dronk op Marigold en Adriaan!'

Hier en daar klonk een halfslachtig: 'Hiep, hiep, hoera.'

Ik hoorde Daisy tegen mijn moeder zeggen: 'Wat er hier in huis ook wordt georganiseerd, het eindigt altijd in tranen en snot.'

Parvez en Fatima gingen naar Netta Flowers toe om afscheid te nemen. 'We moeten naar huis om de hond uit te laten,' zei Fatima.

Ik liep met ze mee naar de voordeur. 'Jullie hebben helemaal geen hond,' zei ik tegen Fatima.

'Dat weet ik,' zei ze, 'maar dat zeggen Engelse mensen toch als ze naar huis willen, of niet soms?'

De volgende keer dat ik Daisy zag, had ze haar lange zwarte jas aan en hing haar tas over haar schouder. Ik vroeg waar ze naartoe ging.

'Ik houd het hier niet langer uit,' zei ze. 'Hopelijk kan ik de laatste trein naar Londen nog halen.'

'Het station ligt op mijn route naar huis,' zei ik. 'Ik geef je wel een lift.'

Er waren verschillende mensen die protesteerden, maar ik trok me er niets van aan. Binnen een paar minuten nadat we weg waren gereden, stonden we op een donkere parkeerplaats aan de kant van de weg en lagen we in elkaars armen.

Terwijl we de trap naar mijn loft op liepen, trokken we onze kleren al uit. De voordeur was nog niet open of we lagen op de futon. Ik hield Daisy's zwoel geurende, zachte lichaam tegen me aan.

Mia Fox bonkte verschillende keren op mijn plafond, maar dit keer negeerde ik haar en ging ik door met waar ik mee bezig was. Later, toen we een douche hadden genomen en elkaar afdroogden, vroeg ik Daisy of ze van mening was veranderd over de oorlog met Irak, en bekende ik dat ik volledig achter meneer Blair sta.

'Mijn god,' zei ze langzaam. 'Ik ben blij dat je het me hebt verteld, maar het is net alsof iemand van wie je houdt stiekem op de Tory's stemt. Je kunt nooit meer met dezelfde ogen naar zo iemand kijken. Het wordt heel moeilijk voor me,' voegde ze er peinzend aan toe, 'om helemaal te gaan voor iemand die voorstander is van de invasie van Irak.'

'Daisy,' zei ik, 'meneer Blair wil Irak bevrijden van de dictator, Michael Flowers.'

Daisy lachte. 'Ik weet dat mijn vader megalomaan is, maar hij is niet de leider van Irak.'

Ik verontschuldigde me. 'Nee, maar het was een interessante freudiaanse verspreking. Denk jij, Daisy, dat je tegen de oorlog bent omdat je je onbewust afzet tegen je vader?'

'Daar is niets onbewusts aan,' zei Daisy. 'Ik heb mijn vader een keer in zijn ballen geschopt, toen hij me wilde dwingen om mee te gaan naar het festival in Glastonbury. Het was de eerste keer dat ik wegliep naar Londen. Ik haatte die festivals, de modder, de vegetarische burgers en vooral de nachten. Mijn vader en Netta sliepen in een tent naast de mijne, en dan hoorde ik ze kreunen als boerderijdieren. Dus nee, ik ben tegen een oorlog in Irak omdat het illegaal, immoreel en stom is om dat land binnen te vallen.'

We hebben het eindeloos over Marigold gehad. 'Marigold bedierf altijd alles voor me,' vertelde Daisy. 'Op mijn elfde verjaardag nieste ze boven mijn taart en blies ze alle kaarsjes uit. Netta vond het niet hygiënisch om ervan te eten. En nu is zij in verwachting van jouw kind.'

Ik legde haar uit dat ik me niet kon herinneren dat ik na het feest bij Tania seks met haar had gehad. Ik vertelde Daisy van de paarse cocktail die een onbekende me in handen had gedrukt en dat ik me van de rest van de nacht helemaal niets herinner, alleen dat ik de volgende dag met Marigold in mijn bed wakker werd.

Ik vroeg Daisy of ze zich schuldig voelde. Ze schudde haar natte haar naar voren en begon het te borstelen. Vanachter het zwarte gordijn voor haar gezicht zei ze: 'Ik doe niet aan schuldgevoelens. Het is een compleet negatieve en verlammende emotie. Het riekt naar zelfmedelijden.'

Toen het buiten licht begon te worden zette ik koffie, en ondanks de kou deden we onze jas aan en gingen we op het balkon zitten. Gielgud en zijn vrouw poetsten aan de overkant van het kanaal elkaars veren op.

'Ga je met Marigold trouwen?' vroeg Daisy.

'Het gaat om de baby, Daisy,' zei ik.

Dat was niet wat ze horen wilde. Ze stond op, ging naar binnen en begon zich aan te kleden. Met een ruk draaide ze zich naar me om. 'Ik ga je twee vragen stellen,' zei ze. 'De eerste is: hou je van haar?'

'Nee,' antwoordde ik onmiddellijk.

'De tweede is: hou je van míj?'

Dit keer zei ik volmondig: 'Ja.'

'Laat haar dan weten dat de bruiloft niet doorgaat voordat ze die stomme feesttent bestellen!'

Ik vertelde Daisy niet dat ik al een cheque had uitgeschreven voor een bedrijf in Seagrave, waar een grote feesttent was besteld.

Ik vroeg of ze enig idee had hoe ik het Marigold het beste kon vertellen.

'Wat kan mij dat nou schelen?' zei ze. 'Huur een billboard. Een paar stuntvliegers met straaljagers. Kondig het aan in een extra nieuwsuitzending, of schrijf haar een brief. En breng me nu naar het station. Ik moet om halfelf op Canary Wharf zijn. Chris Moyles gaat abseilen van de zestiende verdieping om Radio One te promoten.'

Op het perron klampten we ons aan elkaar vast alsof we een tweeling waren die elkaar na een eeuwigheid hadden teruggevonden. 'Ik weet niet wat je in me ziet,' mompelde ik.

'Ik ben niet bang voor je en je hebt een ontzettend sexy stem,' zei ze.

Toen de trein wegreed, stond ze op van haar zitplaats en ze rende naar de deur om het raampje open te doen. 'Schrijf die klotebrief!' riep ze.

Maandag 10 maart

Jack Straw wil dat Saddam Hoessein in een televisie-uitzending toegeeft dat hij over massavernietigingswapens beschikt. Ik hoop dat Saddam het doet, want dan krijg ik mijn aanbetaling terug en behaal ik een morele overwinning op Latesun Ltd. Bovendien is Glenn dan veilig.

Ik heb een uur lang met een schrijfblok en een pen in mijn handen gezeten en geprobeerd Marigold een brief te schrijven om de verloving te verbreken. Het enige wat ik op papier heb gekregen is:

Beste Marigold,

Dit is de moeilijkste brief die ik ooit heb geschreven...

Tegen die tijd kwamen de leden van de schrijfclub, Ken Blunt, gevolgd door Gary Milksop en de twee ernstige meisjes. De bijeenkomst liep uit op een felle woordentwist, die ik ongewild zelf uitlokte door te zeggen dat ik blij was dat ik eindelijk een keer niet aan de oorlog hoefde te denken en me geheel op creatief schrijven kon richten.

Ken Blunt begon te schreeuwen dat het de plicht van elke schrijver was om over de oorlog te schrijven, en dat hij niet geïnteresseerd was in pagina's lang geouwehoer over de kleur van een of ander kloterig herfstblad.

Mia Fox bonkte op het plafond, en ik vroeg Ken om wat minder hard te praten. Gary Milksop zeurde dat hij zich persoonlijk aangevallen voelde en hij bracht Ken in herinnering dat hij, Gary, onlangs een kort verhaal had geschreven met als titel 'Het Herfstblad'.

'Je zou dat verhaal moeten herschrijven, Gaz,' zei Ken. 'Verplaats het naar Afghanistan of zo, dan komt er tenminste een beetje spanning in.'

Gary zei dat hij afgaat op het advies van professionele schrijvers en alleen maar schrijft over de dingen waar hij verstand van heeft. En hij heeft verstand van herfstbladeren.

Een van de ernstige meisjes voegde eraan toe: 'En Gary is nog nooit in Afghanistan geweest, hij schrijft literair. Gary is de Proust van Leicester.'

Middernacht

Een sms'je van Daisy:

> Kipling, heb je het haar al laten weten?
> Liefs, Tom Poes

Teruggestuurd:

> Allerliefste Tom Poes, ben bezig aan een brief.
> Liefs, Kipling

Dinsdag 11 maart

Een grote ramp. Gielgud heeft gisteravond Gary's arm gebroken. Dat wil zeggen, door toedoen van de zwaan gleed Gary uit in de zwanenstront op de overloop en viel hij van de trap. Hij richtte zijn woede op de twee huilende meisjes. 'Het is jullie schuld! Jullie weten dat ik niks zie in het donker.' Ze hebben hem naar de spoedeisende hulp gebracht, waar ze zesenhalf uur moesten wachten voordat Gary werd geholpen.

Vanochtend kreeg ik een telefoontje naar aanleiding van het ongeluk, te weten van Gary's advocaat John Henry van de firma John Henry, Broadway and Co, die me opbelde om mijn postcode te vragen.

Terwijl ik klanten bediende in de winkel geprobeerd een brief op te stellen.

Mw. Marigold Flowers	The Old Battery Factory, Unit 4
Chez Flowers	Rat Wharf
Beeby on the Wold	Grand Union Canal
Leicestershire LE19	Leicester LE1

Lieve Marigold,

Ik vind het heel erg moeilijk om deze brief te schrijven, maar ik kan niet langer op deze onwaarachtige manier doorgaan. De harde waarheid, Marigold, is dat ik op geen stukken na goed genoeg voor je ben. Je overtreft me in alle opzichten, qua uiterlijk, qua intelligentie en wat betreft je indrukwekkende talent om van allerlei restjes de prachtigste poppenhuizen te creëren. Ik ben je liefde niet waard, mijn schat. Probeer te vergeten dat je me ooit hebt gekend.

Uiteraard zal ik mijn financiële verantwoordelijkheid voor de baby aanvaarden, en ik zal proberen een zo goed mogelijke vader voor hem/haar te zijn als onder de omstandigheden mogelijk is.

Ik laat de verlovingsring over een tijdje ophalen, als je de tijd hebt gehad om dit nieuws te verwerken.

Nog bedankt voor de fijne tijd die we samen hebben gehad.

Liefs,

Adriaan

Ik deed de brief in een envelop, plakte een postzegel in de rechter bovenhoek, schreef het adres erop en liep ermee naar de brievenbus, maar ik kon de *coup de grâce* niet toebrengen.

Ik stak de brief weer in mijn zak en liep naar huis. Onderweg kwam ik langs nog twee brievenbussen.

Middernacht

Sms van Daisy:

Kipling, heb je die brief gepost? Tom Poes

Ik stuurde één woord terug:

Nee.

Woensdag 12 maart

Vanochtend om halfzeven werd ik gewekt door iemand die zijn vinger langdurig op mijn deurbel hield. Het was de postbode met een aangetekend schrijven van meneer John Henry's advocatenkantoor.

Meneer Henry eist een voorlopige betaling van vijfduizend pond, zodat zijn cliënt, meneer Gary Milksop, een typiste kan aantrekken en hij door kan gaan met het schrijven aan zijn roman.

Ik heb Gary gebeld voordat ik naar mijn werk ging, maar ik kreeg zijn antwoordapparaat. 'Hallo, ik ben er niet,' hoorde ik zijn stem zwakjes zeggen. 'Ik heb door toedoen van een zwaan mijn arm gebroken en ik logeer voorlopig bij mijn moeder. U kunt na de piep een boodschap inspreken, en dan bel ik u terug zodra het me lukt om met mijn linkerhand de druktoetsen van mijn telefoon te bedienen.'

Marigold kwam me na mijn werk ophalen en we liepen samen over het jaagpad naar mijn huis. Ze was vandaag bijna knap te noemen, en ze praatte opgewonden over de bruiloft. De brief zat nog in mijn zak, dus ik was erg blij dat Marigold niet zoals Superman overal dwars doorheen kijkt.

Ik was ervan overtuigd dat Marigold direct zou merken dat Daisy bij me thuis was geweest, maar ze wordt geheel in beslag genomen door de buitenaardse macht die Trouwplannen wordt genoemd.

Ze kon het alleen maar over allerlei details hebben. Ik moest samen met haar de brochure van een cateringbedrijf doornemen. Uiteindelijk kregen we ruzie over de vorm van de pasteitjes met ragout die tijdens de receptie zullen worden geserveerd. Zij geeft de voorkeur aan de hartvormige pasteitjes voor negenenzeventig penny per stuk, exclusief BTW, terwijl ik juist de traditionele ronde pasteitjes voor negenenvijftig penny per stuk wil.

De pasteiruzie leidde tot de vraag wie van ons tweeën de monsterlijkste moeder heeft, en daar kwam pas een einde aan toen Marigold krijste: 'Jij zou mijn clitoris nog niet kunnen vinden als Livingstone en Stanley je sámen de weg wezen.'

Nadat ze met slaande deuren was vertrokken, raadpleegde ik *De geneugten van seks* en ontdekte ik dat ik waarschijnlijk te veel aandacht heb besteed aan relatief onbelangrijke delen van haar geslachtsorgaan en de clitoris domweg over het hoofd heb gezien.

Tegen die tijd voelde ik me geïnspireerd om een nieuwe brief te schrijven:

Mw. Marigold Flowers
Chez Flowers
Beeby on the Wold
Leicestershire LE19

The Old Battery Factory, Unit 4
Rat Wharf
Grand Union Canal
Leicester LE1

Beste Marigold,

Mag ik eerlijk tegen je zijn? Ik heb onlangs ontdekt dat ik homoseksueel ben. Ik voel het eigenlijk al een tijdje aankomen (dat verklaart misschien waarom ik je clitoris niet kon vinden). Ik had laatst bijna een kroonluchter gekocht, en ik draag tegenwoordig rubber handschoenen als ik het huishouden doe. Bovendien betrap ik mezelf er regelmatig op dat ik in de vorm van valse humor communiceer.

Seksueel gezien heb ik de sprong nog niet gewaagd, maar het kan nooit lang duren voordat ik een man leer kennen met wie ik een homohuwelijk zal sluiten.

De ringen hebben me tamelijk veel geld gekost. Misschien wil je zo vriendelijk zijn om Worthington te vragen of ze alles terug willen nemen. Zo ja, dan kun je het geld gebruiken om er babyspullen van te kopen.

Ik hoop dat we vrienden kunnen blijven.

Het allerbeste,

Adriaan

Om middernacht belde Daisy uit een restaurant om te vragen of ik de brief had geschreven. Ik antwoordde bevestigend.

'Wanneer krijgt ze hem?' vroeg ze.

'Ik heb hem nog niet op de bus gedaan,' zei ik ontwijkend. 'Het regent.'

'Ik zou voor jou door een moessonbui willen lopen!' riep ze, duidelijk aangeschoten.

Ik heb beloofd dat ik de brief morgen onderweg naar mijn werk op de bus zal doen.

Donderdag 13 maart

Vanochtend onderweg naar de winkel John Henry's brief over zwanen en gebroken armen afgegeven op het kantoor van mijn eigen juridisch adviseur David Barwell. Later op de ochtend belde Angela om te zeggen dat meneer Barwell weigert iets voor me te doen zolang ik hem niet volledig heb betaald. Ik was hem nog honderdvijftig pond plus BTW schuldig, dus die ik heb voldaan met mijn Mastercard.

De rest van de dag heb ik geprobeerd te bedenken welke van de twee het-is-uit-brieven ik Marigold zal sturen. Welke is het minst gemeen, die met 'ik ben je niet waard' of die met 'ik ben homoseksueel'?

Na mijn werk heb ik staan dubben bij de brievenbus aan het eind van de High Street. Ik heb zelfs iene, miene, mutte gedaan. Maar toen ik thuiskwam, zaten de brieven nog steeds in mijn zak.

Ik heb de auto genomen naar de Varkensstallen en een tijdje met Beest en mijn ouders zitten praten. Een kampvuur heeft iets geweldig troostgevends.

Toen ik weer thuis was, heb ik nog een brief geschreven:

Mw. Marigold Flowers
Chez Flowers
Beeby on the Wold
Leicestershire LE19

The Old Battery Factory, Unit 4
Rat Wharf
Grand Union Canal
Leicester LE1

Mijn allerliefste Marigold,

Mag ik eerlijk tegen je zijn, liefste? Ik kan niet langer met een leugen blijven leven. Sinds enige tijd draag ik dameskleren en noem ik mezelf Brenda. Ik geniet ervan om zijde, kant en flanel tegen mijn behaarde mannenhuid te voelen.

Ik zou het helemaal kunnen begrijpen als je onder deze omstandigheden gelijk een geschrokken faun bij me wegloopt, maar als je dat doet, probeer dan met compassie aan me te blijven denken. We kiezen per slot van rekening niet zelf ons genetische plaatje.

Hartelijke groet,

Brenda

p.s. Van welk merk is de snoezige blauwe oogschaduw die je met Kerstmis op had? Wat zal die kleur me beeldig staan!

Ik heb het net opgezocht. Ik heb de uitdrukking 'gelijk een geschrokken faun bij me weglopen' al in mijn dagboek van 1981 gebruikt, toen ik Pandora schreef. Ik wist wel dat de vergelijking me bekend voorkwam.

Ik zette mijn telefoon uit, zodat Daisy me niet kon bellen.

Vrijdag 14 maart

Mijn moeder belde me vandaag in de winkel om te vragen of ze haar haar wel rood moet blijven verven.

'Of vind je,' vroeg ze, 'dat ik over moet stappen op de grijsblonde look van rijpere vrouwen?'

'Is dat geen vraag die je met je kapper moet bespreken?' zei ik. 'Ik ben boekverkoper, mam.'

'Ik maak me zorgen over je,' zei ze. 'Ik vond dat je er gisteravond ontzettend slecht uitzag. Je bent mager, dus je eet vast niet goed, en je hebt wallen onder je ogen. Ik kan zien dat je slecht slaapt. Je bent niet gelukkig, hè?'

Ik vroeg meneer Carlton-Hayes het van me over te nemen bij de kassa en ging met mijn gsm naar de achterkamer.

'Je bent niet gelukkig, hè, lieverd?' vroeg mijn moeder weer.

Om de een of andere reden kreeg ik tranen in mijn ogen en snakte ik naar adem. Het kwam natuurlijk door de vriendelijkheid, misschien de moederlijkheid waarmee ze het zei. Het is een toon die ik in mijn leven lang niet vaak genoeg heb gehoord.

Toen meneer Carlton-Hayes klaar was met het helpen van de klant kwam hij naar de achterkamer. 'O, lieverd,' zei hij en hij gaf me een schone witte zakdoek die naar gedestilleerde frisse lucht rook. Ik snoot mijn neus en wilde hem de zakdoek teruggeven, maar hij zei: 'Nee, hou hem maar, lieverd. Leslie geeft me 's ochtends altijd twee schone zakdoeken voordat ik de deur uitga.'

Ik zei dat hij van geluk mag spreken met iemand die zo goed voor hem zorgt.

'Dat is geen kwestie van geluk,' zei hij. 'Ik beschouw het als een zegen.'

Ik verontschuldigde me voor mijn gedrag.

'Ik ben niet heel erg goed in het omgaan met zielenroerselen, weet je,' zei hij. 'Leslie zegt dat het komt doordat ik naar kostschool ben gestuurd. Maar als je er wat aan hebt om je hart te luchten, wil ik met alle liefde naar je luisteren.'

Ik kon merken dat hij zich bijzonder ongemakkelijk voelde, dus het was een opluchting dat er op dat moment een verknipte dakloze binnenkwam die riep dat Jane Austen in haar hoofd zat en haar vertelde wat ze moest doen.

Tegen de tijd dat ik thuiskwam, had ik twaalf sms'jes, allemaal van Daisy. Het was bepaald geen genoegen om ze te lezen.

Ik zette mijn telefoon weer uit en pakte nogmaals pen en papier.

Mw. Marigold Flowers
Chez Flowers
Beeby on the Wold
Leicestershire LE19

The Old Battery Factory, Unit 4
Rat Wharf
Grand Union Canal
Leicester LE1

Beste Marigold,

Mag ik eerlijk tegen je zijn?

De man die jij kent als Adriaan Mole is een bedrieger. Ik ben al op de vlucht sinds ik in 1989 valselijk werd beschuldigd van het aanranden van een dolfijn voor de kust van Cornwall.

De politie is me op het spoor, dus ik moet onderduiken.
Vaarwel, mijn liefste,
Malcolm Roach
(alias Adriaan Mole)

Ik was bang dat ze me niet zou geloven, dus schreef ik er nog een.

Mw. Marigold Flowers
Chez Flowers
Beeby on the Wold
Leicestershire LE19

The Old Battery Factory, Unit 4
Rat Wharf
Grand Union Canal
Leicester LE1

Liefste Marigold,

Je hebt geen idee hoeveel pijn het me doet dat ik je deze brief moet schrijven.

Ik lijd al jaren aan een zeldzame medische afwijking die aanvallen van blinde razernij teweegbrengt en waardoor ik tevens bijzonder gewelddadig kan worden. Jarenlang heb ik tevergeefs gezocht naar een behandelingsmogelijkheid, en nu heeft een specialist me helaas verteld dat ik niet te genezen ben.

De specialist heeft me geadviseerd om niet te trouwen. Ik citeer: 'Geen enkele vrouw is veilig bij u, meneer Mole. U zult u erbij moeten neerleggen dat u altijd vrijgezel zult blijven.'

Ik ben uiteraard helemaal kapot van dit nieuws, en ik heb tijd en ruimte nodig om het verdriet over wat had kunnen zijn te verwerken. Ik smeek je om je begrip hiervoor.

O hemel, hoe moet ik leven zonder jou, prachtig mooi en fascinerend schepsel dat je bent?

Liefs,
A.

Van alle brieven die ik heb geschreven, lijkt deze laatste me de minst pijnlijke voor Marigold. Hoewel ze, nu ik erover nadenk, misschien wel bang wordt dat de baby het moordenaarsgen van me zal erven.

Zaterdag 15 maart

Het was vanochtend erg druk in de winkel. Er is veel vraag naar boeken over wapentuig en oorlogsvoering.

Michael Flowers belde. Hij wil me 'dringend spreken' over een kwestie die betrekking heeft op de toekomst van ons land.

Ik belde Country Organics en liet een boodschap achter om te laten weten dat ik geen gaatje heb.

Flowers belde nog een keer en beschuldigde me ervan dat ik zijn telefoontje had genegeerd. Ik legde uit dat ik een boodschap had ingesproken om te laten weten dat ik geen gaatje heb.

Hij zei vals: 'Aangezien je geen naam had achtergelaten en het bovendien een slechte lijn was, nam ik aan dat het een telefoontje was van iemand die me dubbel glas wilde aansmeren.'

Hij drong net zo lang aan totdat ik me gewonnen gaf, en we spraken om een uur af in De Goede Aarde, een vegetarisch eetcafé. Hij zat al een kom dikke maïspap te eten toen ik om klokslag een uur binnenkwam, maar hij keek op zijn horloge en zei ongeduldig: 'Fijn dat je toch nog bent gekomen.'

Hij neemt me altijd de wind uit de zeilen. Ik begon te sputteren dat ik juist stipt op tijd was, maar hij viel me in de rede. 'Hoor eens, nu je er eindelijk bent wil ik je graag het doel van deze bespreking uitleggen.'

Opnieuw wierp ik tegen dat ik niet te laat was geweest.

'Adriaan,' zei hij, 'ik ben een drukbezet man. Kunnen we nu alsjeblíéft terzake komen?'

Hij begon met de bewering dat ons prachtige land, compleet met onze tradities en ons erfgoed, wordt ingelijfd bij Europa, en dat ons volk wordt gedwongen om te knielen voor de pedante bureaucraten in Brussel. Vervolgens ratelde hij door over visquota, het verlies van soevereiniteit en het vernederende optreden van Engeland bij het Eurovisie Songfestival, aangezien we nul punten hadden gescoord. Hij voorspelde dat Engeland weggespoeld zal worden door een vloedgol van cappuccino en rechte bananen.

Ik vroeg me af waarom Flowers me had ontboden. Alleen maar om zijn denkbeelden over Europa aan te horen?

Hij liet zijn stem dalen en keek om zich heen alsof de zachtaardige vegetariërs die in het café hun groenvoer kauwden medewerkers van Al-Qaeda waren. 'Ik wil hier in Leicester een afdeling van de onafhankelijkheidspartij oprichten, de United Kingdom Independence Party,' zei hij, 'en ik vroeg me af of ik op je steun kan rekenen.'

Ik zei dat ik erg weinig van de UKIP weet, en vroeg of hij misschien informatie had.

Hij haalde een stapel glibberige pamfletten uit zijn canvas pukkel en gaf die aan mij.

Ik stak alles in mijn zak en zei dat ik het later zou lezen.

'Je hoeft alleen maar te weten,' blafte Flowers, 'dat de UKIP de enige partij is die moedig genoeg is om het op te nemen tegen een stel Gauloise-rokende vredestichters.'

Ik zei dat ik het juist prettig vind om Europeaan te zijn.

'Dat zeg je nu, Adriaan,' zei hij. 'Maar hoe denk je erover als straks ons volkslied wordt afgeschaft?'

Ik dacht bij mezelf: dan ben ik nog veel blijer. Ik háát ons volkslied. Maar ik zei niets.

'Ik vraag de mensen die me steunen om een voorlopige bijdrage van vijfhonderd pond,' kondigde hij aan. Hij ging staan en overhandigde me een factuur.

Nadat hij weg was, las ik het pamflet van de UKIP. Het is een radicale club die Europa als de Grote Vijand beschouwt.

Toen er geen klanten in de winkel waren en we samen een kop thee dronken, liet ik meneer Carlton-Hayes de opzetjes voor de brieven aan Marigold lezen en vroeg ik hem om advies.

Tot mijn verbazing vond hij ze kennelijk erg amusant. Toen hij ze allemaal had gelezen, zei hij: 'Geen van deze brieven is geschikt, lieve schat. Als ik jou was, zou ik het zo doen:

Beste Marigold,

Je bent een engel van een vrouw, en ik vind dit ontzettend naar, maar ik besef inmiddels dat ik niet genoeg van je houd om met je te willen trouwen. Onder deze omstandigheden zou het buitengewoon dom zijn om met elkaar in het huwelijk te treden.

Als je inderdaad een kind van me krijgt, zal ik jou en hem of haar uiteraard financieel steunen.

Het spijt me echt heel erg dat ik zo'n ongelooflijke schoft ben, maar ik voel me verplicht om je de afschuwelijke waarheid te vertellen.

Neem alsjeblieft geen contact met me op.

Vriendelijke groet,

Adriaan

Hij tikte de brief uit, met één vinger op zijn oude Remington schrijfmachine. Ik heb hem hartelijk bedankt, maar ik doe zijn brief niet op de bus.

Ik liet meneer Carlton-Hayes de pamfletten van de UKIP zien en biechtte op dat ik bang ben voor Michael Flowers.

'Het is volkomen terecht dat je bang voor hem bent, lieve schat,' zei hij. 'Flowers is een Engelse fascist. Ze lopen niet in paradepas door de High Street omdat ze weten dat we ze uit zouden lachen, maar ze dragen wel degelijk van die hoge zwarte laarzen.'

Marigold kwam na sluitingstijd naar de winkel en we gingen eten bij de Imperial Dragon. Wayne was uiterst koel tegen me, en toen ik vroeg wat er aan de hand was, zei hij: 'Waarom was ik niet uitgenodigd voor je feest?'

Ik zei dat hij zich er niet te veel bij moest voorstellen.

'Die sukkel, Bolleboos Henderson, was er anders wel,' zei hij.

'Bruce Henderson was mijn gast,' zei Marigold. 'En hij is geen sukkel.'

'Je vergist je, Marigold,' zei Wayne. 'Op school heeft hij ooit de wedstrijd "Sukkel van het jaar" gewonnen.'

Het eten smaakte me totaal niet, en ik kon alleen een tijgergarnaal en een hap rijst naar binnen krijgen. Het schijnt dat Netta is begonnen aan Marigolds witte bruidsjurk; de jurk wordt helemaal met de hand gemaakt en geborduurd. Langs de zoom worden lijsterbesblaadjes geborduurd. De pistachegroene jurken van de bruidsmeisjes, satijn met pofmouwtjes en een asymmetrische zoom, zijn geknipt, hoewel 'Daisy weigert mee te werken. Ze wil mama haar maten niet doorgeven, het kreng. Ze verpest altijd alles voor me.

We zouden een keer naar het festival in Glastonbury gaan, in onze minibus, en toen gaf ze papa zonder enige reden opeens een schop en liep ze weg. Erg dom van haar, want Poppy en papa en mama en ik hebben het ontzettend gezellig gehad, ondanks de modder.'

Wayne Wong heeft een karaokemachine geïnstalleerd, en een donkere jongen stond op en probeerde 'Lady in Red' te zingen voor zijn vriendin, die – hoe kan het ook anders – een rode jurk droeg.

Marigold slaakte een diepe zucht. 'Was jij maar zo romantisch.'

Dat was niet eerlijk, want op datzelfde moment bedacht ik dat Daisy's haar net de rook uit een werkzame vulkaan is.

Na een dodelijk saai gesprek over schoenen voor de bruidsmeisjes betaalde ik de rekening en bracht ik Marigold naar Beeby on the Wold.

Ze vroeg of ik binnen wilde komen en herinnerde me eraan dat ze vijf dagen weggaat. Ze is een van de deelnemers aan de tweejaarlijkse beurs van de Nationale Vereniging van Poppenhuisliefhebbers in Birmingham, en ze nodigde me uit om een nachtje bij haar te komen slapen in haar hotel.

Ik zei dat dat helaas onmogelijk was, en vertelde haar van mijn M6-fobie, overigens niet voor de eerste keer. Het verzoek om binnen te komen sloeg ik af, met als smoes dat ik migraine voelde opkomen en snel medicijnen moest slikken.

Ze bood me een tinctuur van boombast aan, maar daar heb ik voor bedankt.

We gaven elkaar bij de voordeur een afscheidskus. Terwijl ik haar kuste, vroeg ik me af of het de laatste keer zou zijn. Ik hoop het van harte.

Ik wilde Daisy bellen, maar haar telefoon stond uit. Ik liet de volgende boodschap achter:

Daisy, met mij, Adriaan. (Lange stilte.) Ik weet niet wat ik moet zeggen, ik heb het Marigold nog steeds niet verteld. Ik heb je hulp nodig. Ik heb al vijf keer een brief geschreven, maar het lukt me niet om de juiste toon te vinden. Geef de hoop met mij alsjeblieft nog niet op, ik denk de hele tijd aan je. Ik vind je het einde, Daze. Welterusten, liefste.

Zondag 16 maart

Sms van Daisy, dat ik mijn e-mail moest checken.

Na het gebruikelijke gedoe en een telefoontje van vijf minuten met de helpdesk, opende ik mijn mail.

> Kipling,
> Conceptbrief in bijlage.

Ik opende de bijlage:

Beste Marigold,

Het is niet jouw schuld dat je een manipulatieve, hysterische hypochonder bent geworden. Je ouders hebben je altijd je zin gegeven.

Je hebt misbruik gemaakt van mijn zachte en vriendelijke karakter, en je hebt me zowel emotioneel als financieel leeggezogen.

Maar ach, ik kom er wel weer bovenop. Je mag die stomme ring houden.

Bedankt voor de leuke tijd, maar niet heus.

Adriaan

p.s. Uit het bovenstaande zal duidelijk zijn dat ik op 6 mei 2003 niet met je ga trouwen.

Ik schrok van de harde toon van Daisy's brief; ze is duidelijk iemand met wie je het beter niet aan de stok kunt krijgen. Raak ik van de regen in de drup?

Ik had behoefte aan de twee mensen die, ondanks onze verschillen, onvoorwaardelijk van me houden, dus reed ik naar de Varkensstallen.

Het landschap was fris en groen. Ik probeerde te bedenken hoe het toch komt dat mijn leven wat vrouwen betreft zo gecompliceerd is geworden. Ik liet mijn auto achter op het karrenpad en bleef even staan kijken naar een lammetje in de wei. Het dier zag eruit alsof het dronken was van blijdschap, het danste en schopte met zijn achterpoten. Het maakte me een beetje jaloers dat het dier zo blij was dat het leefde. Toen bedacht ik dat het lam over een paar weken wordt geslacht en in de vitrine van de slager zal eindigen. Ik draaide me om en sjokte over het veld.

Mijn ouders hadden mijn auto al gezien en stonden met stralende gezichten naar me te zwaaien. Mijn moeder kwam me begroeten, ze gooide haar sigaret weg en omhelsde me stevig. 'Je bent broodmager,' zei ze. 'Wanneer heb je voor het laatst gegeten?'

Ik vertelde haar naar waarheid dat ik de laatste vierentwintig uur niet meer dan een grote garnaal en een hap rijst had gegeten, waarop ze me meenam naar het kampvuur.

'Ik ga een uitgebreid Engels ontbijt voor je maken,' kondigde ze aan.

Mijn maag maakte ze er niet blij mee, maar mijn hart wel. Ze trok haar wollen handschoenen uit en bakte in een zwart geblakerde pan bacon, worst, tomaat en eieren.

Voor de beide varkensstallen is de fundering gestort, en Beest was bezig bakstenen te leggen voor de vochtwerende laag.

Terwijl ik op het eten wachtte, liet ik mijn ouders de brieven aan Marigold lezen.

Het advies van mijn vader luidde: 'Stuur haar die brief dat je een gevaarlijke gek bent, jongen.'

'Het zijn allemaal belachelijke brieven,' vond mijn moeder. 'Waarom vertel je haar niet gewoon de waarheid, voordat Netta klaar is met al die achterlijke jurken?'

Mijn uitgebreide Engelse ontbijt rook verrukkelijk, maar ik kreeg niet alles op en verdeelde de rest tussen Beest, mijn vader en Ivan de hond toen mijn moeder even in de camper was om een pakje sigaretten, een blocnote en een pen te halen. Gewapend met pen en papier ging ze bij het vuur zitten en schreef ze een brief om 'de verloving te bekorten', zoals zij het noemde:

Beste Marigold,

Al sinds mijn vroegste jeugd heb ik altijd liever in een fantasiewereld geleefd. Ik vind de echte wereld hard en onaangenaam. Confrontaties ga ik liever uit de weg, en ik laat me makkelijk manipuleren door mensen die hun eigen wil doordrijven.

Het spijt me heel erg, maar ik kan niet met je trouwen. Ik houd niet van je. Ik beken het je eerlijk, ik houd van je zus Daisy. En ik denk dat zij ook van mij houdt.

Ik las de brief twee keer en zei toen: 'Hoe lang weet je het al van Daisy?'

'Sinds je verlovingsfeest,' zei mijn moeder. 'Is het waar?'

'Ja,' zei ik.

'Je bent helderziend, Pauline,' zei mijn vader.

'Ik heb gewoon ogen in mijn hoofd, George,' zei ze. 'Ik heb gezien hoe Adriaan en Daisy naar elkaar keken. Het is een wonder dat ze niet letterlijk in vuur en vlam stonden.'

Wat een heerlijk gevoel van opluchting dat ik over Daisy kon praten.

'Ze is een spetter,' zei mijn vader.

En mijn moeder adviseerde me om haar snel aan de haak te slaan, voordat haar vuur bekoelt.

Ik ging naar huis, van plan om nu eindelijk een brief te schrijven die ik Marigold echt opstuur.

Mw. Marigold Flowers
Chez Flowers
Beeby on the Wold
Leicestershire LE19

The Old Battery Factory, Unit 4
Rat Wharf
Grand Union Canal
Leicester LE1

Beste Marigold,

Ik hoop dat het goed met je gaat. Met mij gaat het wel, afgezien van een voortdurend gevoel van angst dat ik maar niet kwijt kan raken.

Ik heb ernstig nieuws, ben ik bang. (Het is misschien verstandig om nu op zoek te gaan naar een collega-poppenhuisliefhebber die je gezelschap kan houden.)

Marigold, ik kan op 6 mei niet met je trouwen, noch op enig andere dag.

Je bent een mooie, intelligente vrouw, en de handigheid waarmee je miniatuurmeubeltjes maakt is werkelijk adembenemend. Ik beschouw het als een persoonlijk verlies dat ik niet van iemand zoals jij kan houden, maar de trieste waarheid is dat ik je niet waard ben. Ik heb vele psychische tekortkomingen, waardoor ik een vrouw niet gelukkig kan maken. Zoals mijn ex-stiefmoeder het ooit eens heeft geformuleerd: de vrouwen in mijn leven zijn bijna voortdurend in tranen.

Geloof me, Marigold, je bent door het oog van de naald gekropen.

Uiteraard zal ik je zowel financieel als praktisch steunen als de baby eenmaal is geboren, en ik stel voor dat hij/zij een keer in de twee weken op zondag bij mij is, van tien uur 's ochtends tot zes uur 's avonds. (Tot twee uur 's middags als het regent.)

Neem alsjeblieft geen contact met me op. Ik heb het er moeilijk mee, en het zou me veel pijn doen om je stem te horen.

Alle goeds,

Adriaan

Maandag 17 maart
St. Patricks Day

Voor mijn werk naar het postkantoor bij mij in de buurt gegaan. Tegen de baliemedewerker gezegd dat mijn brief honderd procent zeker morgenochtend in het Ring Road View Hotel moet zijn.

Hij zei dat per expres geen zekerheid bood. Bijna zeven pond neergeteld voor aangetekend, met de garantie dat de brief voor morgenochtend negen uur wordt bezorgd. 'Het moet wel een heel belangrijke brief zijn,' zei hij.

Ik beaamde dat het een explosief schrijven betreft.

Hij lachte nerveus. 'Ik hoop geen echte explosieven.'

Ik legde uit dat ik het metaforisch bedoelde.

'Het is beter om geen woorden als "explosief" te gebruiken als het leger in staat van verhoogde paraatheid is en er tanks klaarstaan op Heathrow,' meende hij.

Sms naar Daisy:

TP, brief op weg naar M. B is exit. Liefs, K

Ze sms'te terug:

K, je bent een *. TP

Mijn moeder belde me in de winkel, totaal in paniek. 'Ik weet dat je aan het werk bent,' zei ze, 'maar je moet nu meteen naar ons toe komen. Je vader probeerde een pallet bakstenen op te tillen en hij is door zijn rug gegaan.' Ze klonk verbaasd toen ze eraan toevoegde: 'Hij vraagt naar je, Adriaan.'

Ik legde meneer Carlton-Hayes uit wat er was gebeurd. 'Alweer een familiecrisis,' concludeerde hij. 'Je bent bijna net zo erg als *The Forsyte Saga*. Maar je moet vanzelfsprekend meteen naar ze toe.'

Toen ik aankwam, lag mijn vader op een geïmproviseerde brancard van een stuk dakbedekking. Zijn gezicht was grijs van de pijn.

'Ik heb tegen hem gezegd dat hij Beest het zware werk moet laten doen,' zei mijn moeder, 'maar hij moest zo nodig bewijzen dat hij nog niet te oud is, ja toch? En nu heeft hij zijn rug gebroken.' Ze begon te huilen. 'Hij kan vast nooit meer lopen. Straks zit hij in een rolstoel en dan kan ik hem niet eens over het veld duwen.'

Beest bromde iets tegen mijn moeder en ze bromde iets terug. Ze communiceren als primaten. Uit het feit dat hij naar de watertank liep om de ketel te vullen, maakte ik echter op dat hij had gevraagd of hij thee zou zetten.

Toen ik probeerde mijn vaders hoofd op te tillen om hem een slok thee te laten nemen, brulde hij zo hard dat vogels geschrokken wegvlogen uit de bomen. 'Bel een ambulance,' zei ik tegen mijn moeder, en ik gaf haar mijn mobiele telefoon. Er ontstond de gebruikelijke verwarring over het adres, maar na een halfuur hoorden we de sirene.

Ik stak het veld over om ze de weg te wijzen, legde uit wat er was gebeurd en wees op de Varkensstallen in de verte. De broeders keken niet bepaald vrolijk. 'Hoeveel weegt uw vader?' vroeg de kleinste van de twee.

'Ongeveer zeventig kilo,' zei ik.

Ze keken nog minder vrolijk. Terwijl we het modderige veld overstaken, mopperden ze tegen elkaar over gezondheid en veiligheid.

Ik reed achter de ambulance aan naar het Royal Hospital, en zat vervolgens in de wachtkamer van de eerste hulp te wachten op iemand in een witte jas die mijn vader een flinke dosis opiaten kon geven om hem uit zijn lijden te verlossen. Ik bleef totdat mijn moeder me smeekte om naar huis te gaan. Ze zei dat ik alles alleen maar erger maakte met mijn aanhoudende opmerkingen over de inefficiëntie en de chaos bij de eerste hulp en dat ze gek van me werd.

Ik was nog niet zo lang thuis toen ze me belde om te vertellen dat mijn vader naar een afdeling was gebracht. 'Hij heeft nog steeds pijn,' vertelde ze. 'Ze kunnen de sleutel van de medicijnkast niet vinden en er is te weinig personeel in de apotheek van het ziekenhuis. Ik heb hem maar een paar van mijn eigen slaappillen gegeven.'

Ik zei tegen haar dat ze niet in haar eentje bij de Varkensstallen kon blijven.

'Ik ben niet alleen,' zei ze. 'Beest is bij me.'

Ik zei dat ze niet alleen kon blijven met Beest omdat hij, zonder hem te willen beledigen, nu eenmaal een beest is.

'*Au contraire*,' zei ze. 'Hij is een geboren gentleman.'

George Bush heeft een ultimatum gesteld: Saddam Hoessein moet binnen achtenveertig uur weg zijn uit Irak, anders valt een coalitie van Britse en Amerikaanse troepen het land binnen.

Robin Cook is afgetreden. Hoewel u een zeer principieel politicus bent en graag naar de paardenrennen gaat, meneer Cook, zal het nageslacht vinden dat u op het verkeerde paard hebt gewed.

Dinsdag 18 maart

Om elf uur vanochtend had ik nog steeds niets van Marigold gehoord. Ik belde het postkantoor om te informeren of mijn aangetekende brief was uitgereikt. Iemand van de klantenservice vertelde me dat ze dat onmogelijk konden nagaan zolang de postbode nog niet terug was van zijn ronde.

Het was precies tien over twaalf toen ik op mijn knieën zat om de vissen van de Britse eilanden te catalogiseren. Ik was lichtelijk nerveus omdat ik elk moment een telefoontje van Marigold verwachtte, en verstijfde toen twee donkere schaduwen op me vielen: Netta en Michael Flowers.

Meneer Carlton-Hayes bleef in de buurt. Ik kwam overeind, met *Vissen in de Noordzee* nog in mijn hand. Flowers kauwde letterlijk op zijn baard. Netta had een gefaxte kopie van mijn brief aan Marigold, en die duwde ze me onder de neus.

'Je hebt het hart van mijn kleine meisje gebroken,' zei ze.

'Je bent een verachtelijke proleet!' tierde Flowers. 'Mijn vrouw heeft tot drie uur vannacht zitten borduren.' Hij kwam op me af, zwaaiend met zijn vuisten.

Automatisch beschermde ik mezelf met *Vissen in de Noordzee*. De punt van het boek raakte zijn rechteroog, en hij wankelde achteruit, stootte tegen een boekenkast zodat er boeken op de grond vielen, en hij brulde dat ik hem blind had gemaakt.

Meneer Carlton-Hayes deed zijn best om Netta bij me vandaan te trekken. Een jonge vrouwelijke klant verliet haastig de winkel. Het was een onsmakelijke scène.

Uiteindelijk strompelde Flowers samen met Netta de winkel uit, briesend dat hij naar de politie zou gaan om aangifte te doen omdat ik hem ernstig lichamelijk letsel had toegebracht.

'En we klagen je ook aan wegens het verbreken van een trouwbelofte,' zei Netta, haar biggengezicht vertrokken van woede.

Nadat ze weg waren, hingen we het bordje met gesloten op de deur en ruimden we de winkel op. Ik verontschuldigde me tegenover meneer Carlton-Hayes omdat ik mijn privé-leven had meegenomen naar mijn werk.

'Maak je maar geen zorgen, lieve schat,' zei hij. 'Ik heb Flowers een paar rake klappen kunnen geven.'

Na mijn werk ging ik naar het ziekenhuis. Toen ik bij de zuster op de afdeling naar mijn vader informeerde, vertelde ze me dat hij zich nog steeds 'niet lekker' voelde.

'Is dat ziekenhuisjargon voor "hij crepeert nog steeds van de pijn"?' vroeg ik.

'Hij drukt de hele dag voortdurend op de bel,' zei ze. 'Hij schijnt te denken dat hij in een hotel is en roomservice kan laten komen. Het komt door de medicijnen.'

Mijn vader ligt op een kamer met drie andere patiënten. Toen ik binnenkwam, stond mijn moeder op. 'Ik ben blij dat je er bent,' zei ze. 'Ik snak naar een sigaret.'

Ze zag eruit als een bouwvakker, en ik schaamde me voor haar – trouwens niet voor het eerst van mijn leven. Haar zware werkmansschoenen met verstevigde neuzen horen niet in een ziekenhuis thuis.

Mijn vader lag plat op zijn rug en staarde dromerig naar het plafond. Ik vroeg hem hoe het ging.

'Ik ben al aardig high,' zei hij. 'Ik heb me sinds de jaren zestig niet meer zo lekker gevoeld.'

Hij deed zijn ogen dicht, en mijn moeder en ik gingen naar het afdakje voor rokers buiten de hoofdingang, waar ik haar vertelde dat mijn verloving met Marigold nu officieel is verbroken.

'Godzijdank,' zei ze en vervolgens vertelde ze me dat mijn vader geopereerd moet worden om twee beschadigde rugwervels te verwijderen.

Ik vroeg of dit zijn mobiliteit zou aantasten. Ze lachte ondanks de problemen en zei: 'Ik denk het niet. Je vader is nooit echt iemand met ruggengraat geweest.'

Ik belde Daisy, maar kreeg haar voicemail.

Om drie uur 's nachts werd ik wakker van geritsel en getrippel. Ik ging poolshoogte nemen en zag drie bruine vormen uit een keukenkastje komen dat ik open had laten staan. Een van de bruine vormen dribbelde over mijn blote voet.

Nader onderzoek bracht een half opgegeten zakje chips met uiensmaak aan het licht. Ik heb een paar ratten als huisgenoten.

Woensdag 19 maart

De dienst ongediertebestrijding van de gemeente gebeld en een boodschap achtergelaten voor de rattenvanger, met het verzoek of hij/zij zo spoedig mogelijk bij me langs kan komen, gewapend met een verdelgingskit.

Een afspraak met Barwell, mijn juridisch adviseur, om te bespreken of ik aansprakelijk kan worden gesteld voor de zwanenpoep op de trap.

Barwell vertelde me dat hij tijdens een diner van de Rotary Club heeft opgevangen dat Gary Milksop een letselschadeadvocaat in de arm heeft genomen, ene Alan Ruck-Bridges. 'Die man is een echte rottweiler, meneer Mole. Hij heeft een rechter zo gek gekregen om een schadevergoeding van een miljoen pond toe te kennen aan een vrouw wier grote teen beklemd was geraakt in een ondeugdelijke badkraan.'

Hij adviseerde me om zonder tussenkomst van een rechter te schikken voordat de kosten de pan uit rijzen. Ik heb gezegd dat ik erover zal nadenken, maar het is een trieste dag voor het Britse recht. Vrouwe Justitia moet van pure schaamte haar hoofd laten hangen.

Onderweg naar de deur overhandigde Barwells secretaresse me een rekening, die ik ter plekke moest voldoen. Het was duidelijk dat ik in haar kantoor gevangen zou worden gehouden als ik niet betaalde. Barwell heeft tegenwoordig een bewaker om zijn stijgende aantal louche cliënten in het gareel te houden en hun blikjes bier in beslag te nemen.

Ik schreef een cheque uit voor tweehonderdvijftig pond, en zei: 'Weet jij toevallig welke straf er staat op het doden van een zwaan?'

'Nee,' zei ze koeltjes, 'maar het zou de galg of levenslang moeten zijn.'

Daisy belde me toen ik net weer buiten stond. Het maakte me dolgelukkig om haar stem te horen. Ze vertelde dat Netta haar had gebeld en dat Marigold kapot is van het nieuws en dat haar vader gisteren bijna de hele dag op de oogafdeling van het Royal Hospital heeft doorgebracht.

Ik vroeg Daisy of het nog aan was tussen ons. 'Ik zou willen van niet, Aidy,' zei ze, 'maar ik ben helaas gek op je.'

Ik zei dat ik na mijn werk de trein naar Londen zou nemen.

'Ik ben er niet, schat,' zei ze. 'Ik zit in Parijs om de public relations van een trendy hotel te doen.'

We hebben het even over de oorlog gehad, die morgen gaat beginnen.

'De Fransen willen niet geloven dat Amerika en Engeland voorbereidingen treffen om Bagdad te bombarderen,' zei Daisy en ze vroeg of ik me zorgen maakte over Glenn.

'Uiteraard,' zei ik.

Maar in werkelijkheid, dagboek, staat die jongen de laatste tijd niet erg hoog op mijn prioriteitenlijstje.

Marigold belde om me te vertellen dat ze in het ziekenhuis ligt omdat er een miskraam dreigde. 'Ik las je brief en toen voelde ik mijn baarmoeder samentrekken,' vertelde ze. Ze is zelf naar de eerste hulp gegaan, en ze smeekte me om het niet aan haar ouders te vertellen.

'Ik zou het zó erg vinden als ik onze baby verloor,' zei ze snikkend. 'Jij niet, Adriaan?'

'Zeker,' zei ik. 'Ik kom meteen naar je toe. In welk ziekenhuis lig je?'

De verbinding werd verbroken voordat ze antwoord kon geven. Mijn telefoon herkende het nummer niet, dus kon ik haar niet terugbellen. Ik wachtte totdat ze zelf weer zou bellen. Terwijl ik rusteloos heen en weer liep, zag ik in gedachten beelden van een bloederige miskraam voor me.

Na een halfuur hield ik het niet meer uit en ben ik ziekenhuizen in Coventry en Birmingham gaan bellen, maar nergens was een patiënte met de naam Marigold Flowers opgenomen, zelfs niet met de naam Marigold Mole. Ik belde het Ring Road View Hotel en vroeg of zij wisten in welk ziekenhuis Marigold was opgenomen. De receptionist sprak maar een paar woorden Engels en kon me niet helpen.

Ik kleedde me uit en kroop in bed, maar ik heb nauwelijks een oog dichtgedaan. Gielgud klonk alsof hij de hele nacht op een valse trompet speelde en de ratten trippelden meerdere keren langs mijn futon.

Donderdag 20 maart

Vandaag is de oorlog in Irak begonnen.

Ik hoorde op de radio dat de oorlog volgens een Amerikaanse legerwoordvoerder zal beginnen met het onafgebroken bombarderen van Bagdad; *'Shock and Awe'* noemen ze het, angst en verschrikking, en de hele wereld zal sidderen.

Marigold belde vanochtend vroeg om me te laten weten dat ze naar huis mocht. Volgens de artsen is de baby 'voorlopig' veilig, maar ze moet rust houden en spanningen vermijden. Ze wilde dat ik haar ophaalde van de kraamafdeling van het Birmingham City Hospital. Ze zei: 'Je laat me toch niet in de steek, schat?'

Ingeklemd tussen twee kolossale vrachtwagens reed ik over de M6. Ik durfde niet in te halen, want ik kon noch mijn emoties, noch de auto beheersen.

Ik belde meneer Carlton-Hayes in de winkel en vertelde hem dat ik vandaag niet kan werken, en ik legde hem in het kort uit wat er aan de hand was. Hij weet van mijn M6-fobie en adviseerde me om diep adem te halen als ik een paniekaanval voelde opkomen.

Ik had verwacht dat ik naar de afdeling zou moeten om Marigold op te halen en haar te helpen met haar bagage, enz. Maar tot mijn verbazing stond het arme kind buiten bij de hoofdingang van de kraamafdeling. Ze droeg haar beige anorak met het naambordje van de poppenhuizenbeurs erop, en haar bagage stond aan haar voeten.

De nalatigheid van dat ziekenhuis is werkelijk stuitend, dagboek. Nog maar twee dagen geleden heeft ze bijna een miskraam gehad! Ik wilde naar binnen gaan en een officiële klacht indienen, maar Marigold raakte helemaal van streek. 'Ik wil hier zo snel mogelijk weg, Adriaan,' zei ze. 'Ik heb een vreselijk traumatische ervaring achter de rug.'

Toen ik beloofde om later schriftelijk een klacht in te dienen, zei ze: 'Ik wil het juist het vergeten. Beloof me dat je ze niet zult schrijven.'

Ik ging de auto halen en ze kwam naast me zitten, haar handen tegen haar buik gedrukt om ons ongeboren kind te beschermen. Het was hartverscheurend om te zien. Eenmaal op de snelweg zei ze: 'Het lijkt me beter om niet wakker te zijn terwijl jij over de M6 rijdt.' Ze zette de leuning van haar stoel naar achteren, deed haar bril af en gaf die aan mij, en even later was ze in slaap.

Ze is eigenlijk best knap als haar gezicht ontspannen is.

Mijn gsm ging. Het was Daisy, uit Parijs. Ik zei luid dat ik geen dubbel glas wilde en verbrak de verbinding.

Ze werd wakker toen ik vaart minderde bij de afslag en begon over de bruiloft te praten. Ik haalde heel diep adem. 'Marigold, we gaan niet trouwen.' Ik weet niet hoe het me is gelukt om een kettingbotsing op de afrit te voorkomen. Het valt niet mee om auto te rijden terwijl iemand je hoofd, armen en schouders met vuisten bewerkt, ook al zijn het kleine.

Eenmaal in Beeby on the Wold ging ik met Marigold mee naar binnen. Netta en Roger Middleton zaten in de huiskamer voor de demonstratief kleine televisie en keken naar beelden van Bagdad, waar de operatie 'Shock and Awe' in volle gang was.

Na veel geschreeuw en boze verwijten ging ik weer weg, en ik beloofde morgen terug te komen. Roger Middleton bracht me naar de deur. Ik vroeg of hij permanent bij de familie Flowers was ingetrokken.

'Je hebt alles verknald,' zei hij. 'Netta en Michael wilden het huis verkopen als Marigold eenmaal getrouwd was. Nu is het een grote teringzooi.'

Ik zei dat het me speet. Ik moet me de laatste tijd voortdurend verontschuldigen.

Toen ik weer thuis was, heb ik de toorn van Mia Fox geriskeerd en mijn thuisbioscoop aangezet. Het geluid van de bombardementen weergalmde door mijn appartement. De wijnglazen rinkelden in de kast en ik voelde de schokgolven van de bommen onder mijn voeten. Enorme oranje explosies vulden het scherm, in scherp contrast met de donkere lucht boven Bagdad. Ik vond het heel angstig en heel verschrikkelijk. Ik moest mezelf eraan herinneren dat ik niet naar een kassucces uit Hollywood zat te kijken, dat dit écht gebeurde, met échte mensen. Ik dacht aan de kleine Iraakse kindertjes, die ongetwijfeld doodsbang zijn. Wat zouden hun ouders tegen ze zeggen? Ik vroeg me af of meneer Blair zat te kijken met zijn gezin en probeerde te bedenken wat hij tegen zijn eigen kinderen zou zeggen over de bommen die op Bagdad vallen.

Ik belde Daisy. Ze klonk aangeschoten en kraamde allemaal onzin uit over dubbel glas. Toen zei ze: 'Ik zit hier op mijn hotelkamer naar Bagdad te kijken dat in lichterlaaie staat. Vind je Tony Blair nog steeds zo geweldig?'

Ik heb gezegd dat ik haar morgen zal bellen, als ze weer nuchter is.

Vrijdag 21 maart

Op het transistorradiootje in de winkel hoorde ik het nieuws dat acht Engelse en vier Amerikaanse militairen vandaag zijn gedood toen hun helikopter neerstortte boven Kuweit.

Even later hing Sharon al aan de lijn. 'Als onze Glenn iets zou overkomen, dan laten ze het de naaste familie toch zo snel mogelijk weten?'

Ik verzekerde haar dat het Britse leger de naaste familie onmiddellijk op de hoogte zal stellen als Glenn gewond mocht raken.

Vanavond na mijn werk raakte ik betrokken bij een ruzie tussen Netta, Michael en Roger Middleton. Niemand van hen wil de verantwoordelijkheid nemen om voor Marigold te zorgen, niet gedurende haar zwangerschap en niet als de baby eenmaal is geboren. Alle drie verwijten ze mij dat ik hun leven kapotmaak. Bijna hadden ze me zover dat ik aanbood om Marigold bij mij te laten wonen, maar godzijdank heb ik me op het laatste moment ingehouden.

Marigold was boven. Ik sloop op mijn tenen de trap op om haar niet wakker te maken. Ze zat overeind in bed en at een biologische chocoladereep terwijl ze in het tijdschrift *Hello!* bladerde. Haar kleine draagbare televisie stond aan en ze keek met een half oog naar 'Shock and Awe'.

Toen ik haar vertelde dat ik medelijden had met alle kindertjes in Bagdad, zei ze: 'Doe niet zo slap, Adriaan. Je kunt geen omelet maken zonder eieren te breken. Als ze straks naar het stembureau lopen om hun stem uit te brengen, zullen ze ons dankbaar zijn.'

Ik vroeg hoe het met haar ging.

'Ik voel me vreselijk,' zei ze, 'maar mammie heeft twee keer een heel zware zwangerschap gehad.'

Ik vroeg of ze al bij de huisarts was geweest.

'Dat is niet nodig,' zei ze.

Netta kwam boven. 'Zwangerschap is geen ziekte, Adriaan,' zei ze. 'Jullie mannen zijn verantwoordelijk voor de overmatige bemoeienis van allerlei medici.'

Het was duidelijk dat Marigold haar ouders niet van de bijnamiskraam heeft verteld.

Ik bleef nog een uurtje en ging zo gauw mogelijk weg toen Marigold een denkbeeldig gesprek met de baby in haar buik voerde. Ik vond het niet eens zo erg dat zij tegen de baby praatte; wat de baby zogenaamd 'terugzei' was veel erger.

Een mailtje van Daisy:

Sorry, maar het hele oorlogsgedoe blijft me dwarszitten. Het maakt me woedend dat Engeland actief bij deze smerige oorlog is betrokken. Gisteren heb ik meegelopen in een grote demonstratie, en het was fantastisch om met allemaal mensen te zijn die er net zo over denken als ik. Ben je sinds het begin van de bombardementen al van gedachten veranderd? Zeg alsjeblieft ja, want ik houd echt van je. Bel me morgen, dan ben ik weer thuis.

Vanavond om tien uur sprak meneer Blair de natie toe. Op gewichtige, van historisch besef doordrongen toon riep hij het Britse volk op om eensgezind achter onze gewapende troepen te staan en de manschappen in onze gebeden te gedenken. Ook richtte hij enige woorden tot de mensen in Irak: 'Niet u bent onze vijand, maar uw barbaarse leiders.'

Ik was diep geroerd door meneer Blairs oprechtheid. Dit zijn zware tijden, en we zouden als één man achter onze premier moeten staan.

Zaterdag 22 maart

Ik vroeg meneer Carlton-Hayes of ik wat eerder naar huis mocht omdat de rattenvanger zou komen.

'Dat huis van jou is prachtig dickensiaans, lieverd,' zei hij.

Ik zei dat hij zich vergiste, dat mijn appartement juist was genomineerd voor een prestigieuze prijs – het beste gebruik van voormalige fabrieksruimte – en dat een probleem met ratten wel het laatste was wat ik had verwacht.

Meneer Carlton-Hayes trok een wenkbrauw op. 'Heeft het adres je dan niet aan het denken gezet?'

Ik probeerde beleefd te zijn door de rattenvanger een knaagdierspecialist te noemen, maar hij zei met een verbazend bekakt accent: 'Ik ben helemaal geen voorstander van wollige eufemismen. Ik noem mezelf gewoon een rattenvanger.'

Toen ik vroeg of hij koffie wilde, informeerde hij naar de melange. Ik vertelde hem dat ik mild geroosterde, eerlijk verhandelde koffie uit Guatamala had, en hij glimlachte fijntjes, het had een goedkeurend glimlachje kunnen zijn, maar ik kreeg de indruk dat hij glimlachte omdat hij zich ver verheven voelde boven iemand die dat soort bocht dronk.

Hij vond rattenkeutels onder de keukenkastjes en achter het paneel rond het bad, en sporen van rattenpis rondom mijn futon. Ik drong erop aan dat hij alle ratten zou uitroeien. Hij zei dat hij een paar vallen zou zetten en over tien dagen terug zal komen.

Terwijl hij bezig was met de vallen raakten we op de een of andere manier aan de praat over vrouwen, en ik deed in het kort verslag van mijn catastrofale relatie met Marigold. Hij voelde met me mee en vertelde me dat hij ooit een van de succesvolste accountants van de East Midlands is geweest, totdat een cliënte die Sonia heette zijn gezondheid en zijn reputatie ruïneerde en hij zich gedwongen had gezien om verder als rattenvanger door het leven te gaan.

Ik belde Daisy. Ze nam onmiddellijk op en zei: 'Ben je al van mening veranderd over de oorlog?'

Ik antwoordde ontkennend en zei dat ik meneer Blair nog steeds steun.

'Heb je de foto van dat jongetje van acht dan niet gezien, die Ali?' snauwde ze. 'Zijn beide armen en beide benen zijn afgerukt door die klotebommen van jou!'

'Jawel, maar...' zei ik.

'Bel me niet meer,' zei ze, 'sms me niet meer, stuur me geen faxen, kom niet naar me toe. Ik wil je nooit meer zien. Ik heb je gevraagd om te kiezen tussen mij en Tony Blair, en je hebt voor hem gekozen. De groeten.'

Zondag 23 maart

Mijn vader is geopereerd. Toen ik kwam was hij terug op de zaal, en hij beklaagde zich over het verplegend personeel; ze weigeren zijn bed naar de lift te duwen, hem mee te nemen naar de begane grond en hem met bed en al door de hoofdingang naar buiten te rollen zodat hij een sigaret kan roken.

Ik had vandaag druiven voor hem meegebracht. Morgen neem ik nicotinepleisters voor hem mee.

Maandag 24 maart

Een brief geschreven aan Geoff Hoon, onze minister van Defensie.

Meneer G. Hoon
Ministerie van Defensie
Whitehall
London SW1

The Old Battery Factory, Unit 4
Rat Wharf
Grand Union Canal
Leicester LE1

24 maart 2003

Geachte heer Hoon,

Vergeef me dat ik u in deze voor u zo drukke tijden een brief schrijf. Ik ben de vader van soldaat Glenn Bott-Mole, van het Leicestershire Fox Regiment, dat momenteel in Kuweit gelegerd is.

Glenn is een zeer onvolwassen jongen van zeventien, en zijn onhandigheid is legendarisch. Op 18 april van dit jaar viert hij zijn achttiende verjaardag en hierdoor komt hij in aanmerking voor uitzending naar het front in Irak.

Ik vrees dat Glenn in situaties van leven of dood een gevaar voor zichzelf en zijn medesoldaten zal zijn, en ik verzoek u dan ook vriendelijk om zijn officieren te laten weten dat mijn zoon ongeschikt is voor gevechtshandelingen.

Ik ben zo vrij hieraan toe te voegen dat ik de regering volledig steun in de strijd tegen deze barbaarse dictatuur.

Meneer Hoon, u bent op dit moment bijzonder impopulair, maar ik ben ervan overtuigd dat de openbare mening zal omslaan als het Iraakse volk eenmaal met miljoenen tegelijk de straat op gaat om de coalitietroepen en de bevrijding van hun land toe te juichen.

Met de meeste hoogachting,

A.A. Mole

Dinsdag 25 maart

Vanochtend stuurde Michael Flowers een stagiair van zijn winkel naar de onze om mij een briefje te overhandigen:

Adriaan,

Je hebt Netta en mij diep teleurgesteld. Het grenst aan wreedheid dat je Marigold de laatste tijd verwaarloost en onverschillig behandelt.

Haar zwangerschap verloopt uiterst moeizaam, ongetwijfeld doordat jij zo hardvochtig weigert met haar te trouwen en hiermee de baby te wettigen.

We zijn zeer bezorgd over de gezondheid van onze dochter, en om haar weer op krachten te laten komen, hebben we een vakantie voor haar geboekt op het eiland Capri, in een leuk hotelletje waar we zelf meerdere keren hebben gelogeerd. Netta zal haar vergezellen, en ik schrijf je deze brief om je te verzoeken een financiële bijdrage aan hun reis- en verblijfkosten te leveren.

Zoals je weet ben ik niet rijk. Ik heb mezelf in dit leven ten doel gesteld om de bevolking van Leicester bewust te maken van verantwoorde voeding, maar daar is helaas weinig van terechtgekomen. Er wordt geklaagd dat onze ongewassen biologische groente te lang moet koken en wormstekig zou zijn!

Ik verwacht je binnenkort te zien. Je bijdrage aan Marigolds dringend noodzakelijke vakantie is £ 999,50.

Vreedzame groet,

Michael

p.s. Contant geld, graag; de bank doet moeilijk

Ik heb een lange en ingewikkelde berekening gemaakt en ontdekt dat er geen geld op mijn bankrekening staat en dat ik met mijn beide creditcards de bestedingslimiet heb bereikt. Na een telefoontje ontdekte ik dat de klantenkaarten niet contant uitbetalen. Het lijkt me echter erg prettig om Marigold twee weken het land uit te hebben, dus zit er niets anders op dan mijn tot nu toe heilige spaarrekening bij het bouwfonds aan te spreken.

Vanavond was ik in het ziekenhuis, en ik liet mijn vader het briefje van Michael Flowers zien. 'Opgeruimd staat netjes,' zei hij.

Toen ik wegging, had hij op beide armen een nicotinepleister.

Onderweg naar de uitgang vroeg ik een verpleegster of er een medische reden voor is dat mijn vader plat op zijn rug ligt, zonder hoofdkussen.

'Dat heeft geen medische reden,' zei ze, 'maar een financiële. Als uw vader een hoofdkussen wil, zult u er een voor hem moeten meenemen van huis.'

Woensdag 26 maart

Een kruisraket is terechtgekomen op een marktplein in Bagdad, en daarbij zijn veel burgerslachtoffers gevallen. Kofi Annan zei met een heel klein stemmetje: 'Mensen over de hele wereld zetten vraagtekens bij de legitimiteit van de oorlog tegen Irak.'

Vandaag de gemeente geschreven.

The Old Battery Factory, Unit 4
Rat Wharf
Grand Union Canal
Leicester LE 1

26 maart 2003

Mijne dames en/of heren,

Ik heb meerdere keren geprobeerd telefonisch contact op te nemen. Ik wil graag een aanklacht indienen over een zwerm zwanen, om precies te zijn de vogels die zich ophouden in het kanaal tussen Packhorse Bridge en Dye Works Lane. Ik weet niet welke gemeentelijke dienst verantwoordelijk is voor het gedrag van deze zwanen. Graag zou ik willen weten:

a. Is afschieten toegestaan?
b. Is het Grand Union Canal eigendom van de gemeente Leicester?
c. Tot welke dienst moet ik mij wenden voor restitutie van de gemeentebelasting, op grond van overlast door zwanen?

Een van voornoemde zwanen heeft onlangs iemands arm gebroken; u kunt uw juridische afdeling alvast waarschuwen dat de gemeente Leicester aansprakelijk zal worden gesteld.

Ik hoop spoedig van u te vernemen.

Hoogachtend,

A.A. Mole

Vanavond een bijeenkomst van onze lezersgroep. Lorraine Harris kwam als eerste. Ze vertelde me dat ze de hele dag haar heeft gevlochten, voor een bruiloft. 'Jouw haar wordt al aardig lang,' zei ze tegen mij. 'Laat je het groeien?'

Ik zei dat ik het te druk heb om bij Quick Snip langs te wippen.

Ze zei dat ze het in de kapsalon over *Madame Bovary* heeft gehad, en dat verschillende vrouwen hadden gevraagd of er een dvd van is.

De discussie over *Madame Bovary* raakte een paar keer behoorlijk verhit.

Lorraine zei dat Emma haar deed denken aan haar beste vriendin uit Jamaica, die is getrouwd met een boekhouder die zó saai is dat iedereen hem Kaakklem noemt.

'Ik was helemaal van slag door dit boek,' bekende Mohammed. 'Overspel en het maken van schulden wordt goedgepraat. Verder had ik medelijden met het kind uit dit huwelijk. Mevrouw Bovary was een zeer nalatige moeder.'

Melanie 'ik ben maar een huisvrouw' Oates zei aarzelend: 'Ik vond *Madame Bovary* een ontzettend goed boek. Ik kon het niet wegleggen. Ik wilde dat ze de benen zou nemen met haar geliefde, en ik vond het heel erg dat hij haar in de steek liet.' Ze keek naar de mannen van de groep, en haar stem kreeg een boze klank. 'Mannen zijn niet te vertrouwen, geen van allen. Jullie zijn allemaal hetzelfde.'

Meneer Carlton-Hayes frunnikte nerveus aan zijn pijp.

Lorraine zei: 'Ik vind dat Flaubert over de schreef is gegaan doordat hij Emma zelfmoord heeft laten plegen, alleen maar omdat ze een beetje te veel geld had uitgegeven aan een paar hoedjes en linten en dat soort dingetjes.'

Darren pulkte een stuk gips van zijn broek. 'Sorry, ik had geen tijd om me te verkleden. Ik kom zo van mijn werk. Het is misschien wel het beste boek dat ik ooit heb gelezen. Dat dokter Bovary de dorpsidioot opereert aan een horrelvoet is zo goed beschreven dat ik twee extra sterke Nurofen moest nemen. Ik voelde de pijn zelf.'

Meneer Carlton-Hayes noemde Flaubert een geweldige schrijver, die zijn zinnen zo zorgvuldig construeerde dat hij tijdens het schrijven de maat tikte op zijn schrijftafel. Meneer Carlton-Hayes demonstreerde dit door een zin hardop voor te lezen en daarbij tegen de zijkant van zijn leunstoel te tikken.

Voordat Darren wegging, gaf ik hem eem exemplaar van *Jude the Obscure* van Thomas Hardy. 'Ik denk dat je het mooi zult vinden,' zei ik.

Meneer Carlton-Hayes heeft *William, the Outlaw* van Richmal Crompton gekozen voor de volgende week. 'Ik lees eigenlijk geen kinderboeken meer,' zei Lorraine.

Meneer Carlton-Hayes legde uit dat William Brown een komische Engelse held is en dat iedereen zijn avonturen gelezen hoort te hebben.

Donderdag 27 maart

Vanmiddag kondigde Geoff Hoon aan dat de Britse troepen bewijzen hebben gevonden dat Irak elk moment chemische wapens tegen de geallieerde troepen kan inzetten.

Ik heb Johnny Bond van Latesun Ltd meteen een sms gestuurd:

> Er zijn massavernietigingswapens ontdekt. Graag mijn aanbetaling retour, met excuses. Een ex-klant.
> A.A. Mole

Vrijdag 28 maart

Mijn vader herstelt voorspoedig, en hij is alert genoeg om aantekeningen te maken van alle dingen die er misgaan met zijn behandeling. Hij heeft me zijn blocnote laten zien. Zijn laatste opmerking was: 'Om vier uur wilde de verpleging me naar de operatiekamer brengen voor een hysterectomie.' Hij had 'hysterectomie' verkeerd gespeld, maar dat heb ik door de vingers gezien.

Hij maakt gebruik van een nieuwe service van het ziekenhuis, en heeft inmiddels voor een bedrag van £ 2,50 per dag zijn eigen televisie, radio en telefoon. Hij kan de oorlog in Irak dag en nacht volgen.

Zaterdag 29 maart

De BBC meldde om zeven uur vanochtend dat Britse troepen Basra zijn binnengetrokken en twee standbeelden van Saddam Hoessein hebben neergehaald. Vervolgens hebben ze zich weer teruggetrokken in hun versterkte kamp aan de rand van de stad.

Wat zullen de inwoners van Basra blij zijn als ze wakker worden en zien dat de beelden van hun voormalige leider in de nacht van hun sokkels zijn gestoten.

Om zes uur vanavond heeft het Pentagon erkend dat zeven Amerikaanse Tomahawk-raketten hun doel hebben gemist.

Een halfuur later belde mijn moeder. Ze zat aan het bed van mijn vader en had net gehoord dat een Tomahawk-raket in de buurt van Koeweit-stad was neergekomen. 'Heb je al gehoord of Glenn ongedeerd is?' vroeg ze.

Ik zei dat de commandant van de Britse troepen in de Golf, generaal Mike Jackson, niet over mijn mobiele nummer beschikt.

'Je hoeft niet zo sarcastisch te doen, Adriaan,' zei ze. 'Ik ben gewoon ziek van de zorgen om die jongen.'

Ik hoorde mijn vader op gebiedende toon zeggen: 'Geef de telefoon aan mij, Pauline.' Tegen mij zei hij: 'Dit is slecht nieuws voor de fans van hightechwapens. Tomahawk-raketten horen in staat te zijn om in een straal van 690 mijl van de lanceerinrichting hun doel te vinden, ze navigeren langs en door gebouwen heen en kunnen iets ter grootte van een brievenbus nauwkeuriger raken dan de posterijen. En die stomme dingen kosten 600.000 dollar per stuk! Ik ben er kapot van, Adriaan, de technologie laat ons in de steek. David had alleen maar een slinger, maar hij wist Goliath goddomme wél pal tussen zijn ogen te raken.'

Ik vroeg hem hoe lang hij al een fan van geavanceerde wapens was.

Hij zei dat hij altijd een zwak had gehad voor wapens, tanks en ander oorlogstuig, maar dat hij dat pas sinds kort durfde te bekennen. 'Je moeder heeft de echte George Mole nooit gekend,' voegde hij er bijna fluisterend aan toe.

Ik vroeg mijn moeder nog even aan de telefoon. 'Gaat de zomertijd vanavond in?' vroeg ik.

Dat bevestigde ze.

Ik vroeg of we de klok een uur vooruit of een uur terug moeten zetten; dat kan ik nooit onthouden.

'Ik geef je een ezelsbruggetje,' zei ze. 'In de lente wordt het later; worden de dagen guur, dan krijgen we een extra uur.'

'Maar moet de klok nou vooruit of een uur terug?' drong ik aan.

'In de lente wordt het later; worden de dagen guur, dan krijgen we een extra uur,' herhaalde ze.

Ik zei dat ik iets in de oven had staan en hing op. Ik kan niet met haar praten als ze in zo'n stemming is.

Zondag 30 maart

Moederdag. Begin van de zomertijd

De Amerikanen zijn op weg om Bagdad te bevrijden.

Marigold belde me in tranen op om te vragen waarom ik haar geen moederdagkaart heb gestuurd.

Sharon belde me in tranen op om te zeggen dat ze een moederdagkaart van Glenn had gehad. 'Er zat zand in de envelop,' zei ze snikkend.

Mijn moeder belde me in tranen op om te vragen waarom ik haar geen moederdagkaart heb gestuurd.

Vanmiddag naar de Varkensstallen gegaan en bij een BP-station een kaart gekocht van een te jeugdig geklede vrouw die champagne drinkt in een nachtclub. Bij hetzelfde pompstation twee zakken houtblokken en een doos aanmaakblokjes aangeschaft. Het heeft geen zin om bloemen voor haar mee te nemen; de camper heeft geen tafel waar een vaas op kan staan.

Een van de varkensstallen heeft inmiddels vier muren, en binnenkort gaat het dak erop. Toen de zon zich vluchtig liet zien, deed mijn moeder haar houthakkershemd uit en ging ze in haar T-shirt en tuinbroek in de zon zitten. Het viel me op dat ze indrukwekkende spierballen heeft ontwikkeld.

Toen ik even in de camper was, zag ik dat Beest mijn moeder ook een kaart heeft gegeven. Ik voelde een steek van jaloezie. Hoelang slaapt die bruut nog in haar tent?

Maandag 31 maart

Gordon Brown heeft inmiddels drie miljard pond gereserveerd. 'De gewapende troepen hebben een behoorlijke uitrusting nodig,' lichtte hij toe. Eigenaardig is het wel; ik heb op televisie zijn lichaamstaal bestudeerd en volgens mij is hij helemaal niet zo enthousiast over de oorlog.

Dinsdag 1 april

Eén april

Glenn belde me om me alvast te feliciteren met mijn verjaardag.

Ik vroeg waar hij was en hij zei: 'Ik sta voor je deur met mijn gsm.'

Ik rende naar de deur en rukte hem open, maar er was niemand. De grapjurk zei: 'Eén april, kikker in je bil!'

Ik kon het grappige er niet van inzien en vroeg nogmaals waar hij was.

'Dat kan ik je niet precies vertellen, dat is geheim,' zei hij. 'Maar ik ben nog steeds in een land dat begint met een K, en er is nog steeds veel zand in de omgeving.'

Het lag op het puntje van mijn tong om hem te vertellen hoeveel ik van hem houd en hoe bezorgd ik ben, maar het lukte me niet om het hardop te zeggen. Ik vroeg hoe het was, daar in dat zanderige land.

'Erg heet onder de voeten, pa,' zei hij zonder een greintje ironie.

Ik haastte me in de lunchpauze naar huis om op tijd te zijn voor de rattenvanger. Hij vulde een kleine zak met dode ratten die onder de keukenkastjes vandaan kwamen. 'Er is forensisch bewijs,' zei hij, 'dat de ruimte achter het bad bouwrijp wordt gemaakt voor nieuwe nesten. Het verbaast me dat u niets hebt gehoord.'

'Zijn ze soms steigers aan het bouwen?' vroeg ik. 'Gebruiken ze soms een betonmolen?'

'Waarom neemt u toch zo'n defensieve houding aan, meneer Mole?' vroeg hij. 'U hoeft u heus niet te schamen dat u ratten hebt. Misschien bent u gewoon hardhorend.'

Ik vertelde hem dat ik nog niet eens vijfendertig ben en dat ik de ratten naar alle waarschijnlijkheid niet heb gehoord omdat ik altijd meteen Radio Four aanzet zodra ik de badkamer binnen kom.

Het gesprek kwam op *The Archers*, en we waren het erover eens dat de boeren in de serie zo politiek correct worden dat ze nauwelijks nog geloofwaardig zijn.

'Stel je voor,' zei ik, 'straks introduceren ze nog een indiaanse uit Amerika die Rennend Hert heet en haar tipi opzet op het parkeerterrein van The Bull.'

Hij lachte zo hard dat hij zijn zak met ratten bijna liet vallen.

Hij herinnerde zich ons vorige gesprek over vrouwen en informeerde naar de Marigold-situatie. 'Ik heb nog steeds met haar te maken,' zei ik, 'want ik ben nu eenmaal de vader van haar ongeboren kind. Ik zal het contact nooit helemaal kunnen verbreken.'

Hij vertelde dat hij zelf twee kinderen heeft, een jongen en een meisje, maar dat hij ze op bevel van de rechter niet mag zien. Ik vroeg waarom niet. 'Ik schiet nog wel eens uit mijn slof,' zei hij ontwijkend.

Gekeken naar *Midlands Today*.

Het eerste onderwerp was een bejaarde uit Nottingham die een overvaller met een komkommer in elkaar heeft geslagen.

Het tweede onderwerp speelde zich af in het dorp Humberstone en ging over de redding van een hond die Butch heet. Het dier had drie dagen beklemd gezeten in een afvoerbuis. Bij de reddingsoperatie waren niet alleen de politie en de brandweer betrokken geweest, maar ook een dierenambulance en een mobiele kantine. Persoonlijk had ik de hond gewoon in de afvoerbuis laten zitten, zonder eten, totdat hij genoeg was afgevallen om er op eigen kracht uit te kruipen.

Voor het derde onderdeel werd overgeschakeld naar Londen. Pandora Braithwaite was gefilmd op Westminster Green, tegenover the House of Parliament, en deelde mede dat ze was afgetreden als staatssecretaris van Milieu. Ze zag er verdrietig en boos en mooi uit. Ze vertelde dat ze zich honderd procent zal blijven inzetten voor haar kiezers in Ashby de la Zouch, maar dat ze de invasie van Irak 'onmogelijk kan steunen'.

Woensdag 2 april

Mijn verjaardag

Ik ben vandaag vijfendertig geworden, en daarmee officieel van middelbare leeftijd. Van nu af aan gaat het alleen nog maar bergafwaarts: parodontitis, invalidenwagentjes en de dood.

Ik heb helemaal geen zin om feest te vieren, niet met Glenn in het Midden-Oosten.

Na mijn werk ben ik naar de Varkensstallen gegaan om mijn moeder op te halen voor een bezoek aan het ziekenhuis. Beest heeft verbijsterende vorderingen gemaakt. Het dak kan er bijna op, en hij is klaar met het graven van de geul waar straks het water door zal worden aangevoerd.

Aan het bed van mijn vader maakte ik het cadeau open dat Marigold naar de winkel heeft laten brengen. Het was een verjaardagstaart die in een vogelhuis niet zou hebben misstaan.

Ik zal wel ouderwets zijn, maar ik vind slagroom, glazuur en kaarsjes nu eenmaal bij een verjaardagstaart horen. Mensen die een verjaardagstaart bakken van volkorenmeel en die versieren met zonnebloempitten, zouden moeten worden veroordeeld tot een taakstraf en een verplichte cursus fijne patisserie. Ik meen het, dagboek. Zou ik soms rechtser worden nu ik van middelbare leeftijd ben?

Mijn vader heeft een van de verpleegsters op pad gestuurd om meer golfspullen voor me te kopen! Een trui met ruitpatroon en een golfballenwarmer. Toen ik naar het waarom informeerde, zei hij: 'Je bent gewoon eigenwijs. Je hebt het nooit gedaan. Je bent nu vijfendertig, jongen, en je hebt nog nooit van je leven een partijtje golf gespeeld.'

Hij zegt het alsof ik nog nooit mijn eigen schoenveters heb gestrikt. Bovendien begrijp ik niet waarom hij me zo graag op een golfbaan wil zien; zelf is hij geroyeerd als lid van de Fair Green Golf Club omdat hij tijdens de hittegolf van 1993 een afgeknipte spijkerbroek droeg.

Mijn moeder gaf me een houtblok met een holte in het midden. Ik vroeg haar wat het was, en ze zei: 'Een proeve van Beests kunnen. Hij heeft het uitgesneden uit een oud stuk hout van de originele varkensstal.'

'Maar waar is het voor?' vroeg ik.

'Je kunt er van alles in doen,' zei ze. 'Appels, manchetknopen, autosleutels, wat je maar wilt.'

Nadat ik mijn moeder terug had gebracht, ging ik langs bij Nigel. Zijn moeder was bij hem in de aanbouw om zijn overhemden te strijken. Het arme mens kon nauwelijks bij de strijkplank, al stond het ding in de laagste stand. Ze was maar een meter vijfenveertig toen ik een tiener was, en ze is sindsdien alleen maar gekrompen. Het schijnt dat ze op drie kussens moet zitten om bij het stuur van de auto te kunnen.

Nigel had een nieuwe polyfone beltoon voor mijn gsm voor me gekocht. Hij liet me de verschillende tonen uitproberen. Ik kan kiezen uit neuszingen van eskimo's, hondengeblaf, leeuwengebrul, schapengeblaat, een zingende walvis, een huilende baby, het remmen van een Londense bus, het kwelen van een lijster, suites van Bach, de 'Hongaarse rapsodie', *Carmen*, *Jesus Christ Superstar*, 'Jerusalem', een Zoeloe-lied en een Dalek die 'Tring! Tring!' roept.

Na lang delibereren nam ik het Zoeloe-lied.

Thuis de televisie aangezet en met de koptelefoon geluisterd, want Mia Fox was thuis. De geallieerde bommenwerpers maken duizend vluchten per dag. Shock and Awe schijnt tot nu toe niet te hebben gewerkt. De inwoners van Bagdad gaan nog steeds de straat niet op. Zelfs niet om te vluchten

Ik hoop zo vurig dat Daisy me belt dat mijn tenen ervan gaan krullen als ik aan haar denk.

Donderdag 3 april

Gielgud en zijn vrouw, die ik van nu af aan Margot zal noemen, naar Margot Fonteyn, de balletdanseres, zijn pal tegenover mijn balkon een werkelijk kolossaal nest aan het bouwen. Ze gebruiken allerlei natuurlijke materialen en menselijk afval: riet, twijgjes, gras, stukjes touw, een nylon slipje dat op het jaagpad lag en dat eruitziet als een verscheurd exemplaar van de *Spectator*, allemaal bij elkaar gehouden met modder.

Toen ik thuiskwam van mijn werk, lagen er afschriften van mijn beide creditcards. Ik schrok me wild. De bestedingslimiet van £ 10.000 van mijn Mastercard is met £ 200 overschreden. Ze willen de tweehonderd pond onmiddellijk terug, en binnen achtentwintig dagen nog eens honderdnegentig pond. Barclaycard nodigt me per brief uit om lid te worden van hun wijnclub, en verder willen ze een minimale betaling van £ 222, eveneens binnen achtentwintig dagen. Ik heb het formulier ingevuld en twaalf flessen wijn uit de Nieuwe Wereld besteld.

Vrijdag 4 april

Een brief van Robbie, in een goed leesbaar handschrift.

Beste meneer Mole,

Hartelijk bedankt voor de verjaardagskaart en ook voor de boeken. Ik zou u zeer erkentelijk zijn als u kans ziet nog wat meer boeken te sturen. Een cheque om de kosten van de boeken en de frankering te dekken sluit ik bij. Glenn had een taart voor me, gebakken door de jongens in de veldkeuken. Ik snap niet hoe ze het hebben klaargespeeld, want de omstandigheden zijn hier niet ideaal.

Ik heb vandaag geprobeerd een blikje ananas open te maken volgens de beschrijving van Jerome K. Jerome. Ik heb Glenn bepaalde passages voorgelezen, maar hij moet alleen lachen als het over de hond Montmorency gaat.

Vriendelijke groet,

Robbie

Zaterdag 5 april

Ik heb meneer Carlton-Hayes er vandaag op gewezen dat we geen optimaal gebruikmaken van de kamers achter en boven de winkel.

'Maar ik voel helemaal niet de behoefte om de zaak zo drastisch uit te breiden,' wierp hij tegen. 'Denk eens aan het extra personeel dat we zouden moeten nemen, denk eens aan de administratieve rompslomp die dat met zich mee zou brengen. Ik ben te oud om me zoveel zorgen op de hals te halen.'

Ik heb nog wel opgemerkt dat hij duizenden ponden huur betaalt voor ruimten die vrijwel nooit worden gebruikt.

Vanavond vanaf het balkon toegekeken terwijl Gielgud en Margot de laatste poot/snavel legden aan hun nest. Geluksvogels zijn het, en ze beseffen het niet eens. Dat hele nest heeft ze niets gekost en ze hoeven niet naar Ikea.

Zondag 6 april

Robbie teruggeschreven.

Beste Robbie,

Het doet me genoegen dat je zo geniet van *Three Men in a Boat*. Het is ook een van mijn favorieten.

Ik wil je met alle liefde meer boeken sturen. Durf je het aan mij over te laten om de titels te kiezen, of heb je zelf auteurs die je graag leest?

Veel liefs voor Glenn, en zeg tegen hem dat hij te allen tijde zijn helm moet dragen. Datzelfde geldt trouwens ook voor jou.

Hartelijke groet, en pas op jezelf,

Meneer Mole

Maandag 7 april

Vandaag hebben we de winkel dichtgedaan om een partij boeken te taxeren in een grote Victoriaanse villa in de rosse buurt van Leicester. Ik kom daar liever niet met de auto, dus hebben we een taxi genomen. Terwijl we over de verkeersdrempels hobbelden en tussen andere snelheidsbeperkende maatregelen door manoeuvreerden, wees ik op de bezienswaardigheden: de jongens die crack bezorgen, herkenbaar aan hun capuchons en de hoge snelheden waarmee hun brommers door de straten jakkeren, en de tienerhoertjes die in hun minuscule truitjes en hotpants staan te bibberen in de deuropeningen van hun peeskamertje, hun armen om zich heen geslagen.

'Arme kinderen,' zei meneer Carlton-Hayes. Hij had een entomoloog kunnen zijn die met tegenzin een zeldzaam insect vastprikte.

Voor de deur van Crimea Road nummer elf werden we opgewacht door Lawrence Mortimer, zoon en executeur van mevrouw Emily Mortimer, die een week of vijf geleden in datzelfde huis haar laatste adem uitblies. Mortimer gooide de sigaret die hij rookte op straat en begroette ons nogal bruusk. 'Het is een troep binnen. Mijn moeder heeft jarenlang niets meer aan het huishouden gedaan.'

We liepen met hem mee naar binnen en kwamen in een ruime hal. Tegen elke zichtbare muur stonden boekenkasten. Stapels boeken lagen op de grond, op tafels, op stoelen, op de keukentafel, en zelfs naast het afdruiprek en op de traptreden. Boven zagen we dat zelfs het bad vol lag met boeken.

'Zoals u ziet,' zei Lawrence Mortimer, 'was mijn moeder al jaren kierewiet. Mijn vrouw en ik hebben in 1999 geprobeerd haar opgenomen te krijgen, maar haar arts was van mening dat iemand niet gek kan worden verklaard omdat hij of zij boeken verzamelt.'

'Gelukkig niet,' zei meneer Carlton-Hayes. 'Dan zou ik al jaren in een geluidsdichte isoleercel zitten.'

Ik was zo opgewonden dat ik nauwelijks adem kon halen; een van de slaapkamers bleek helemaal vol te staan met kinderboeken in plastic kaften. Ik hoopte in stilte dat meneer Carlton-Hayes het hoofd koel zou kunnen houden.

'Ik wil ze zo snel mogelijk weg hebben,' zei Mortimer, 'dan kunnen we tenminste bij de meubels en tapijten onder al die rotzooi.'

We beklommen de trap naar de zolderverdieping. De kamers daar lagen tjokvol met misdaadromans. Lawrence Mortimer gaf een schop tegen een stapel Ed McBains en zei: 'Ik heb plannen voor dit huis. Volgens mij passen er minstens vier asielzoekers in een kamer.'

Tot mijn starre verbijstering zei meneer Carlton-Hayes: 'O, met een beetje goede wil krijgt u er gemakkelijk zes in een kamer, meneer Mortimer. Die asielzoekers zijn meestal aan de magere kant.'

Het sarcasme ontging Mortimer; met zijn hoofd schuin bekeek hij de kamer aandachtig, alsof hij in gedachten al zes bedden zag staan.

Ik vroeg Mortimer of hij van lezen hield. 'Ik lees alleen als het moet,' zei hij.

'Wilt u helemaal geen boeken voor uzelf uitzoeken?' vroeg ik.

'Nee,' zei hij. 'Ik wil er vanaf.'

Ik had nog nooit meegemaakt dat de eigenaar van een partij boeken de boekverkoper geld aanbood om zijn boeken weg te halen. We lieten ons door Mortimer vijftig pond betalen.

In de taxi terug naar de winkel zei meneer Carlton-Hayes: 'Het is zo'n onaangename man dat ik me volstrekt niet schuldig voel. We redden die boeken van de vuilnisbelt.'

De taxichauffeur maakte een opmerking over onze uitgelaten stemming; we zaten onafgebroken te grijnzen. De verzameling van mevrouw Mortimer is voor een boekverkoper het equivalent van goud vinden in de Klondike. Een ding laat me niet los: Lawrence Mortimer vertelde me dat zijn moeder in bed is gestorven met een boek in haar hand. Toen ik hem naar de titel van het boek vroeg, zei hij: 'Weet ik veel, het was gewoon een boek. Wat maakt dat nou uit?'

Ik citeerde Socrates: 'Het onbewuste leven is het niet waard geleefd te worden.'

Ook dit soort wijsheid was niet aan hem besteed. 'Ik ging met Kerstmis en Pasen bij haar op bezoek,' zei hij. 'Ik ben een drukbezet man.'

Dinsdag 8 april

Meneer Carlton-Hayes heeft voor het catalogiseren van de nieuwe aanwinst de hulp ingeroepen van een vriend van hem, Bernard Hopkins, een oud-boekverkoper. Volgens meneer Carlton-Hayes is Hopkins een alcoholist wiens goedlopende zaak letterlijk op de fles is gegaan. Hij is volmaakt competent en vriendelijk, mits hij een fles Absolut-wodka per dag kan drinken. Pas als hij geen drank kan krijgen of kopen ontstaan er problemen.

Vandaag ontving ik de volgende brief van de gemeente.

Buurtcoördinator Conflictbemiddeling
Leicester City Council
New Walk
Leicester LE1

Betreft: Burenoverlast

4 april 2003

Geachte heer Mole,

De brief waarin u melding maakt van overlast door uw buurman meneer Zwaan, is doorgespeeld aan mijn afdeling Conflictbemiddeling in de Wijk.

Wij zijn gespecialiseerd in het oplossen van conflicten en brengen door middel van bemiddeling verzoening tot stand.

Ik stel voor dat u en meneer Zwaan uw geschillen uitpraten, vanzelfsprekend op neutraal terrein, in aanwezigheid van onze vaste medewerker conflictbemiddeling.

Wilt u van deze service gebruikmaken, dan verzoek ik u contact met mij op te nemen. Dat kan telefonisch, schriftelijk of per e-mail op wijkdiplomatie.gov.uk

Ik beschik niet over het adres van meneer Zwaan. Als u me zijn adres geeft, zal ik zo spoedig mogelijk contact met hem opnemen.

Vriendelijke groet,
Trixie Meadows
Buurtcoördinator Conflictbemiddeling

Woensdag 9 april

Amerikaanse mariniers hebben vandaag een standbeeld van Saddam omvergetrokken. Ik heb ernaar gekeken, maar zonder geluid.

Mia Fox kwam zich laatst beklagen over het geluid van de *Archers*. 'Ik wil niet afgeleid worden door allerlei belachelijke verhalen,' zei ze. 'Het is de grootst mogelijke onzin dat Lynda Snell Robert twee lama's voor zijn verjaardag zou geven.'

Donderdag 10 april

Michael Flowers stuurde de stagiair langs met nog een briefje.

Adriaan,

Je weet het niet, want je vraagt nooit ergens naar, maar Marigold kan door extreme vermoeidheid bijna niet meer lopen. Toch heeft ze heel dapper aangekondigd dat ze haar uiterste best zal doen om op 16 april naar Capri te gaan, aangezien ze Netta niet teleur wil stellen.

Ik heb de reis nu geheel uit eigen zak betaald. Ik verzoek je dringend om vandaag nog jouw aandeel te voldoen, zoals beloofd.

M. Flowers

Meneer Carlton-Hayes begrijpt volstrekt niet waarom ik Marigolds vakantie betaal. Ik heb hem eraan herinnerd dat Marigold zwanger is van mijn kind.

In mijn lunchpauze ben ik naar het bouwfonds gegaan en ik heb duizend pond opgenomen van mijn zuurverdiende spaargeld.

Vrijdag 11 april

De Verenigde Staten hebben vandaag een spel van vijfenvijftig speelkaarten uitgebracht, met afbeeldingen van de belangrijkste verdachten. Saddam Hoessein is de schoppenaas.

Vandaag naar het postkantoor bij mij om de hoek geweest om Glenns verjaardagskaart en pakje te posten. Een oude dame kreeg van de beheerder te horen dat zijn agentschap gesloten gaat worden en dat ze in de toekomst naar een ander postkantoor zal moeten gaan.

Ik stond ongeduldig te wachten terwijl zij protesteerde. 'Maar ik kan niet met de bus. De treden zijn te hoog.'

Toen ze klaar was met een eindeloze en oersaaie klaagzang over vroeger overhandigde ik mijn pakje. Hij las het adres en zei: 'Koeweit? U zult wel behoorlijk in de rats zitten over uw zoon, meneer.'

Ik zei dat ik hoopte dat de oorlog snel voorbij zou zijn. Hij vertelde me dat zijn zoon bij het leger was gegaan en al na drie dagen weer ontslag had genomen, nadat hij op de paradeplaats een 'Pakistaanse pleurislijer' was genoemd.

Ik zei dat hij het had moeten melden bij een van zijn meerderen.

'Het was een officier die mijn zoon beledigde,' zei hij.

Ik bood namens het Britse leger verontschuldigingen aan, tekende zijn petitie en zei dat ik hoopte dat de posterijen zijn agentschap open zullen houden.

Vijf minuten nadat ik thuis was gekomen van mijn werk klopte Mia Fox op mijn deur. 'Ik hoorde je de sleutel in de deur steken en dat je water opzette. Ze hebben vanmiddag je wijn gebracht. Ik heb de dozen bij mij laten neerzetten.'

Ik ging met haar mee naar boven om de wijn te halen, en stelde tot mijn schrik vast dat als ze helemaal rechts op haar balkon gaat staan, ze de glazen wand van mijn badkamer kan zien. Ik moet echt snel die gordijnen laten maken.

In bed werd ik gekweld door beelden van de oude dame op het postkantoor die tevergeefs in een bus probeert te stappen. Mijn psychische gesteldheid is op dit moment duidelijk een beetje wankel.

Ik moet eens op zoek naar een huisarts hier in de buurt.

Zaterdag 12 april

Er is vanochtend iets verschrikkelijks gebeurd. Terwijl ik in het keukentje was om koffie te zetten, werd een jongen pal voor de winkel aangereden door een bestelbusje. Hij was op slag dood. Voor hetzelfde geld was ik het geweest, weggevaagd door een botsing van tijd, ruimte en pech. Wat is ons leven toch fragiel. We zijn er zomaar geweest.

In de loop van de dag kwamen huilende meisjes in cellofaan verpakte bloemen leggen op de plek waar hij om het leven is gekomen.

Voordat ik naar huis ging, heb ik een paar van de kaartjes gelezen. Zelfs de ongeletterden gaan op zoek naar poëzie als ze extreme gevoelens willen uitdrukken. Op een van de kaartjes stond:

Maz, je was
een fijne knul,
altijd aardig
en altijd gul.

Op een ander:

God zei: 'Maz het is je tijd,'
dus ging je heen,
maar nu zijn wij je kwijt.

Een jongen in een sweater met capuchon legde een bos oranje anjers op het altaar voor Maz en vroeg of ik Maz' broer was, Anthony. Ik zei dat hij zich vergiste. De jongen zei: 'Anthony werkt in een bibliotheek en draagt een bril. Vandaar, snappie.'

Zondag 13 april

Waarom, o waarom, lopen de klokken in deze stad toch niet op tijd?

Waarom, o waarom, piepen de deuren in openbare gebouwen toch zo akelig?

Nigel belde en vertelde dat hij last heeft van een postblinde depressie.

In een poging hem moed in te spreken, vroeg ik hem wat hij het ergste vindt van blind zijn.

'Dat ik geen hol kan zien!' viel hij uit.

Ik dacht dat het hem goed zou doen om er eens uit te zijn, dus vroeg ik of hij zin had om samen met mij mijn vader op te zoeken in het ziekenhuis.

'Als je verder niets leukers te bieden hebt,' mompelde hij zonder veel enthousiasme.

Mijn vader zag er vandaag niet goed uit. De wond van de operatie op zijn rug is ontstoken geraakt en hij heeft hoge koorts.

Een moedeloos kijkende schoonmaakster die Edna heette, dweilde de vloer om zijn bed met pikzwart water.

Toen ik mijn vader vroeg hoe hij zich voelde, antwoordde Edna: 'Hij heb 'n slechte nacht gehad en ik most 'm vamôge dwingen om z'n ontbijt te eten, hè, George?'

Mijn vader knikte slapjes.

'As ik klaar ben met dweilen,' zei Edna, 'kom ik je effe lekker opfrisse.'

Toen ze een ander deel van de zaal dweilde, zei mijn vader: 'Edna is het zout der aarde, zij houdt me in leven. Al die kutverpleegsters hier zijn te nuffig om iemand te wassen. Gisteren zei ik tegen zo'n wicht dat m'n kont pijn deed, en toen zei ze: "Ik ben te hoog gekwalificeerd, meneer Mole. Als ik tijd heb, zal ik het team patiëntenhygiëne inlichten."'

Om de aandacht af te leiden vertelde ik ze over Maz.

'Hij had gewoon uit zijn doppen moeten kijken voordat hij de straat overstak,' vond Nigel.

Ik zei dat hij ongetwijfeld gelijk had maar dat hij toch op zijn minst enige compassie kon tonen.

Maandag 14 april

Het altaar voor Maz is inmiddels zo groot dat een en ander niet meer in verhouding staat tot de leeftijd en de populariteit van het joch.

De plaatselijke krant van vanavond had als kop:

Maz stierf een heldendood

Jonge held komt om het leven tijdens het verrichten van een goede daad. Martin Forster (Maz) ging nieuwe batterijen kopen voor het hoortoestel van zijn grootmoeder toen hij in de High Street door een bestelbusje werd geschept, hebben zijn bedroefde ouders vandaag onthuld.

Het altaar zit ons behoorlijk in de weg. De ingang naar de winkel werd er geheel door geblokkeerd, en dat terwijl de partij boeken van mevrouw Mortimer vanochtend bezorgd zou worden.

Ik vroeg de politievrouw die de wacht hield bij het altaar of de bloemen misschien iets opzijgeschoven konden worden, waarop ze me beschuldigde van gebrek aan respect voor de doden.

Toen haar dienst erop zat, heb ik het altaar zelf een halve meter verplaatst, iets meer naar de etalage van Habitat toe. Ik weet zeker dat Maz het me niet kwalijk neemt.

Er lag nu ook een versleten teddybeer, met een gedicht erop:

God kwam een engel tekort, dus riep hij Maz weg van deze planeet.
Hij zei: 'Ik wil een jongen die door en door goed is en nooit iets misdeed.'
Dus als je 's avonds naar de sterren kijkt,
Kies dan de ster die jou het mooiste lijkt,
Dat is onze engel, flonkerend in de nacht.
Huil maar niet, slaap zacht.
Slaap zacht, lieve jongen.
Liefs van mama en papa,
en van je allerliefste huisdieren Rex, Whisky en Soda

Een overdreven sentimenteel rijmpje, maar het greep me wel naar de keel.

Ik heb de bijeenkomst van de schrijversclub vanavond afgezegd wegens rattenactiviteit, de procedure die Gary Milksop tegen me heeft aangespannen en een gevoel van algehele malaise.

Ken Blunt zei aan de telefoon dat hij schoon genoeg had van de manier waarop de club wordt geleid, en hij bood aan de voorzittersrol van me over te nemen.

Mijn leven is geleidelijk geheel aan het desintegreren. Ik heb voor de zoveelste keer een cheque van geleend geld uitgeschreven en het bedrag op mijn rekening gestort. Hoewel ik het niet helemaal zeker weet, vrees ik toch dat ik hopeloos in de schulden zit.

Dinsdag 15 april

Voordat ik vanochtend de deur uitging, heb ik het ministerie van Defensie gebeld en een boodschap ingesproken voor meneer Hoon, om te informeren of hij mijn brief over soldaat Glenn Bott-Mole heeft ontvangen.

Om zes uur vanavond zond *Midlands Today* beelden uit waarop te zien is dat ik het altaar van bloemen verplaats, en de *Ashby Bugle* had als kop: 'Gevoelloze winkelier vernielt altaar'. Het artikel luidde:

Ex-televisiepresentator Adriaan Mole (35) is vandaag door de in rouw gedompelde familie Forster van harteloosheid en moedwillige vernielzucht beschuldigd. 'We zijn er helemaal kapot van,' verklaarden ze tegenover onze verslaggever. Nathan Silver, hoogleraar in de antropologie aan de universiteit van Loughborough, verklaarde vanmiddag: 'Het vernielen van een heilig altaar ter ere van een dode is bij alle volkeren op deze wereld taboe.'

Marigold belde en krijste: 'Mammie vertelde me dat je op de voorpagina van de krant staat wegens grafschennis. Iedereen haat je.'

Ik wees haar erop dat het stukje op pagina vijf staat, en dat het geen graf maar een altaar betrof, en verder heb ik gezegd dat ik het heel goed zou begrijpen als ze nooit meer iets met me te maken wil hebben.

'Je blijft de vader van mijn kind,' zei ze. 'Het is belangrijk dat we contact houden.'

Michael Flowers kwam aan de telefoon en droeg me op om Marigold en Netta morgen naar het vliegveld van Birmingham te brengen. 'Hun vlucht vertrekt om zes uur 's ochtends, dus je moet uiterlijk om vier uur in Beeby on the Wold zijn.'

Ik hoorde mezelf gedwee beloven dat ik er zou zijn.

Woensdag 16 april

Om drie uur vannacht opgestaan, een douche genomen, kleren aangetrokken, Gielgud bij het portier van mijn auto weggeslagen en naar Beeby on the Wold gejakkerd.

Voor de deur stond een kleine berg bagage, die ik in de kofferbak heb geladen. Marigold kwam naar buiten, ondersteund door haar vader, die een geruite ochtendjas droeg.

Marigold had een soort wijde kiel aan, wat zo te zien een positiejurk was en de Birkenstocks. Netta zag er ongeveer net zo uit. Tijdens de rit naar het vliegveld bespraken Netta en Marigold met elkaar hoe oneerlijk het is dat vrouwen negen maanden lang een baby in hun buik moeten dragen. Daarna kwam het gesprek op de naam die de baby moet krijgen. Ze besloten samen dat Rowan voor zowel een jongen als een meisje geschikt zou zijn. Mij werd niets gevraagd.

Netta had van tevoren geregeld dat er een rolstoel klaar zou staan om Marigold naar het toestel te rijden. Terwijl dit werd geregeld, vroeg het meisje achter de balie me, ten behoeve van de verzekering, wat Marigold mankeerde. Ik antwoordde naar waarheid dat ik geen flauw idee heb.

Toen ik het vliegtuig over de startbaan zag razen en los zag komen van de grond, voelde ik me een ander mens, en toen ik op de terugweg in de achteruitkijkspiegel keek, zag ik dat ik er tien jaar jonger uitzag. Voor het eerst van mijn leven vergat ik bang te zijn en ronkte ik met honderd kilometer per uur over de inhaalstrook van de M6.

Later vanochtend werd ik voorgesteld aan Bernard Hopkins. Hij is heel groot, zijn rug is krom en hij heeft een eivormig hoofd met bosjes levenloos zwart haar aan weerszijden. De haarvaten die het bloed om zijn gezicht leiden, lijken hier en daar op springen te staan. Hij ziet eruit alsof hij zich wild ergert aan het leven. Ik kreeg de indruk dat hij aangeschoten was, en hij rookte een sigaret. Normaal gesproken vindt meneer Carlton-Hayes het niet goed dat er in de winkel wordt gerookt, maar Hopkins lijkt carte blanche te hebben om te doen waar hij zin in heeft. Volgens mij heb ik nog nooit zo'n onbeleefde man ontmoet. Toen hij aan me werd voorgesteld zei hij: 'Je ziet er een beetje verwijfd uit. Ben je soms een flikker?'

Meneer Carlton-Hayes, die daarentegen juist altijd even hoffelijk is, reageert verrukt op alles wat Hopkins doet of zegt, zoals een trotse ouder die naar een vertederend peutertje kijkt, terwijl ik zelf het liefst Hopkins' slobberige ribfluwelen broek omlaag zou trekken om met mijn blote handen een paar flinke tikken op zijn achterwerk te geven.

Ik moet wel toegeven dat hij weet wat hij doet en veel van boeken houdt. Hij viel haast in katzwijm van blijdschap toen hij een eerste druk van Boswells driedelige *Life of Samual Johnson* tegenkwam. Hij liet me de boeken zien en zei: 'Kijk hier maar eens goed naar, lulletje. Hiervan vind je er echt geen dertien in een dozijn.' Hij streek met zijn hand over de kaft en mompelde: 'Marokijn met goudstempeling en plaatselijke beitsing in wafelpatroon, compleet met portret en uitvouwbare facsimiles.'

Het klonk als een toverspreuk. Ik hoop het boekverkopersjargon op een dag ook vloeiend te spreken. Ik vroeg hem hoeveel de werken waard zijn.

'Een kosjere aap maakt ook wel eens rare sprongen,' zei hij.

Ik heb vaak geen idee waar die man het over heeft.

Hij vroeg of ik zin had om in de lunchpauze samen iets te gaan drinken, dus gingen we naar de Dog and Duck op de hoek. Hij was ontzet toen ik een flesje water bestelde.

'Waarom ga je dan in godsnaam naar een pub, lulletje?' zei hij. 'Waarom blijf je dan niet gewoon in de winkel en steek je op de plee je kop onder de koude kraan?'

Om de een of andere reden vertelde ik Bernard van mijn uit de hand gelopen schulden.

Hij liet zich ontvallen dat hij al sinds zijn studiejaren in Oxford door schuldeisers wordt achtervolgd.

Donderdag 17 april

Het is de bedoeling dat Hopkins in de kamer aan de achterkant de verzameling Mortimer catalogiseert, maar hij komt telkens weer naar de winkel.

Een knappe studente medicijnen vroeg vandaag naar *Gray's Anatomy*. Ik toonde haar de drie exemplaren die we op voorraad hebben toen Bernard Hopkins zich ermee kwam bemoeien en vraagtekens plaatste bij de competentie van vrouwelijke artsen.

'Mijn oude moeder had een gleuf als huisarts,' zei hij. 'De gleuf had het te druk met d'r lippenstift en d'r maandverband om mijn goede oude moeder de zorg te geven die ze verdiende. Mijn moeder heeft het met de dood moeten bekopen, het arme mens.'

De studente werd volkomen overdonderd door deze aanval op haar sekse en ze verliet met lege handen de winkel.

Toen ik Hopkins terechtwees, zei hij met verstikte stem: 'Mijn moeder was een heilige. Ik heb bij haar gewoond totdat ze zesennegentig was, en zal ik je eens wat vertellen, Adriaan? Ze waste mijn zakdoeken met de hand, spoelde ze in rozenwater en streek ze in een perfect symmetrische punt. Elke ochtend voordat ik de deur uitging naar mijn werk haalde ze een zakdoek uit de la en die stak ze dan als pochet in het borstzakje van mijn colbert.'

Hij haalde een verfrommeld papieren zakdoekje uit zijn broekzak en veegde zijn ogen af voordat hij verder ging. 'Zelfs op haar zesennegentigste was ze nog mooi. Haar beeldschone gezicht vertoonde niet één rimpel, en ze had nog steeds ravenzwart haar. Rávenzwart, en dat op haar zesennegentigste.'

'Bernard,' zei ik, 'volgens mij idealiseer je je moeder. Het is zonneklaar dat ze achter je rug haar haren zwart verfde.'

Hij ontstak in hevige woede, en toen meneer Carlton-Hayes uit het kantoortje kwam en vroeg wat alle geschreeuw te beduiden had, beschuldigde Bernard mij ervan dat ik zijn moeder een snol had genoemd.

Ik verdedigde me door meneer Carlton-Hayes te vertellen dat ik alleen maar had gezegd dat Bernards moeder naar alle waarschijnlijkheid haar haren verfde.

'O, het beroemde zwarte haar,' zei meneer Carlton-Hayes. Hij trok een wenkbrauw op maar zei verder niets meer.

Wat hebben oude mannen toch met zakdoeken?

Vrijdag 18 april

Goede vrijdag

Glenn is vandaag achttien geworden. Ik hoop bij God dat hij niet naar Irak wordt gestuurd. Mijn zenuwen zouden er niet tegen bestand zijn als ik dag en nacht ongerust moet zijn over waar hij is en wat hij doet.

Tot nu toe hebben de Irakezen nog geen rozenblaadjes voor de tanks van onze troepen gestrooid. Integendeel, er wordt op grote schaal geplunderd en gestolen, en het leger stuit aan alle kanten op gewapend verzet. De bevrijding van meneer Blair is voor hun een bezetting.

Zaterdag 19 april

Paaszaterdag

De slechte publiciteit over het altaar heeft een nadelige invloed op de klandizie in de winkel. Mijn moeder vindt dat ik me moet inzetten voor een of ander goed doel. De dierenarts heeft onlangs vastgesteld dat Ivan aan epilepsie lijdt, dus stelt ze voor dat ik een benefietveiling organiseer om de Vereniging voor Epilepsieresearch bij Honden te steunen.

'Als je de harten van de Engelsen wilt winnen,' zei ze, 'moet je zorgen dat je met een hond op de foto staat.'

Ik ben bij Nigel langsgegaan en heb hem gevraagd of ik op de foto mag met zijn blinde hond, Graham.

'Graham is geen blinde hond,' snauwde hij. 'Wat zou ik in godsnaam moeten met een blinde hond? Graham is een geleidehond, en nee, jij gaat mijn hond niet exploiteren om je eigen imago op te poetsen.'

Ik vond het niet zo heel erg, want Graham is nou niet bepaald een mooie hond. Hij is de enige golden labrador die ik ooit heb gezien die scheel kijkt en korte pootjes heeft.

Nigel zei ook nog dat Graham het enige levende wezen is waar hij ooit van heeft gehouden.

Zondag 20 april

Paaszondag

Vanochtend heeft mijn thuisbioscoop het begeven, zodat ik het nieuws over de oorlog niet meer kan volgen. En dat terwijl ik snak naar elk stukje informatie en geen enkel beeld wil missen. Gisteren meende ik Glenn te zien rijden op een pantservoertuig, maar misschien vergiste ik me. Ik heb Bolleboos Henderson gebeld en gevraagd of hij me telefonisch advies kon geven. Hij bood aan om langs te komen. Ik zei: 'Bolleboos, ik kan je niet betalen. Geef me nou maar gewoon goedkoop advies over de telefoon.'

'Ik loop een beetje met mijn ziel onder mijn arm, Moley,' zei hij. 'Ik kom gewoon langs en dan bekijk ik het zaakje, z.k. Zullen we later op de middag samen een hapje lunchen? Op mijn golfclub krijg je een lekker stuk vlees met vier verschillende groenten.'

Bij het vooruitzicht om het grootste deel van de dag met Bolleboos Henderson door te brengen zonk de moed me in de schoenen, maar ik had inmiddels bedacht wat z.k. betekende, en als hij me zonder kosten weer met de buitenwereld kon verbinden, had ik het er graag voor over.

Bolleboos was er om halftwaalf, gekleed in een golftrui die erg leek op de trui die mijn vader me voor mijn verjaardag heeft gegeven. Ik ben verse koffie gaan zetten en babbelde met hem terwijl hij kabels losmaakte en opnieuw aansloot. 'Je doet gewoon te veel stekkers in hetzelfde stopcontact,' luidde zijn diagnose. 'Dan raakt de boel oververhit.'

Ik lachte zonder humor. 'Dat is een mooie beschrijving van mijn leven.'

Bolleboos negeerde mijn filosofische bespiegeling en zei: 'Het enige wat je nodig hebt, is een goed verlengsnoer. Ik heb er een liggen in de auto.'

Toen hij alles weer aan de praat had, hebben we samen een tijdje naar CNN gekeken. Ik voelde beklemming op mijn borst en mijn handen begonnen te zweten toen ze beelden lieten zien van Engelse soldaten die in de straten van Basra patrouilleerden.

Ik vroeg Bolleboos of hij kinderen had. Zonder erbij na te denken maakte hij het afgezaagde grapje: 'Niet dat ik weet.' Toen betrok zijn gezicht. 'Ik zou dolgraag kinderen willen hebben, maar het meisje met wie ik een gezin wilde stichten heeft me voor het altaar in de steek gelaten. Ik ben niet zoals jij, Moley. Ik kan niet goed met vrouwen omgaan.'

'Bolleboos,' zei ik, 'ik ben hopeloos met vrouwen. Mijn romantische leven is een grote puinhoop.'

'Maar je gaat trouwen met een van de liefste vrouwen die ik ooit heb gekend!' wierp hij tegen.

'Heb je het dan niet gehoord?' zei ik. 'Het huwelijk gaat niet door.'

'Ik had wel gehoord dat er problemen waren, maar ik wist niet dat alles officieel was afgeblazen,' zei hij. 'Denk je dat ik Marigold zou kunnen krijgen?'

'Krijgen?' grapte ik op schampere toon. 'Mij kost ze een vermogen.'

'Geld is geen probleem,' zei Bolleboos zacht. 'Ik heb niemand om het aan uit te geven, behalve mezelf.'

Onderweg naar de Fair Green Golf Club gingen we langs de Varkensstallen om mijn vaders golfclubs op te halen. Mijn moeder en Beest waren in de tent met de deurflappen dicht toen we aankwamen. Toen ze uiteindelijk moeizaam naar buiten kroop, vroeg ik haar wat ze aan het doen was.

'Beest hielp me bij het vlooien van de hond,' zei ze. 'Het doet me deugd om te zien dat je het verjaarscadeau van je vader draagt, maar is je haar niet een beetje te lang voor de golfbaan?'

De eerste varkensstal heeft inmiddels een dak. Mijn moeder krijgt met Beest in elk geval waar voor haar geld.

De Fair Green Golf Club ligt ingeklemd tussen het distributiecentrum aan de M1 en het nieuwe, raamloze industrieterrein. Bolleboos deed nogal geringschattend over mijn vaders golfclubs – hij zei dat het zo ongeveer museumstukken zijn – maar ik heb ze langs alle achttien holes met me meegesleept en ze hebben me uitstekende diensten bewezen. Ik heb mezelf niet belachelijk gemaakt; ik zat maar zestig slagen boven par, en dat is niet slecht voor een beginner.

Toen we aan een lauwwarme en smakeloze late lunch zaten, zei Bolleboos: 'Het is zo fijn om voor de verandering eens gezellig met iemand samen te eten. Op een vrouw na kan ik me geen beter gezelschap wensen, Moley.'

Ik keek om me heen in de eetzaal van het clubhuis. 'Ik besef nu pas wat er hier niet klopt: er is hier niet één vrouw.'

'Inderdaad,' beaamde Bolleboos. 'In het weekend worden er geen vrouwen toegelaten.'

Ik heb tegen hem gezegd dat hij naar cafés of de lunchroom van Sainsbury's moet gaan als hij vrouwen wil leren kennen.

'Ik doe al mijn boodschappen via internet,' zei hij. 'En bovendien heb ik het meisje met wie ik wil trouwen al ontmoet.' Hij bloosde en zaagde een stuk van de uitgedroogde *Yorkshire pudding*. 'Marigold.'

'Mijn Marigold!' riep ik uit.

'Ze is nu toch niet meer jouw Marigold?'

'Nee,' zei ik, 'maar ze krijgt wel een kind van me.'

'Dat vind ik niet erg, weet je,' zei hij. 'Je bent tamelijk intelligent en niet al te lelijk. Ik wil je kind alles geven wat hij nodig heeft, en ik weet dat ik Marigold gelukkig kan maken.'

Ik zei dat ik alles zou doen wat in mijn vermogen ligt om hem bij zijn verovering van Marigold te helpen. Hij nam mijn hand in de zijne en bleef me pijnlijk lang vasthouden.

Onderweg naar huis zette Bolleboos me af bij het ziekenhuis. Mijn vader was in de wolken toen hij wakker werd en zag dat ik in de golftrui naast zijn bed zat, met een tas vol clubs tussen mijn benen. Hij zei dat zestig boven par schitterend was voor een novice. 'Ik ben trots op je, jongen.'

Maandag 21 april

Paasmaandag

Is de oorlog in Irak voorbij? Jay Garner, een inmiddels gepensioneerde Amerikaanse generaal, arriveerde in Bagdad om als bewindvoerder aan de slag te gaan. Godzijdank. Het betekent dat Glenn snel weer naar huis kan.

Sharon belde om te zeggen dat ze van een paar oude lakens een spandoek wil maken dat ze aan de voorgevel van haar huis wil spannen als Glenn thuiskomt. 'Welkom thuis, held', moet erop komen te staan. Ze vroeg me om wat geld zodat ze de rode, witte en blauwe verf voor de tekst kan kopen. Ik kon moeilijk nee zeggen en heb beloofd dat ik morgen na mijn werk twintig pond langs zal brengen.

Dinsdag 22 april

De knappe studente medicijnen kwam vandaag terug om alsnog *Gray's Anatomy* aan te schaffen. Ik verontschuldigde me voor Bernard Hopkins' seksistische opmerkingen.

'Het geeft niet,' zei ze. 'Hij is duidelijk klinisch gek.'

Ik legde uit dat Bernards excentrieke gedrag in de wereld van de antiquarische en gebruikte boeken normaal wordt gevonden.

In mijn lunchpauze ging ik naar de markt, en ik wilde net een paar mango's uitzoeken toen ik Michael Flowers tegen het lijf liep. Hij vertelde me dat Netta heeft gebeld van Capri. Het hotel is geweldig en Marigold is weer een stuk opgewekter. Moeder en dochter ondergaan verschillende therapieën.

Woensdag 23 april

Het telefoontje waar ik al die tijd bang voor ben geweest. Glenn belde om te vertellen dat hij tegenwoordig vlak buiten Basra is gelegerd, in het zuiden van Irak. Hij vertelde me dat hij doodsbang was geweest toen hij door een woedende menigte werd ingesloten. Tijdens de patrouille had hij een jochie een zuurtje uit de kampwinkel gegeven. Het ene moment lachte het kind en zoog het op het snoepje, en het volgende stikte hij bijna omdat het zuurtje in zijn luchtpijp was geschoten.

Glenn herinnerde zich die keer dat zijn broertje William een vergelijkbaar probleem had gehad met een Mentos, en dat ik zijn leven had gered door hem aan zijn enkels ondersteboven te houden, dus deed hij dat ook met dit kind.

'Ik moest hem een beetje heen en weer schudden, pap,' vertelde Glenn, 'en dat zag er in de ogen van z'n ouwelui waarschijnlijk niet zo goed uit. Ik heb geprobeerd het uit te leggen, maar ik spreek geen Iraaks en volgens mij wist niemand wat "zuurtje" betekende, dus ik was nou niet wat je noemt popie Jopie.'

Kennelijk heeft Glenn de harten van de inwoners van Basra nog niet weten te veroveren.

Donderdag 24 april

Bernard Hopkins heeft de waardeloze boeken uit de verzameling van mevrouw Mortimer gehaald, en nu ga ik een boekverkoping houden ten behoeve van de Vereniging voor Epilepsieresearch bij Honden. Pandora komt om de lootjes te trekken; ze heeft onlangs een paar wilde en roekeloze opmerkingen gemaakt over hondenpoep op openbare plaatsen, en nu moet ze zoete broodjes bakken met de hondenliefhebbers in haar kiesdistrict. Meneer Carlton-Hayes en Bernard Hopkins hebben heel vriendelijk aangeboden om die dag te komen helpen.

Vrijdag 25 april

Tariq Aziz, de voormalige Iraakse vice-premier, heeft zich overgegeven aan de Amerikaanse troepen in Bagdad, maar bij een van de zogenaamde 'kleine verzetshaarden' zijn acht Engelse soldaten omgekomen bij een granaataanval. Hoe is het mogelijk dat mijn zoon vecht in een oorlog? Vanaf de dag dat hij bij mij kwam wonen, heb ik me verantwoordelijk voor hem gevoeld. Ik heb ervoor gezorgd dat hij behoorlijk te eten kreeg, dat hij een trui droeg in de winter, dat hij zijn hooikoortspillen slikte als de weerman waarschuwde voor hoge concentraties stuifmeel in de lucht. Ik lag wakker van de zorgen als hij vrijdagavond uitging en niet met de laatste bus thuiskwam. Elke keer dat hij de deur uitging, heb ik hem op het hart gedrukt alleen bij zebra's over te steken en oogcontact met dronken vreemden te vermijden. En nu zit die jongen zonder mijn bescherming in Irak, en ik kan niets voor hem doen.

Zaterdag 26 april

Ik heb een artikel uit de *Guardian* geknipt en opgestuurd naar meneer Blair. Hij heeft er misschien iets aan als hij zich moet verdedigen tegen critici van de oppositie die willen weten waar de massavernietigingswapens zijn. Ik citeer de eminente filosoof professor Popper: 'Hoeveel witte zwanen men ook ziet, het is geen bewijs dat alle zwanen wit zijn. Het zien van één enkele zwarte zwaan kan de onwaarheid van zo'n bewering aantonen.'

Ik zou me kunnen voorstellen dat meneer Blair dit citaat gebruikt tijdens een van zijn vele televisieoptredens. Hij is bijna net zo vaak op televisie als de weerman.

Op advies van Bolleboos Henderson heb ik een hypermoderne koeleenheid van Smeg besteld. De koelkast is gecomputeriseerd en laat het je weten als de uiterste verkoopdatum van de gekoelde etenswaren dreigt te verstrijken. Ik heb er genoeg van om mijn gewone koelkast open te doen en beschimmeld voedsel te zien.

Zondag 27 april

Ik was van plan om de boekverkoping ten behoeve van epilepsieresearch bij honden op de stoep voor de winkel te houden, met behulp van enkele schragentafels en de microfoon van Glenns oude karaokeset. Helaas spande het weer tegen me samen, en nadat ik de posters met de aankondiging door de hele straat achterna had gerend doordat de wind ermee aan de haal was gegaan, moest ik me gewonnen geven en sleepte ik de tafels en boeken weer naar binnen.

Het bleek niet handig te zijn om de verkoping naar binnen te verplaatsen. Het leek wel of elke epileptische hond in de East Midlands was gekomen, samen met hun baasjes, en er vonden enkele gemene gevechten plaats, waar Bernard Hopkins een einde aan maakte. De cameraploeg van *Midlands Today* kwam niet opdagen, terwijl dit wel was toegezegd.

Gelukkig bleek Pandora, die een gepassioneerde en hypocriete toespraak hield over het belang van honden voor de Britse samenleving en regeringssteun voor research naar typische hondenziekten, zelf een cameraploeg bij zich te hebben. Ze vormt het onderwerp van een televisiedocumentaire *The Public Life of Pandora Braithwaite*, die zal worden uitgezonden omstreeks dezelfde tijd dat haar autobiografie uitkomt, ergens in juli.

Ik complimenteerde haar omdat ze er zo jong uitzag in haar rood leren Prada-jasje, designerjeans en hooggehakte laarzen. 'Botox,' fluisterde ze. 'Iedereen in de partij laat het doen.'

Ik vroeg of ook meneer Blair zich had laten inspuiten.

'Nog niet,' zei ze, 'maar is het je niet opgevallen hoe jong en gezond Gordon er de laatste tijd uitziet?'

De *Ashby Bugle* had een verslaggever en een fotograaf gestuurd, maar ze wilden mij niet fotograferen en evenmin opschrijven wat ik te zeggen had. In plaats daarvan namen ze een foto van Pandora te midden van een meute epileptische honden. Wat mezelf betreft was het een publicitaire mislukking, hoewel de verkoop wel £ 369,71 heeft opgebracht, minus het bedrag van £ 3,19 dat ik kwijt was aan bleekwater en een desinfecterend middel om de winkel schoon te maken.

Ik vroeg Pandora of ze zin had om bij Wong te gaan eten, maar ze kon niet; ze moest naar een bijeenkomst met het moskeebestuur en daarna ging ze meteen terug naar Londen. Achteraf kwam dat wel goed uit, want mijn moeder belde om te vertellen dat mijn vader naar huis mocht, en of ik hem op wilde halen en thuis wilde brengen.

Ik ben geen medisch specialist, maar volgens mij heeft het ziekenhuis mijn vader veel te vroeg laten gaan. Hij kan nauwelijks zonder hulp staan. Nadat we een uur op een rolstoel hadden zitten wachten verloor ik mijn geduld, en kon ik van een vriendelijke bezoeker gelukkig een rolstoel lenen.

Er stond een harde wind, dus heb ik mijn jas uitgedaan en om mijn vader heen geslagen toen ik hem naar de auto duwde. Hij stak een sigaret op zodra hij in de auto zat, en ik bracht de rolstoel terug naar de afdeling.

Het is meelijwekkend om te merken dat hij nog steeds in het keurslijf van het ziekenhuis zit. Onderweg naar de Varkensstallen keek hij op zijn horloge en zei: 'Vijf uur. De etenskar komt nu langs.'

Ivan raakte helemaal door het dolle toen hij zag dat mijn vader eraan kwam, en hij rende naar ons toe, blaffend van blijdschap. Mijn moeder had in de camper een bed opgemaakt met schone lakens en slopen, en mijn vader kroop erin en viel in slaap.

Maandag 28 april

Nigel belde om te vertellen dat hij had gehoord dat ik was wezen golfen met mijn 'nieuwe beste vriend', Sukkel Henderson. 'Wat komt er hierna, Moley?' zei hij. 'Een georganiseerde riviercruise? Een volkstuintje? Lidmaatschap van de National Trust?'

Ik vroeg of het blindeninstituut al heeft besloten of Graham voorgoed mag blijven. Hij zei dat Graham had laten weten graag te willen blijven.

'Nigel,' zei ik, 'ik weet dat Graham een slimme hond is, maar zelfs hij kan niet praten.'

'Dat denk jij,' zei Nigel en hij legde neer.

Dinsdag 29 april

Marigold is te ziek om te reizen en moet daardoor twee weken langer op Capri blijven.

De stagiair bracht weer een briefje van Michael Flowers.

Beste Adriaan,

Helaas, arme Marigold is ziek geworden. Ze is oververmoeid geraakt door alle nieuwe indrukken.

Haar moeder en zij moeten langer in Hotel Splendid blijven. Je bent ongetwijfeld net zo bezorgd als ik, en je zult met me eens zijn dat het arme kind moet blijven totdat ze zich goed genoeg voelt om de terugreis naar Engeland te maken.

Een bijdrage van duizend pond lijkt me voorlopig voldoende.

Vrede,

M.F.

Ik heb Bolleboos meteen gebeld om hem het nieuws te vertellen. Hij zei dat hij toevallig in de buurt was, bezig met het installeren van een laptop in Fanny's, een erotische club, en dat hij naar de winkel zou komen zodra hij klaar was.

Ik moet toegeven dat Bolleboos geniaal is met technologie. Binnen een halfuur had hij een vlucht naar Napels geboekt, een boot naar Capri en een kamer in Hotel Splendid. Hij zei: 'Ik heb nog nooit van mijn leven zoiets als dit gedaan.'

Ik adviseerde hem om naar Next aan de overkant te gaan en een verkoper te vragen naar een geschikte garderobe voor Capri in april.

Hij vond het een lumineus idee en ging onmiddellijk naar de overkant.

Toen ik mijn moeder van Marigold vertelde, zei ze: 'Toen ik in verwachting was van jou werkte ik acht uur per dag in een koekjesfabriek, in de weekeinden werkte ik in een volkstuin, ik deed de was door erop te stampen in het bad, ik heb een heel rijtjeshuis behangen, in de avonduren bestierde ik een mobiele kapsalon en op vrijdagavond ging ik dansen. Ik rookte dertig sigaretten per dag en ik dronk elke avond voor het slapengaan een cognac met ginger ale.'

Woensdag 30 april

Achteraf gezien was het waarschijnlijk onverstandig om Bernard Hopkins uit te nodigen voor de bijeenkomst van de lezersgroep toen we *William, the Outlaw* van Richmal Crompton bespraken. Hij was onmiskenbaar dronken en meerdere keren beledigend, hoewel meneer Carlton-Hayes hem niet een keer terechtwees.

Lorraine opende de discussie. 'Ik heb gegierd van het lachen om dat boek. Die William, man, die is goed gek.'

'Toen ik eenmaal besefte dat het geen cowboyverhaal was,' zei Darren, 'kreeg ik de smaak helemaal te pakken. Ik zat vroeger bij een bende, maar op een gegeven moment eindigden we voor de rechter nadat we bij een oude dame hadden ingebroken om alle voetballen terug te krijgen die ze in de loop van een paar maanden van ons had ingepikt. Ik werd voorwaardelijk veroordeeld, maar de leider van onze groep, Dougie Willis, moest de cel in.'

Meneer Carlton-Hayes grinnikte. 'Ja, de autoriteiten waren opvallend mild als William weer eens brand had gesticht of bij iemand had ingebroken.'

'Wat ik wel eens zou willen weten,' zei Mohammed, 'is waarom de auteur, mevrouw Crompton, William Brown zo slecht heeft gemaakt. Die jongen is opgegroeid in een keurig middenklasse gezin, met fatsoenlijke ouders, een dienstmeid en een tuinman, met alle voordelen die bij zijn klasse hoorden. Mevrouw Crompton legt niet uit waarom William het slechte pad op gaat.'

'Het is de schuld van meneer Brown,' zei Lorraine, 'met zijn poeha en zijn aktetas en die gleufhoed van hem. Hij liet die jongen geen moment met rust. Geen wonder dat William een beetje wild werd.'

'Het spijt me dat ik het zeg, meneer Carlton-Hayes,' wierp Melanie tegen, 'maar ik begrijp werkelijk niet waarom u ons een kinderboek hebt laten lezen. En dan nog iets, we hebben tot nu toe alleen maar ouderwetse boeken gelezen. Begrijp me niet verkeerd, ik ben dol op ouderwetse boeken. Ik heb genoten van Jane Austen op televisie, maar wanneer gaan we nu eens iets moderns lezen?'

Meneer Carlton-Hayes bloosde een beetje. Melanie had zonder het te weten een gevoelige snaar geraakt; het recentste boek dat hij heeft gelezen is *Couples* uit 1968, en Bernard Hopkins beweert dat er na Nabokov geen behoorlijke schrijver meer is geweest, dus was het aan mij om een contemporaine roman te kiezen. Ik heb *White Teeth* van Zadie Smith voorgesteld.

Na afloop vroeg ik Hopkins of hij een leuke avond had gehad.

'Het is maar wat je leuk noemt, lulletje,' snoof hij. 'Sommige kleuters vormen een grotere intellectuele uitdaging dan dat theekransje van jou.'

Thuis las ik een mail van Bolleboos.

Zojuist in Hotel Splendid aangekomen. Marigold en haar moeder zijn met een excursie naar de krater van de Vesuvius. Ze gaan ook naar Pompeji en komen morgen pas terug. Wens me maar geluk.
Groet, Bruce

Donderdag 1 mei

Inlichtingen buitenland gebeld, en nadat ik Hotel Splendid in Grimsby en Hotel Splendid in Barcelona aan de lijn had gehad, kreeg ik eindelijk Hotel Splendid op Capri te pakken.

Ik vroeg of ik meneer Henderson kon spreken. Een Italiaans type zei in vloeiend Engels: 'Meneer Henderson is momenteel niet in het hotel, meneer. Hij maakt een excursie naar de Blauwe Grotto, meneer.'

George Bush heeft het einde van de grootschalige militaire operatie in Irak aangekondigd, dus de oorlog is nu officieel voorbij.

Glenn belde vanavond. Ik vroeg wanneer hij thuiskomt. 'Op zijn vroegst over een halfjaar,' zei hij. 'Ik ben hier op vredesmissie, pa.'

Ik vroeg hoe het hem beviel, daar in Irak. 'Niet goed,' zei hij.

Ik vroeg of er iets is wat hij nodig heeft.

'Een kogelvrij vest zou wel fijn zijn,' zei hij. 'Robbie en ik moeten samen met een doen.'

Ik vroeg of hij soms een grapje maakte.

'Nee,' zei hij, en hij voegde eraan toe: 'Ik moet hangen. Ik bel je een andere keer wel weer, pa.'

Vrijdag 2 mei

Vanochtend vroeg Hotel Splendid gebeld en gevraagd naar de twee Engelse dames, Marigold en haar moeder Netta Flowers. De Italiaan van de receptie zei: 'Er logeren zoveel Engelse dames in ons hotel. Hoe zien ze eruit?'

'Ze zijn allebei uitzonderlijk slecht gekleed,' zei ik.

'Alle Engelse dames zijn slecht gekleed, signor,' zei hij.

Ik verduidelijkte dat Marigold dun haar heeft en een bril draagt, en dat haar moeder Netta groot en blond en roze is, en varkensachtiger dan Mussolini.

'Ja, die dames ken ik wel,' zei hij. 'Ze zitten te ontbijten op het terras.'

Terwijl ik wachtte tot Marigold aan de telefoon zou komen, hoorde ik zeemeeuwen, gelach en het rinkelen van duur serviesgoed. Uiteindelijk zei de receptionist: 'Hier komt ze.'

Marigolds ijle stemmetje piepte in mijn oor. Ik vroeg hoe het mogelijk was dat ze wel een inspannende excursie naar de krater van een vulkaan kon maken, maar zich niet goed genoeg voelde om in een vliegtuig naar Engeland te stappen.

'Ik heb mezelf naar de top van de Vesuvius gesleept,' zei ze, 'omdat het inademen van vulkanische dampen goed is voor de gezondheid. Mammie denkt dat de baby mijn minerale reserves uitput.'

Ik vertelde haar dat Bolleboos Henderson in het hotel is met het geld om haar verlengde vakantie te betalen.

'Is Bruce hier?' Ze klonk verheugd.

Vervolgens hoorde ik het hoge lachje van Bolleboos, gevolgd door een kirrende uitroep van Marigold. 'Bruce! Wat leuk dat je er bent!'

Toen werd de verbinding verbroken.

Zaterdag 3 mei

Opnieuw een brief van de gemeente.

Buurtcoördinator Conflictbemiddeling
Leicester City Council
New Walk
Leicester LE1

1 mei 2003

Beste heer Mole,

Hierbij deel ik u mede dat ik heb geschreven aan meneer Zwaan, p/a Het Zwanennest, Rat Wharf, Leicester, om hem te laten weten dat u een klacht tegen hem hebt ingediend bij onze afdeling conflictbemiddeling.

Ik stel voor, mijnheer Mole, dat u een logboek bijhoudt van het asociale gedrag van uw buurman.

Met vriendelijke groet,
Trixie Meadows
Buurtcoördinator Conflictbemiddeling

Zondag 4 mei

Ik ben *Lolita* van Vladimir Nabokov aan het lezen. De hoofdpersoon heet Humbert Humbert, hetgeen wijst op een gebrek aan fantasie van de auteur. Hij had toch op zijn minst een andere achternaam kunnen verzinnen.

Maandag 5 mei
Bank Holiday

Naar Sainsbury's gegaan. Stond met een licht gevoel van radeloosheid voor de schappen met Kipling-producten. Ik weet dat ik nooit samen zal zijn met de vrouw van wie ik hou. Ik moet me er maar bij neerleggen dat ik altijd ongelukkig zal blijven; zo moeilijk kan dat toch niet zijn; ik ben per slot van rekening geen Amerikaan die het als een constitutioneel recht beschouwt om gelukkig te zijn. Met mijn boodschappenmandje vol zoete lekkernijen naar de kassa.

Voor me in de rij stond een gebruinde vrouw in een trainingspak. 'Kijk eens, alleen maar zoete troep,' fluisterde ze tegen haar partner. 'Het komt door dat soort mensen dat de kosten van de gezondheidszorg de pan uit rijzen.'

Ik hoorde haar omdat al mijn zintuigen en organen op scherp staan. Mijn zenuwuiteinden zijn zo gevoelig dat zelfs het bestaan op zich al pijn doet. Misschien heb ik iets onder de leden.

Dinsdag 6 mei

De kostenoverzichten van mijn creditcards lagen in de bus toen ik thuiskwam van mijn werk, maar ik was te depressief om ze open te maken. Ik heb ze in de la met keukensnufjes gelegd. De la die ik nooit gebruik.

Woensdag 7 mei

Toen ik thuiskwam, zag ik een briefje dat onder mijn deur door was geschoven. Het was een verzoek om agent Aaron Drinkwater te bellen.

Ik belde het nummer op het briefje en kreeg zijn voicemail. Een lugubere stem zei: 'Deze post is alleen bemand tussen negen uur 's ochtends en vijf uur 's middags op woensdag, donderdag en vrijdag, en op maandag en donderdag van een uur 's middags tot drie uur 's middags. In het weekend en op zon- en feestdagen is het kantoor gesloten. Als u mij wilt spreken, spreek dan een korte boodschap met uw naam en telefoonnummer in, dan zal ik mijn best doen om u terug te bellen. Ten gevolge van mijn vele beroepsmatige verplichtingen kan dat soms enige tijd duren.'

Donderdag 8 mei

Ik heb de voicemail van agent Aaron Drinkwater zeven keer ingesproken. Mijn laatste bericht was een tikkeltje geërgerd. Ik heb hem van plichtsverzuim beschuldigd en gezegd: 'U zit op dit moment natuurlijk met uw voeten op het bureau de krant te lezen, grinnikend omdat ik voor de zoveelste keer bot vang.'

Ik heb er nu spijt van dat ik boos ben geworden, en verwacht elk moment het roffelen van een wapenstok op mijn deur.

Vrijdag 9 mei

Bolleboos belde; hij zingt gewoon van blijdschap. Hij vertelde dat hij geweldig goed met Marigold en haar moeder kan opschieten, en dat de dynamiek tussen hen drieën volledig positief is. Marigold ziet er volgens hem betoverend mooi uit, en gisteravond hebben ze op het terras gedanst op 'Love is a Many Splendored Thing', gezongen door Antonio, 'hun' ober.

Zondag 11 mei

Vanmiddag naar de Varkensstallen geweest. In de eerste varkensstal worden nu de ramen geplaatst, door Malcolm en Stan, van een bedrijf dat Keencraft heet. Beest was bezig met het afhangen van de voordeur.

Mijn moeder probeerde bakstenen te metselen in varkensstal nummer twee. 'Het is zo frustrerend, Adriaan,' zei ze. 'Telkens als ik een steen leg puilt het cement eruit. Het lijkt een beetje op het eten van een tompoes, alleen dan minder lekker.'

Ik wees haar erop dat ze te veel cement gebruikte.

'Als jij het allemaal zo goed weet,' viel ze geïrriteerd uit, 'laat me dan zien hoe het moet.'

Na een paar mislukte pogingen moest ik toegeven dat metselen gemakkelijker lijkt dan het is.

Mijn vader zat op het trapje van de camper en keek alsof hij zijn laatste oortje had versnoept. Ik vroeg hem waarom hij zo in mineur was.

'Afgelopen week kwam er een kerel langs van de afdeling duurzame energie om te bekijken of we in aanmerking komen voor een windmolenpark,' vertelde hij. 'En wat voor dag had hij daarvoor gekozen, Adriaan? Een dag zonder een zuchtje wind. Compleet windstil was het. Geen blad bewoog. De lucht was zo stil als de pik van een dode kat. Elke andere dag wor' je hier van de sokken geblazen door een orkaan, maar nee hoor, hij moet zo nodig langskomen op een dag dat de wind z'n biezen heeft gepakt en dat kut-Ibiza aandoet.'

Maandag 12 mei

De bijeenkomst van de schrijversclub werd bij mij thuis gehouden. Ik ben het spuugzat om in het centrum van de stad naar een rustige pub te zoeken waar literaire aangelegenheden besproken kunnen worden. Het lijkt wel of alle cafés in het centrum de tafels en stoelen hebben weggedaan, zodat er nu alleen nog verticaal wordt gedronken. De pubs zijn geannexeerd door beschonken jonge mensen die met zwarte rietjes bier uit flesjes drinken. Staand uiteraard.

Ken zei opnieuw dat hij ontevreden is over de manier waarop de groep wordt geleid. Hij lachte sardonisch en zei: 'Het is zelfs geen groep meer, jij en ik zijn tegenwoordig de enigen.'

Ik luisterde naar zijn nieuwste polemiek over de oorlog in Irak:

> Donald Rumsfeld,
> Er zijn dingen waarvan je zegt dat je ze niet weet
> Er zijn dingen waarvan je zegt dat je weet dat je ze niet weet
> Maar wat je niet weet is dat je nooit zult weten
> Hoeveel je nooit zult weten.

Toen hij weg was, dacht ik terug aan de gloriedagen van onze club van creatieve schrijvers, toen de leden urenlang geboeid zaten te luisteren als ik voorlas uit mijn roman *Lo, the Flat Hills of My Homeland.*

We zijn ooit met zestien leden begonnen, maar de afkalving begon al snel en nu zijn alleen Ken en ik nog over.

Dinsdag 13 mei

Bernard Hopkins en meneer Carlton-Hayes hadden vandaag een verhitte discussie over de oorlog in Irak terwijl ze bezig waren met het catalogiseren van de misdaadromans uit de Mortimer-verzameling. Ik hoorde Hopkins zeggen: 'Ze hebben vandaag een massagraf gevonden, Hughie. Vijftienduizend sjiieten boven op elkaar, als forenzen in een spitstrein, alleen waren de arme drommels allemaal morsdood.' Zijn stem brak van de emoties, of van de drank. Met Hopkins weet je het nooit.

Meneer Carlton-Hayes zei met lichte stemverheffing: 'Bernard, schat, ik heb nooit bestreden dat die Saddam Hoessein een hoogst onaangenaam type is, maar ik blijf van mening dat we illegaal een soevereine natie zijn binnengevallen.'

Ik dacht aan Glenn en hoopte dat hij inmiddels zijn eigen kogelvrije vest heeft gekregen.

Woensdag 14 mei

Bolleboos Henderson kwam vandaag langs in de winkel. De liefde, zijn Next-garderobe en de Italiaanse zon hebben voor een metamorfose gezorgd. Hij is als een sukkelige computer-nerd naar Capri gegaan en als een gebruinde Lothario in Leicester teruggekeerd. Zijn half kale hoofd ziet eruit als een glimmende kastanje, en de plukken en bosjes die hem altijd het aanzien van een verstrooide professor gaven zijn weg. Toen ik hem een compliment maakte, zei hij blozend: 'Een Italiaanse kapper.'

Ik vroeg hoe het tussen hem en Marigold gaat.

'Ze is met niemand te vergelijken,' stamelde hij. 'Ik heb gezien dat ze een piepklein zonnebed maakte van een luciferdoosje, een paar gebruikte lucifers en een lapje stof. We hebben uren gepraat, Adriaan. Op een dag ging ik pas om een uur 's nachts naar bed.'

Ik vroeg hoe hij tot deze waaghalzerij was gekomen.

'We hadden het over jou,' zei hij. 'Marigold is erg verbitterd. Ze zegt dat ze niet begrijpt hoe ze ooit verliefd op je heeft kunnen worden. Ze zegt dat je romanfiguren verkiest boven echte mensen.'

'Wat voor relatie hebben jij en Marigold nu precies?' informeerde ik.

'Ik wil met haar trouwen,' zei hij.

Ik vroeg of hij haar hand al heeft gevraagd.

'Ja,' zei hij, 'tijdens een vuurwerk boven de baai van Napels.' Hij keek een beetje onnozel toen hij dit vertelde.

Enigszins geërgerd, dagboek, vroeg ik hoe Marigold had gereageerd.

'Ze zei geen ja, maar ook geen nee.'

Vrijdag 16 mei

Met behulp van mijn verrekijker heb ik vastgesteld dat Gielguds vrouw zeven eieren heeft gelegd. Mijn grootste vrees wordt bewaarheid. Als de eieren zijn uitgebroed, krioelt het straks van de zwanen voor mijn deur.

Zaterdag 17 mei

In bad naar *I'm Sorry I Haven't a Clue* geluisterd. Ik heb dit amusante programma vaak gehoord, maar ik begrijp de spelregels van Mornington Crescent nog steeds niet. Vreemd, want ik moet een van de intelligentste mannen van de East Midlands zijn.

Zondag 18 mei

Radio Four een brief geschreven:

I'm Sorry I Haven't a Clue
Production Office
Radio Four
The BBC
Broadcasting House
London W1A

The Old Battery Factory, Unit 4
Rat Wharf
Grand Union Canal
Leicester LE1

18 mei 2003

Mijne dames en/of heren,

Ik schrijf als trouwe luisteraar van uw komische programma *I'm Sorry I Haven't a Clue*. Kennelijk heb ik de uitzending gemist waarin meneer Humphrey Lyttleton de spelregels van Mornington Crescent aan de leden van het panel heeft uitgelegd. U zou me een groot plezier doen door me alsnog uit te leggen hoe dit spel precies wordt gespeeld.

Met vriendelijke groet,
A.A. Mole

Maandag 19 mei

Toch de buurtcoördinator conflictbemiddeling, Trixie Meadows, nog maar een keer geschreven.

Leicester City Council
New Walk
Leicester LE1

The Old Battery Factory, Unit 4
Rat Wharf
Grand Union Canal
Leicester LE1

19 mei 2003

Beste Trixie Meadows,

Er is geen meneer Zwaan. De zwaan in kwestie verdient het voorzetsel 'meneer' niet. Hij beheerst onze taal niet, het is een dier, geen mens. Er kan niet met hem worden gepraat of overlegd, want het is een wild béést.

Hij is gevaarlijk en niet voor rede vatbaar. Met zijn uitwerpselen bevuilt hij het jaagpad, het parkeerterrein en af en toe zelfs de ingang van de Old

Battery Factory, waar ik woon. Hij maakt mij en mijn buren het leven zuur. Als de autoriteiten niet snel in actie komen om deze hinderlijke situatie te verhelpen, vrees ik dat het tot geweld zal komen.

Hoogachtend,

A.A. Mole

Dinsdag 20 mei

Agent Aaron Drinkwater stond vanochtend in alle vroegte op mijn deur te bonken, waarmee hij me wekte uit een diepe slaap. Tijdens het gesprek dat hierop volgde was ik in het nadeel, aangezien ik dringend moest plassen en niet naar de wc kon vanwege de glazen muur.

Drinkwater heeft me een formele waarschuwing gegeven en me verteld dat het Openbaar Ministerie een transcriptie heeft ontvangen van mijn gesprek met de dame van 999, die beweert dat ik haar heb beledigd en mij ervan beschuldigt dat ik op 3 februari van dit jaar de kostbare tijd van de politie heb verdaan.

Ik wilde de agent uitleggen van de postzak, maar hij viel me ongeduldig in de rede. 'We hebben ook een klacht binnengekregen dat u afval in het kanaal gooit.'

Dit ontkende ik heftig, waarop hij een klein plastic zakje uit zijn broekzak haalde. Er zaten een paar snippers in van de brief die ik maanden geleden heb verscheurd en over mijn balkon gegooid. Met het oog op de tegenwoordig zo geavanceerde forensische wetenschap, DNA en nanotechnologie, maar voornamelijk omdat mijn naam op een van de snippers stond, leek het me beter om dit vergrijp toe te geven. De politieman leunde tegen mijn aanrecht en gaf me een minipreek over het milieu. Hij sloot zijn reprimande af met de woorden: 'Een van die prachtige zwanen had er wel in kunnen stikken.'

Het zal duidelijk zijn dat agent Aaron Drinkwater niet tot mijn natuurlijke bondgenoten behoort.

Woensdag 21 mei

Een brief van Glenn.

Beste pa,

Het spijt me dat ik je lastig val, maar ik zit met een probleempje en ik hoop dat je me ermee kunt helpen. Heb jij in je winkel een boek waarin staat hoe mensen op kunnen houden met bang zijn? Elke keer dat ik in Basra moet patrouilleren ben ik bang. Soms is het zo erg dat ik ervan tril. Ik geloof niet dat iemand het heeft gemerkt, dus ik zit niet in de nesten of zo. Ik ben gewoon bang dat ik de andere jongens in de steek zal laten als hier de pleuris uitbreekt.

Pa, als de mensen hier met stenen en benzinebommen gooien, wil ik het liefst heel hard weglopen.

Als er zo'n boek bestaat, zou ik misschien kunnen leren om niet meer zo bang te zijn dat mijn ballen eraf worden geschoten, dat is verleden week met een van de Amerikanen gebeurd.

En verder, pap, kunnen de mensen niet verstaan wat we tegen ze zeggen als we bij een van de checkpoints staan, en wij verstaan hunnie ook niet. Nou, dan word iedereen dus kwaad op mekaar. Nou, als er zo'n boek bestaat, stuur het me dan alsjeblieft op.

Veel liefs,

Je zoon, Glenn

p.s. Zeg alsjeblieft niet tegen mama dat ik bang ben. Zeg maar tegen haar dat ik me rot lach en al lekker bruin ben.

Donderdag 22 mei

Ik liet meneer Carlton-Hayes de brief van Glenn lezen en bekende dat ik me geen raad weet van de zorgen omdat die jongen niet met de Iraakse bevolking kan communiceren. 'Glenn heeft al problemen met communiceren in het Engels,' zei ik, 'maar het feit dat hij geen Arabisch spreekt of verstaat zou zijn dood kunnen worden.'

'Maak je niet druk, lulletje,' zei Hopkins, 'die tulbanddragers begrijpen de loop van een geweer donders goed.'

Meneer Carlton-Hayes stuurde hem naar de achterkamer om een krat met Penguin paperbacks van een veiling te sorteren, en hij vertelde mij dat hij in de Tweede Wereldoorlog kaartjes kreeg met aan de ene kant een zin in het Duits, en aan de andere kant de Engelse vertaling.

Wetend dat hij Egyptologie heeft gestudeerd en Arabisch spreekt, vroeg ik hem of hij een paar van dat soort kaartjes voor Glenn kon maken. We zijn er samen voor gaan zitten en bedachten de volgende kernzinnen:

1. Wilt u alstublieft uitstappen
2. Doe alstublieft uw handen omhoog
3. Maak alstublieft de kofferbak open
4. Gooi alstublieft niet met stenen
5. Doe me alstublieft geen kwaad; ik ben pas achttien
6. Ik ben een bevrijder, geen bezetter
7. Bedankt voor uw medewerking

We waren het niet eens over nummer zes, maar ik heb voet bij stuk gehouden.

Vrijdag 23 mei

Lieve Glenn,

Hierbij stuur ik je *Hoe overwin ik mijn angst*. Ik heb er zelf veel aan gehad toen mijn fobie voor het rijden op de M6 de kop opstak.

Haal een paar keer diep adem als je de barakken verlaat; laat het verstand zegevieren, dat helpt altijd.

Denk aan leuke dingen. Herinner je je die zondagmiddag in Rampart Terrace toen je dertien was en mij versloeg met Monopoly? Jij, William en ik hebben brood geroosterd boven het kolenvuur met de oude haardvork van oma, en we dronken soep uit die speciale tomaatvormige bekers uit de winkel waar alles een pond kost. Weet je nog? Je droeg je eerste echte Reeboks, en je zei tegen me: 'Pap, ik ben gelukkig.'

Zoals je ziet sluit ik ook enkele systeemkaarten met nuttige zinnetjes bij. Mijn baas meneer Carlton-Hayes en ik hebben ze samen voor je gemaakt.

Meneer Carlton-Hayes stuurt je een bundel met gedichten van een soldaat uit de Eerste Wereldoorlog, met een briefje erbij.

Ik denk voortdurend aan je, knul. Je kunt er in elk geval van verzekerd zijn dat je vecht voor een goede zaak.

Veel liefs, papa

Beste Glenn,

Je vindt het hopelijk niet erg dat ik zo vrij ben om je te schrijven, maar je vader heeft me je brief laten lezen. Ik zat in de Tweede Wereldoorlog zelf bij de infanterie, en ik moet je bekennen dat ik vrijwel voortdurend in doodsangst verkeerde. Het is volstrekt normaal dat je bang bent. Ik hoop dat je troost zult putten uit de gedichten van Siegfried Sassoon. Soms zijn ze een beetje bloederig, maar het is een levensechte beschrijving van de oorlog, zoals je zult kunnen beamen als je ze eenmaal hebt gelezen.

Mijn allerhartelijkste groeten,

Hugh Carlton-Hayes

Zaterdag 24 mei

Een tienerjongen in een sweater met capuchon, de capuchon op zijn hoofd zodat zijn gezicht bijna niet te zien was, kwam de winkel binnen en drentelde besluiteloos rond. Toen ik vroeg of ik hem kon helpen, zei hij: 'Hebben jullie misschien een boek dat de bijbel heet?'

Jammer genoeg ving Bernard Hopkins de vraag op, en hij zei quasi-peinzend: 'De bijbel? Vertel me eens, lulletje, van wie is dat boek?'

Het joch bloosde. 'Kweenie,' zei hij. 'God, of zo?'

Hier moesten Hopkins, meneer Carlton-Hayes en ikzelf hartelijk om lachen.

Het jongmens is bezig met een werkstuk over het onderwerp vaders en zonen. Hij heeft God en Jezus gekozen.

Ik vroeg hem waarom hij zich niet tot de schoolbibliotheek had gewend, waarop hij vertelde dat hij uit de bibliotheek is verbannen omdat hij er een satsuma heeft genuttigd en 'per ongeluk' een pitje naar een vervelende trut heeft gespuugd.

Toen het ijs eenmaal was gebroken, raakte hij pas echt goed op dreef, en hij vertelde ons dat zijn moeder geen internetaansluiting wil, zodat hij niet kan downloaden van websites of dingen over kan schrijven, zoals de andere leerlingen. Hij vertelde het op verontwaardigde toon, alsof zijn moeder hem op blote voeten naar school liet lopen.

Bernard Hopkins nam de verkoop over en hij verkocht het jongmens voor vijfenzeventig penny een geïllustreerde kinderbijbel, waarin Jezus blond haar en blauwe ogen heeft en een beetje op David Beckham lijkt. Er zat maar een klein beetje schimmel op.

Zondag 25 mei

Bolleboos Henderson belde vanochtend om te vragen of hij en Marigold vanmiddag langs mochten komen. Ik maakte keel-doorsnijdende gebaren aan mijn kant van de lijn, maar zei wel dat het goed was.

Zijn bruine teint is er al een beetje af en zijn sukkeligheid is weer gedeeltelijk terug, maar ik heb hem nog nooit zo stralend gezien. Marigold is een ander mens; de zwangerschap doet haar goed. Ze konden bijna niet van elkaar afblijven. Het was misselijkmakend, dagboek.

Ze willen gaan trouwen en kwamen me om mijn zegen vragen, en verder wilden ze het over het ongeboren kind hebben.

'Ik wil de baby graag adopteren, Adriaan,' zei Bolleboos. 'Zal ik een notaris de benodigde papieren laten opstellen?'

'Ik ben te arm voor een notaris,' zei ik. 'Kunnen we dit niet bespreken als de baby er eenmaal is?'

'Ik wist wel dat hij moeilijk zou gaan doen, Bruce,' zei Marigold.

Bolleboos snoerde haar op verbazingwekkend autoritaire toon de mond. 'Begin nou niet wéér, Marigold,' zei hij, waarna hij haar gezicht met kleine kusjes overdekte.

Ik dacht aan 'Grace' in haar tutu en zei: 'Ik wil mijn rechten als ouder niet opgeven.'

Buiten begon een kind te gillen, en er klonk een luide, boze mannenstem. We gingen allemaal kijken op het balkon. Een man van middelbare leeftijd en een jongetje in een kano werden aangevallen door Gielgud. Hij flapperde met zijn vleugels en pikte naar 's mans peddel.

'Wat een gemeen beest,' merkte Bolleboos op.

'Hij beschermt gewoon zijn eieren,' zei ik tegen hem.

De man en het kind peddelden weg en Gielgud ging terug naar zijn nest.

Marigold zei dat ze zich niet lekker voelde, en Bolleboos sloeg beschermend een arm om haar heen en nam haar mee.

Bij de deur vroeg ik Marigold langs mijn neus weg hoe het met Poppy en Daisy ging.

'Poppy is met vakantie in Albanië,' zei ze, 'maar Daisy moest weer bij mijn ouders in Beeby on the Wold komen wonen.' Ze lachte en vervolgde voldaan: 'Ze is uit haar flat gegooid omdat ze vernielingen aanrichtte toen ze dronken was.'

Ik vroeg of Daisy ook haar baan kwijt was.

'Nog niet,' zei Marigold. 'Ze forenst.'

Ik moet haar zien, dagboek.

Maandag 26 mei

Bank Holiday

Ik heb Daisy gebeld, maar haar mobiele nummer is opgeheven. Vervolgens ben ik naar Beeby on the Wold gereden. Daar heb ik mijn auto neergezet op het parkeerterrein van de pub, en toen ben ik door de velden naar een plek gelopen waar vandaan ik de achterkant van het huis kon zien.

Er was niemand te bekennen, maar het kalmeerde me dat Daisy in de buurt was. Ik heb meer dan een uur lang met mijn rug tegen een boom gezeten. Ik had niets te lezen bij me en niets te doen behalve naar de wolken kijken, naar de vogels luisteren en verschillende insecten volgen op hun tochten door het gras.

Toen ik terugliep naar de auto nam ik me plechtig voor dat ik Daisy terug zal winnen, met haar zal trouwen en kinderen met haar zal krijgen.

Dinsdag 27 mei

Een brief van Trixie Meadows.

Buurtcoördinator Conflictbemiddeling
Leicester City Council
New Walk
Leicester LE1

26 mei 2003

Geachte heer Mole,

Ik heb me bijzonder gestoord aan de toon van uw brief. Meneer Zwaan heeft duidelijk hulp nodig, geen beschuldigingen.

U zegt dat hij onze taal niet beheerst. Heeft hij contact met onze afdeling Taalonderwijs voor Nieuwkomers? En weet hij dat onze Gemeentelijke Geneeskundige Dienst hem kan helpen met zijn incontinentie?

Misschien dat de problemen van meneer Zwaan de oorzaak zijn van zijn asociale gedrag. Ik ben nog steeds van mening dat praten en verzoening de aangewezen manier zijn om tot een bevredigende oplossing te komen.

In uw brief noemt u meneer Zwaan 'een wild beest' en dreigt u met geweld. Ik wil u erop wijzen dat deze negatieve houding juist een averechts effect heeft.

Met vriendelijke groet,
Trixie Meadows
Buurtcoördinator Conflictbemiddeling

23.35 uur

Daisy, Daisy, Daisy.

Woensdag 28 mei

Bernard Hopkins opende de discussie over *White Teeth* van Zadie Smith. 'Ze schrijft niet slecht voor een mokkel,' zei hij lijzig, 'maar Salman is beter.'

'Je noemt meneer Rushdie bij zijn voornaam,' zei ik tegen hem. 'Ken je hem persoonlijk?'

Hopkins tikte tegen de zijkant van zijn neus. 'Hij heeft bij me gelogeerd toen hij op de vlucht was voor Al-Qaeda.'

Mohammed viel verhit uit: 'U verwart de fundamentalisten met een terroristische organisatie!'

'In mijn ogen is het allemaal één pot nat, lulletje,' zei Hopkins.

'Dat hebt u dan helemaal verkeerd begrepen,' snauwde Mohammed. 'Het verschil is net zo groot als tussen dominee Ian Paisley en de homoseksuele bisschop van Boston. Toch noemen deze beide mannen zichzelf christenen.'

'Ik vond het een fantastisch boek,' zei Lorraine Harris. 'Ik ken mensen die net zo zijn als de mensen in het verhaal. Ik heb zo hard gelachen dat mijn bed ervan stond te schudden.'

Darren moest bekennen dat hij het niet had gelezen; hij is nog bezig in *Jude the Obscure*. In een adem door bekende hij de groep dat hij inmiddels probleempjes heeft met 'moeder de vrouw' omdat hij de hele tijd zit te lezen. Hij vertelde dat hij een boekenkast heeft gekocht voor in de woonkamer en de meubels moest verschuiven om er plaats voor te maken. Zijn vrouw heeft 'de smoor in' omdat de televisie nu te ver weg staat van de kabelaansluiting.

Meneer Carlton-Hayes knikte begrijpend, hoewel ik me niet kan voorstellen dat hij ooit dit soort huiselijke drama's heeft meegemaakt.

Ik heb Darren aangeraden om een cadeautje mee te nemen voor zijn niet-lezende vrouw: *Not a Penny More, Not a Penny Less* van lord Archer.

Aan mij het verzoek om een ander boek te kiezen. Ik stelde *Stupid White Men* van Michael Moore voor. Hopkins protesteerde en vloekte en zei: 'Als ik een boek had geschreven met *Stupid Black Men* als titel, zou ik zijn aangeklaagd wegens rassendiscriminatie.'

'Neem me niet kwalijk,' zei Mohammed zacht, 'maar zou het niet nuttig zijn voor ons allemaal als we de koran lazen?'

'Een uitstekend idee,' zei meneer Carlton-Hayes.

Onderweg naar huis ben ik in alle hippe pubs en cafés geweest, maar ik heb Daisy nergens gezien.

Vanavond in bed heb ik een paar bladzijden van de koran gelezen. Op de een of andere manier voelde ik me daardoor dichter bij Glenn.

Vrijdag 30 mei

De manager van Habitat belde om te zeggen dat Bernard Hopkins lag te slapen 'op een van onze gerieflijke tuinmeubelen'. Ik ben hem gaan halen. Voordat ik hem wakker maakte, heb ik een nieuwe bureaulamp aangeschaft. Het wordt tijd dat ik serieus aan een nieuw boek ga werken. Als ik Daisy niet kan krijgen, kan ik in elk geval een boek over haar schrijven.

Zaterdag 31 mei

Daisy! Voor mijn deur! Geen make-up, haren in de war, maar nog steeds mooi, in een legerbroek en een kort truitje dat haar middenrif onbedekt liet. 'Dit moet je lezen,' zei ze.

Ze kwam binnen en gaf me een dagboek met een omslag van roze zijde en een slotje. 'Het geheime dagboek van Marigold Flowers,' stond erop.

'Ga naar 25 mei,' zei Daisy.

Dat deed ik, en ik las in Marigolds kinderlijke handschrift:

Bruce en ik zijn vandaag bij Adriaan geweest om te praten over de bruiloft en wat er gaat gebeuren als de baby geboren is. Ik wilde Bruce in de auto op weg naar Rat Wharf vertellen dat ik niet in verwachting ben. Dat ik iedereen leugens heb verteld, maar ik kon mezelf er niet toe brengen. Ik ben bang dat ik Bruce kwijtraak

'Heeft ze het aan jou opgebiecht, Daisy?' vroeg ik.

'Nee,' zei ze. 'Ik was boven in haar slaapkamer en ik heb dat slotje opengemaakt. Ik zag haar gisteravond in de badkamer. Haar buik is zo plat als een pannenkoek. Ik vond dat je het moest weten, aangezien jij de vader van het spookkind bent.'

'Is er dan niets meer waar?' zei ik. 'Zijn er werkelijk massavernietigingswapens? Sta ik hier wel echt en ben jij wel van vlees en bloed, of zijn we hologrammen, Daisy?'

'We zijn van vlees en bloed,' zei ze. 'Ik wil nu eerst graag koffie, en dan gaan we het bewijzen.'

Zondag 1 juni

Helemaal niet geslapen, de hele nacht met Daisy gepraat. We hebben drie flessen wijn gedronken en twee zakken Doritos met salsa gegeten. Als toetje was er een rijpe mango, die we zittend in bad hebben verslonden.

Het is Daisy gelukt om de cd-speler aan de praat te krijgen, en we hebben gedanst op *Motown's Greatest Hits*. Ik had nog nooit naakt gedanst, en het duurde even voordat ik eraan gewend was dat mijn genitaliën heen en weer wiegden. Mia Fox bonkte met haar vuisten op mijn deur, maar Daisy riep: 'Doe ook eens lekker wild, stomme trut!'

Later, toen Daisy naast me lag te slapen, dacht ik aan alle keren dat ik ten behoeve van andere mensen pleziertjes heb laten varen. Terwijl Daisy gewoon volop geniet van wat er te genieten valt.

Dinsdag 3 juni

Daisy is vanochtend teruggegaan naar Beeby om Marigolds boek met onthullingen terug te leggen en een koffer met spullen te halen. Na het werk kwam ze naar de winkel, en ik heb haar op de trein naar Londen gezet; ze gaat op tournee om het dagboek van Edwina Currie te promoten.

Toen de trein de tunnel voorbij het station in ging, voelde ik de mogelijkheid van een nieuwe assertiviteit wegvallen en nam ik me voor om een bos bloemen voor Mia Fox te kopen om het goed te maken.

Ik heb Daisy nodig om iets van mijn leven te maken. Zonder haar zal ik nooit van een rups in een vlinder veranderen.

Het viel me op dat Donald Rumsfeld inmiddels zegt dat de massavernietigingswapens misschien wel nooit gevonden zullen worden. Dat kwam als een behoorlijke schok.

Meneer Blair houdt intussen vol dat hij 'geen moment' heeft getwijfeld.

Woensdag 4 juni

Ik kwam vanochtend een postbode tegen op het parkeerterrein, en zei dat ik verbaasd was hem al zo vroeg te zien. Hij vroeg me in gebroken Engels mijn naam en adres, en overhandigde me mijn post.

Er was een brief van de Automobile Association, waarin ze me laten weten dat ze tegenwoordig ook gas leveren en of ik misschien over wilde stappen van mijn huidige leverancier. Er waren ook twee rekeningen van mijn creditcards. De banken eisen betaling en dreigen het gehele bedrag van me terug te vorderen als ik niet onmiddellijk terugstort wat ik te veel heb uitgegeven. Verder dreigen ze in bedekte termen mijn kredietlimiet te verlagen.

Ik had geen keus, dagboek, en heb de laatste drieduizend pond van mijn spaarrekening opgenomen. Ik woon in een kapitalistisch land, maar ik heb geen kapitaal.

Waar is al dat geld toch gebleven? Als ik nou baadde in weelde, maar ik heb alleen een futon en een paar potten en pannen.

Donderdag 5 juni

Schokkende cijfers: 63 procent van de Engelsen gelooft dat meneer Blair hen heeft misleid over de massavernietigingswapens van Irak, en 27 procent gelooft zelfs dat hij willens en wetens heeft gelogen.

Ik weet niet meer wat ik moet denken.

Vrijdag 6 juni

Gisteravond tot laat gewerkt in de winkel. Toen ik om tien uur 's avonds wegging, wemelde het in de High Street van dronken jongelieden van beiderlei kunne die van de ene bar naar de andere trokken. Ik ben in het midden van de straat gaan lopen om ze te ontwijken en werd bijna overreden door een taxi vol minderjarige sletten. Een van hen gilde uit het raampje: 'Ga opzij, opa!'

Geen wonder dat mensen van middelbare leeftijd 's avonds de deur niet meer uit durven.

Zaterdag 7 juni

Na mijn werk naar Nigel gegaan om hem voor te lezen, zoals beloofd. Hij had *Misdaad en straf* van Dostojevski gekozen. De Russische namen zijn voor een normaal mens niet uit te spreken, en telkens als ik over zo'n naam struikel, begint Nigel te zuchten en mompelt hij dingen tegen Graham.

Ik heb hem verteld dat het tegenwoordig mogelijk is om Shetland pony's te trainen als blindengeleidepaarden. Het schijnt dat ze een beter geheugen hebben dan honden.

Graham kwam overeind, keek me aan en gromde.

'Goed zo, Graham,' zei Nigel. 'Brave hond.'

Ik vertelde Nigel van Marigolds spookzwangerschap en van mijn geheime verhouding met Daisy.

'Dostojevski zou er een dagtaak aan hebben om je bij te houden, Moley,' zei Nigel. 'Jouw leven is wonderlijker dan fictie.'

Ik liet Nigel beloven dat hij niemand over Marigolds spookbaby zal vertellen. 'Ik heb nog niet de kans gehad om haar erop aan te spreken,' zei ik. 'Ze is samen met Bolleboos naar een of andere computerbeurs.'

Nigel toetste een nummer in op zijn gsm en zei: 'Pandora, heb je de nieuwste gebeurtenissen in Moleys psychodrama al gehoord...'

Ik ben weggegaan zonder dag te zeggen.

Zondag 8 juni

Bij Sharon langsgegaan, nadat ik eerst had gebeld om zeker te weten dat Ryan er niet zou zijn. Toen ik vroeg waar hij was, zei Sharon: 'Hij gaat elke zondagavond tegen etenstijd naar Honeyz, een club met paaldanseressen.'

'Vind je dat niet vervelend?' vroeg ik.

'Nee hoor,' zei ze. 'Dan hoef ik tenminste niet te koken.'

Karan was thuis en kroop over het plakkerige tapijt. Ik vroeg waar de andere kinderen waren.

'Die zijn op stap met hun vaders,' zei ze. 'Het is omgangsdag.'

Ik begon over onze jongen, Glenn.

'Ik wor' helemaal gek als ik bedenk dat hij daar zit, Aidy,' zei Sharon. 'Hij heb zo'n pesthekel aan luide knallen. Weet je nog als er vroeger vuurwerk was? Hij drukte z'n handen tegen z'n oren omdat hij bang werd van duizendklappers.'

'We hebben het ook wel eens leuk gehad,' zei ik. 'Niet vaak, maar soms wel.'

'Ik denk nog vaak aan de tijd dat we met mekaar gingen,' zei Sharon. 'Ik heb nooit een betere vent gehad als jij. Je schreeuwde nooit tegen me, en je sloeg me ook niet.'

Ik vroeg of Ryan haar sloeg.

Ze kon me niet aankijken. 'Z'n handen zitten soms een beetje los, maar de kinderen raakt hij met geen vinger aan.'

Later leefde ze weer een beetje op en vertelde ze me dat ze via het banenplan van de overheid werk aangeboden heeft gekregen als corpulentiecoördinator. Voorwaarde is alleen dat ze dan eerst twintig kilo moet afvallen.

Ik heb haar aangemoedigd om op dieet te gaan. 'Glenn komt over vijf maanden terug,' zei ik. 'Zorg dat hij trots op je kan zijn, Sharon. Ga op dieet, zorg dat je die baan krijgt en schop Ryan eruit.'

23.30 uur

Daisy is terug, met mango's.

Maandag 9 juni

Ik was straal vergeten dat er een bijeenkomst van de schrijversclub was gepland. Ken Blunt stond om halfacht voor mijn deur. Ik stelde hem voor aan Daisy, die alleen een badhanddoek droeg. De futon getuigde van een recente vrijpartij, en Daisy's beha en slipje van Vivienne Westwood lagen midden in de kamer. Gezien de omstandigheden zat er niets anders op dan Ken te vertellen dat Daisy en ik een verhouding hebben.

'Ik heb een vrouw in Nottingham waar ik af en toe kom,' vertelde Ken.

'Dat verbaast me, Ken,' zei ik. 'Ik dacht dat je gelukkig getrouwd was.'

'Dat is nou precies waarom ik gelukkig ben met Glenda,' zei hij. 'Wat niet weet, wat niet deert.'

We gingen buiten zitten, op het balkon. 'Hebben zwanen eigenlijk een vaste partner?' vroeg Daisy.

Aangezien ik tegenwoordig expert ben op zwanengebied kon ik haar vertellen dat zwanen bij elkaar blijven tot een van de twee doodgaat.

We hebben met zijn drieën twee flessen wijn gedronken en over de liefde gepraat. Ken werd een beetje sentimenteel en zei dat hij vaak op het punt heeft gestaan om zijn vrouw van de maîtresse in Nottingham te vertellen. 'Ik weet zeker dat Glenda het zou begrijpen.' Hij lalde een beetje.

Daisy raadde hem aan om zijn mond te houden. Toen ik haar vroeg wat ze zou doen als ze ontdekte dat ik haar bedroog, kreeg ze een fonkeling in haar ogen die haar Mexicaanse moeder verried. 'Ik zou je ballen eraf snijden,' zei ze.

Ken en ik schoven ongemakkelijk heen en weer op onze stoel.

Het was al met al een bijzonder gezellige avond.

Toen Ken weg was, zei Daisy: 'Het was zo fijn om met iemand te praten die het weet van ons. Op de een of andere manier lijkt het nu echter.'

Ik vroeg haar waarom ze van me hield, en ze zei: 'Je lieve gezicht, je zachte stem en de manier waarop je haar krult in je nek.'

Ik was een beetje teleurgesteld; ik had verwacht dat ze mijn intelligentie, mijn algemene kennis en mijn gevoel voor humor zou noemen.

Dinsdag 10 juni

Ik weet eigenlijk niet of Daisy bij me woont of niet. Haar hele hebben en houden zit in zo'n koffertje waar je stewardessen altijd mee ziet. Ze is vandaag in Newcastle om reclame te maken voor een nieuwe ondersteunende beha; als achtergrond gebruiken ze de openstaande Millennium Bridge.

Meneer A. Mole
The Old Battery Factory, Unit 4
Rat Wharf
Grand Union Canal
Leicester LE1

I'm Sorry I Haven't a Clue
The BBC
Broadcasting House
Londen W1A

7 juni 2003

Beste heer Mole,

Hartelijk dank voor uw complimenteuze opmerking over *I'm Sorry I Haven't a Clue*. De spelregels voor Mornington Crescent waren al opgesteld voordat ik als productie-assistent bij het programma kwam werken. Hoe gênant het ook is, ik durf meneer Humphrey Lyttleton uw vraag niet voor te leggen, hij kan nogal opvliegend zijn.

Ik hoop dat u begrip hebt voor mijn dilemma.

Met vriendelijke groet,

Jessica Victoria Stafford

Woensdag 11 juni

Ik kwam te laat op mijn werk. Bernard Hopkins riep luid, zodat meneer Carlton-Hayes het kon horen: 'Alweer te laat, lulletje? Geeft niet, hoor. Ik vind het helemaal niet erg om jouw werk te doen.'

De hele ochtend lopen zieden van boosheid. Ik krijg sterk het vermoeden dat Hopkins op mijn baan aast.

Donderdag 12 juni

De gecomputeriseerde Smeg-koelkast die ik maanden geleden had besteld is eindelijk aangekomen uit Italië. Het is werkelijk een wonder van moderne techniek. Het apparaat waarschuwt wanneer de eieren bijna op zijn of wanneer de houdbaarheidsdatum verstrijkt.

Vrijdag 13 juni

Om vier uur vannacht maakte de koelkast me wakker om te laten weten dat de melk op is.

Vanavond heb ik Daisy opgehaald van East Midlands Airport. Ze kwam uit Dublin, waar een of ander reisbureau vrijgezellenavondjes wil gaan organiseren.

We zijn gaan winkelen bij Asda; mango's, champagne, brood, kaas en een speciaal schoonmaakmiddel voor de badkamer.

Zaterdag 14 juni

Vanochtend in bed hebben Daisy en ik besproken hoe we Marigold moeten vertellen dat we het weten van de spookbaby.

We waren het erover eens dat we naar Beeby on the Wold zouden gaan om haar de kans te geven uit eigen beweging de waarheid te vertellen, maar terwijl we ons aan het aankleden waren, ging mijn telefoon. Het was Bolleboos, die zei: 'Adriaan, ik heb slecht nieuws voor je. Marigold heeft helaas een miskraam gehad terwijl we weg waren.'

Hij klonk enorm verdrietig, dus het leek me beter om hem niet te vertellen hoe de vork in de steel zit. In plaats daarvan zei ik: 'Ik weet zeker dat ze jou de komende jaren heel veel baby's zal schenken, Bolleboos.'

Later zijn Daisy en ik naar de Flower Corner gegaan om Marigold een boeket te sturen. Daisy zei tegen de vrouw: 'Geen driehoekige platte vorm, graag.'

Op het kaartje schreef ik:

Beste Marigold, het heeft niet zo mogen zijn. Triest hoor. Liefs, Adriaan

Zondag 15 juni

Het is vandaag zeker vaderdag voor Gielgud; vanochtend zwommen er zeven kleine zwaantjes langs mijn balkon.

'Wat zijn die beesten lelijk,' zei ik tegen Daisy.

'Ik was vroeger ook lelijk,' zei ze. 'Het hielp ook al niet dat Netta onze schooluniformen zelf breide, inclusief het motto "Kan niet en wil niet betalen". Ik werd altijd gepest.'

Ik vroeg haar wat voor school dat was.

Ze zei dat het een particuliere school was, geleid door anarchisten.

Vanmiddag neem ik haar mee naar de Varkensstallen om haar in haar nieuwe rol als mijn geliefde aan mijn ouders voor te stellen.

Glenn stuurde een tekstbericht uit Irak:

> Fijne vaderdag.
> Geen kaarten in winkels, geen winkels.

Er was niets van William.

Ik liet Daisy rijden. Ze rijdt hard, maar wel goed. 'Vroeger had ik een hekel aan het platteland,' vertelde ze. 'Ik werd nerveus als ik geen bestrating onder mijn voeten had. Maar dit vind ik eigenlijk heel mooi.'

Met 'dit' bedoelde ze de zacht golvende heuvels van zuidelijk Leicestershire en de tunnels van bomen waar we doorheen reden.

Toen we uit de auto stapten, zag ik dat mijn moeder en Beest hun werk aan de varkensstal neerlegden. Mijn vader kwam uit de camper en keek naar ons. Ivan rende recht op Daisy af en sprong tegen haar op. Hij smeerde modder over haar hele camouflageoutfit, maar ze leek het niet erg te vinden.

Daisy had moeite met lopen vanwege haar hoge hakken, schopte toen haar schoenen uit en zette het op een drafje om mijn moeder te omhelzen.

Mijn moeder liet Daisy de verbouwde varkensstallen zien en ik gaf mijn vader zijn vaderdagcadeau, *Golfen voor katten* door Alan Coren. Het leek me echt iets voor hem. Op de omslag staat een illustratie van een kat, een golfclub en een swastika.

'Er staan allemaal grappige stukjes in,' zei ik tegen hem. 'Ik weet zeker dat je erom moet lachen.'

'Hoe vaak moet ik je nou nog vertellen, Adriaan,' zei hij, 'dat ik er geen behoefte aan heb om een ander boek te lezen. Als je *Jonathan Livingstone Seagull* eenmaal hebt gelezen, is elk ander boek overbodig.'

Hij kreeg een brok in zijn keel, wat altijd gebeurt als hij het over Jonathan heeft. 'Die zeemeeuw heeft het uiterste van zichzelf geëist, Adriaan. En hij moest het met de dood bekopen.'

Onderweg hadden we een vaderdagcake van meneer Kipling gekocht, en die sneden we aan. Ik nodigde Beest uit om bij ons te komen zitten, maar mijn moeder zei: 'Hij is vandaag een beetje wankel, Adriaan. Hij heeft zijn vader nooit gekend.'

Toen we afscheid namen, fluisterde mijn moeder in mijn oor: 'Ze is fantastisch, Adriaan. Probeer haar vast te houden. Praat met haar, zeg dat ze mooi is en koop bloemen voor haar.'

Maandag 16 juni

Daisy op de trein naar Londen gezet. Ze organiseert een benefietdiner voor het nationaal blindeninstituut.

Glenn belde!

Hij klonk anders dan normaal. Ik vroeg hem wat het knallen op de achtergrond was.

'Vuurwerk, pa,' zei hij toonloos. Hij vroeg of ik wel eens een lijk had gezien. Ik antwoordde ontkennend. 'Ik wel,' zei hij toen.

Er viel een tamelijk lange stilte. Ik wilde allerlei dingen tegen hem zeggen: dat ik van hem houd en dat het me spijt dat ik hem vroeger in de steek heb gelaten. In plaats daarvan vertelde ik hem dat ik hem en Robbie nieuwe boeken heb gestuurd, en dat hij ze binnenkort moet ontvangen.

'Om je eerlijk de waarheid te zeggen, pa,' zei hij, 'we komen nauwelijks aan lezen toe. Zou je iets anders voor me willen doen? Zou je naar de legerdump kunnen gaan en laarzen willen kopen voor Robbie en mij? We hebben Altama American Combat Boots nodig. Je herkent ze wel als je ze ziet, de zolen zijn net dikke melkchocoladerepen. Ik heb maat veertig en Robbie maat eenenveertig. Onze Engelse laarzen smelten in de hitte en ze vallen uit elkaar.'

Ik heb hem beloofd dat ik er morgen achterheen zal gaan.

Hij vertelde dat Robbie een van de gedichten uit zijn hoofd heeft geleerd. Ik vroeg welk.

'Ik geef hem wel even,' zei Glenn, en toen hoorde ik hem roepen: 'Robbie, Robbie! Kom dat gedicht eens opzeggen voor m'n pa.'

Maar Robbie schreeuwde terug: 'Nee, nee!'

Glenn kwam weer aan de telefoon. 'Hij durft niet. Hij is te verlegen.'

Voordat hij ophing bedankte hij me voor de kaarten met zinnetjes, en hij zei dat ze goed van pas kwamen. Hij zal meneer Carlton-Hayes persoonlijk schrijven als hij er tijd voor heeft.

Dinsdag 17 juni

De laarzen gekocht en de £ 125 betaald met mijn Visacard. Ik heb ze volgestopt met warmtebestendig kindersnoep uit een grote gezinsverpakking van Woolworth's.

Ik heb Daisy nog niet verteld dat ik tot over mijn oren in de schulden zit. Zij geeft zonder blikken of blozen vijfhonderd pond uit aan een handtas.

De Automobile Association heeft me in het verleden al menig keer uit de brand geholpen: die keer dat ik op Bodmin Moor zonder benzine kwam te staan, de chaos die er ontstond toen ik in Old Compton Street de sleutels in de auto had laten zitten en het portier dichtdeed en zo de Gay Parade ophield, en de ontelbare keren dat ik ze heb gebeld omdat ik de bougies vochtig had laten worden. Toch overtreft de AA vandaag zichzelf: ze hebben me geschreven en me hun speciale AA Visacard aangeboden. 'Meld u aan en maak een halfjaar lang gebruik van onze 0% rente op alle transacties.'

Dit aanbod is te vergelijken met het vinden van een open plek in de jungle; ik ben van plan om met het geld van de AA duizend pond van mijn beide creditcards af te lossen. Op korte termijn lost dit mijn financiële problemen op; een plan voor de lange termijn heb ik niet.

William belde me op mijn gsm uit Nigeria. Ik was me bewust van elke minuut die verstreek terwijl hij een ellenlang verhaal hield over een volgens mij volmaakt oninteressant partijtje voetbal. Aan het eind van het gesprek zei hij: 'De reden dat ik je bel, pa, is dat ik mijn voornaam wil veranderen.'

Ik vroeg hem waarin.

'In Wole,' zei hij. 'Dat is Afrikaanser.'

'Dat is de naam van je stiefvader,' zei ik. 'Geeft dat geen verwarring?'

'Nee hoor,' zei hij. 'We zien er niet hetzelfde uit. Hij is groter dan ik.'

Ik zei dat ik het best vond en verbrak de verbinding.

William krijgt ongetwijfeld snel genoeg van zijn nieuwe naam, Wole Mole.

Woensdag 18 juni

Meer *Misdaad en straf* vanavond.

Nigels hond Graham wordt steeds brutaler.

Ik waste de paar borden en glazen voor Nigel af toen ik Grahams neus tegen mijn been voelde. Ik keek omlaag en zag dat hij een theedoek in zijn bek had.

Dat ergerde me, want ik was van plan geweest om het afwasje te laten uitdruipen in het rek. Vanwege die bemoeizuchtige hond moest ik alles afdrogen.

Donderdag 19 juni

Onze nieuwe computer is eindelijk geïnstalleerd. Met zijn grijze glibberigheid lijkt hij misplaatst op meneer Carlton-Hayes' kersenhouten bureau.

Bolleboos Henderson heeft ons een uur lang lesgegeven over de werking van de software: voorraadbeheer, het factureringssysteem en het programma om boeken te zoeken.

Bernard Hopkins liep na tien minuten al weg. Hij haalde een boek uit de kast en begon te lezen.

Na afloop van het uur was ik nog steeds geen spat wijzer over de werking van het computersysteem, aangezien Henderson allemaal onbegrijpelijke abracadabra uitkraamde. Meneer Carlton-Hayes stelde hem echter intelligente vragen en hij scheen de antwoorden zelfs te begrijpen.

Toen Henderson weg was, riep meneer Carlton-Hayes Hopkins om naar de computer te komen kijken. 'Kijk, Bernard, we hebben elk boek dat wereldwijd is uitgegeven binnen handbereik.'

Met zijn drieën keken we vol ontzag naar het scherm terwijl de wereldliteratuur voor onze ogen voorbij rolde. Ik voelde een mengeling van trots over wat de mens allemaal kan en spijt dat een tragere en zachtere tijd voorbij is.

Vrijdag 20 juni

Meneer Carlton-Hayes liet me vanochtend de brieven lezen die in de winkel waren bezorgd.

Beste meneer Carlton-Hayes,

Hartelijk dank voor de dichtbundel en uw hulp bij het schrijven van die kaartjes. Ze komen goed van pas.

Hartelijke groet,

Glenn Bott-Mole

Beste meneer Carlton-Hayes,

Ik ben Robbie en ik wil nog wat bij de brief van Glenn schrijven. Ik heb enorm genoten, als je het tenminste zo kunt noemen, van de oorlogsgedichten van Siegfried Sassoon. Die man wist waarover hij het had, dat staat vast.

Ik heb 'Overlevenden' uit mijn hoofd geleerd.

Nogmaals hartelijk dank.

Robbie

p.s. Ik ben trouwens Glenns beste vriend.

'Ik zal die knul Sassoons *Memoirs of a Fox-hunting Man* sturen,' zei meneer Carlton-Hayes.

Wat zou het mooi zijn geweest als hij Glenn had bedoeld.

Zaterdag 21 juni

Meneer Carlton-Hayes vroeg wanneer ik mijn jaarlijkse twee weken vakantie wilde opnemen. Ik heb gezegd dat ik geen geld heb om op vakantie te gaan.

'Ik geloof niet in vakanties,' zei Bernard Hopkins. 'Waarom zou je ergens anders gaan drinken?'

Vanochtend ontving ik mijn AA Visacard met de post. Ik heb gesalueerd.

Zondag 22 juni

Na lang nadenken heb ik besloten Tim Henman een paar tips te geven om het heren enkelspel te winnen. Ik heb hem een e-mail gestuurd p/a The All England Lawn Tennis and Croquet Club.

Beste Tim Henman,

Ik hoop dat je niet boos zult worden over de dingen die ik te zeggen heb, maar door mijn jarenlange studie van de menselijke natuur ben ik wellicht in staat je te helpen bij het verwezenlijken van je droom om Wimbledon te winnen.

a. Laat je ouders geen wedstrijden bijwonen. Proberen ze het Centre Court toch te betreden, laat ze dan verwijderen door de beveiliging. Als mijn ouders zouden toekijken terwijl ik werk, zou ik ook instorten.
b. Vrouw Lucy, idem.
c. Probeer wat hippere fans aan te trekken. Je huidige volgelingen zijn het soort vrouwen met wie treinspotters trouwen.
d. Vraag Vinnie Jones of hij je een dreigender versie van het met gebalde vuist omhoogbrengen van de onderarm kan leren.
e. Verbied je fans 'Kom op, Tim!' te roepen. Het lijkt wel alsof je op de lagere school de troostprijs wint bij het zaklopen.

Ik raad je aan om mijn suggesties toe te passen. Je zult het hart van de natie veroveren en vrijwel zeker tot sportman van het jaar worden gekozen.

Groet,

A.A. Mole

Mijn vader is vanmiddag opnieuw opgenomen in het Royal Hospital, nadat hij tegen mijn moeder had gezegd dat hij doodging. De wond op zijn rug is weer ontstoken geraakt. Ik ben naar hem toe gegaan en had voor de zekerheid een hoofdkussen meegenomen.

Maandag 23 juni

Daisy belde me uit haar hotelkamer in Bristol. Ze vertelde me dat de auteur met wie ze op tournee is te veel wijn had gedronken voordat ze een signeersessie moesten doen, en woedend was uitgevaren tegen het publiek omdat een jongeman had gevraagd: 'Hoe komt u aan uw ideeën?'

'Die haal ik bij de ideeënbalie van Tesco, imbeciel!' had de auteur geschreeuwd.

Ik vroeg wie de auteur was.

'Marshall Snelgrove,' zei ze. 'Je hebt vast nog nooit van hem gehoord, hij schrijft SF. Zijn melkweg bevindt zich in de buidel van een kangoeroe.'

Ik vroeg haar wat ze aanhad.

'Wat jij het mooist vindt,' zei ze. 'Niets.'

Dinsdag 24 juni

Pandora belde om te vragen hoe het met Glenn is. Ik vertelde dat hij in Basra zit en dat hij ongelukkig en bang is. 'Ik ben woedend op je dat je hem aan die obscene oorlog laat meedoen,' zei ze.

Ze vroeg of ik dacht dat Glenn met haar zou willen praten, vertrouwelijk, voor een artikel dat ze schrijft voor de *Observer*. '"Vertrouwelijk" bestaat niet meer,' zei ik en ik sloeg het af uit naam van mijn zoon.

'Oké,' zei ze. 'Mijn autobiografie *Out of the Box*, komt over een paar weken uit. Denk je dat jouw winkel iets kan organiseren?'

Ik heb beloofd het morgen aan meneer Carlton-Hayes te vragen en haar terug te bellen.

Woensdag 25 juni

De lezersgroep.

Meneer Carlton-Hayes heette de aanwezigen welkom. 'Ik wil deze bijeenkomst graag openen met de bekentenis dat ik eigenlijk geen voorstander ben van georganiseerde religie maar dat ik desalniettemin diep geroerd was door de koran. En als boekverkoper vind ik het altijd een indrukwekkende gedachte dat een boek centraal kan staan in het leven van miljarden mensen over de hele wereld.'

Hierna nodigde hij Mohammed uit om ons te vertellen wat de koran voor hem betekende.

'Zoals ik de koran interpreteer,' zei hij, 'helpt de leer me mijn leven te leven. Ik volg de regels, ik put er troost uit, en ik vind er steun bij als ik me onzeker voel en behoefte heb aan Gods woord.'

'Ik stond er nogal van te kijken dat het over Adam, Abraham, Mozes en Jezus ging,' meldde Darren. 'Zoveel verschil met de bijbel is er niet.'

'Ja, en farao,' zei Lorraine. 'Wat een gemene klootzak.'

'Ik vond de taal zo mooi,' zei Melanie Oates. 'Ik zat in een ligstoel in de tuin te lezen, en het was net alsof ik werd gehypnotiseerd. Het was eigenlijk best wel eng, ik lette bijna niet meer op de kinderen in het pierebadje.'

'Melanie,' zei Mohammed opgetogen, 'je slaat de spijker op zijn kop! De koran helpt ons mediteren. Je hoort eigenlijk in kleermakerszit op de grond te zitten als je de koran leest, dan voel je de kracht pas echt.'

'Het kleed is een beetje vies,' zei ik, 'maar als niemand het erg vindt?'

Ik hoorde de knieën van meneer Carlton-Hayes kraken toen hij op de grond ging zitten. De anderen volgende zijn voorbeeld, en toen we allemaal in een kring op de grond zaten, begon Mohammed voor te dragen. Onder het lezen wiegde hij met zijn bovenlichaam heen en weer in een ritme van zestig rondjes per minuut.

> In de naam van Allah, de Barmhartige, de Genadevolle,
> Alle lof en dank is aan Allah, de Heer der Wereldwezens.
> De Barmhartige, de Genadevolle,
> De Enige Eigenaar van de Dag des Oordeels.
> U alleen aanbidden wij en U alleen vragen wij om hulp.
> Leid ons op het rechte pad.
> Het pad van degenen die Uw gunsten hebben gekregen en niet van degenen die Uw woede hebben gewekt of van degenen die dwalen.

'Het is zo ritmisch,' zei Melanie. 'Zou Flaubert de koran hebben gelezen?'

'Dat weet ik vrijwel zeker,' zei meneer Carlton-Hayes. 'Het is een van de grootste boeken van de beschaafde wereld.'

We bleven op de grond zitten, en Mohammed legde uit dat niemand dezelfde interpretatie als hij had, zelfs niet zijn eigen zoons. 'Elke moslim interpreteert de koran op zijn eigen manier,' zei hij.

Melanie slaakte een zucht. 'Dat vind ik nou een beetje teleurstellend. Ik had gehoopt dat ik duidelijke regels voor de juiste manier van leven zou vinden.'

Aan het eind van de bijeenkomst applaudisseerden we spontaan voor Mohammed, en hij glunderde bescheiden.

Donderdag 26 juni

Na het werk naar het ziekenhuis gegaan. Mijn moeder zat al aan mijn vaders bed, gekleed in een bouwvakkersoverall en schoenen met stalen neuzen. Ik was erbij toen de specialist hem de uitslag van het bloed- en urineonderzoek kwam vertellen.

De specialist is roze en pafferig en hij heet meneer Fortune. 'George,' zei hij tegen mijn vader, 'het is waar we al bang voor waren. Je hebt een ziekenhuisbacterie.'

'Geen wonder,' zei mijn vader. 'Ik lig toch in een ziekenhuis.'

Volgens mij beseft hij de ernst van zijn toestand niet. Kennelijk denkt hij dat MRSA vanzelf wel overgaat als hij eenmaal weg is uit het ziekenhuis.

Dokter Fortune zei tegen mij en mijn moeder: 'Het is erg lastig om zo'n resistente bacterie te bestrijden. Hij slikt nu al een heftige cocktail van antibiotica, en we zijn wat dat betreft eigenlijk een beetje uitgepraat.'

'Ik vertrouw erop dat u hem weer op de been krijgt, dokter Fortune,' zei mijn moeder. 'Hij is nodig in de varkensstal.'

Dokter Fortune nam mijn moeder van top tot teen op, en ik begreep dat uitleg noodzakelijk was. 'Mijn moeder verbouwt een varkensstal tot droomhuis,' zei ik.

'Mooi zo,' zei dokter Fortune. 'Zelf woon ik in een verbouwde koeienstal.'

Toen ik naar mijn auto liep, kwam ik langs Beest. Hij leerde Ivan opzitten en pootje geven.

Vrijdag 27 juni

Vandaag naar de bank geweest, tweeduizend pond opgenomen met mijn AA Visacard, en het geld direct weer gestort: duizend voor Barclaycard en duizend voor Mastercard.

De baliemedewerkster, een vrouw van middelbare leeftijd met negen kinnen, zei tegen me: 'Ik wil me nergens mee bemoeien, maar u betaalt wel heel erg veel voor uw contanten. Wilt u uw accountmanager misschien spreken?'

'Ik betaal geen rente voor mijn AA-lening,' zei ik.

'Wel als u contant opneemt,' zei ze met lillende kinnen.

De poging om mezelf een adempauze te geven is dus mislukt. Ik zit in een ijzeren long van schulden.

Daisy opgehaald van het station. Ze blijft het hele weekend. Ze had twee grote koffers bij zich, vol met schoenen en kleren.

Zaterdag 28 juni

Gisteravond een mangosessie, dus moest ik vanochtend de vloer van de badkamer dweilen voordat ik naar mijn werk ging. Daisy lag nog in bed, verdiept in een artikel in de *Independent* over Ali, het jongetje wiens beide armen en beide benen zijn afgerukt door een Amerikaanse bom. Hij is hier dus geopereerd. Ik wilde iets zeggen, maar we hebben afgesproken dat we niet over Irak, massavernietigingswapens of Marigold zullen praten.

Toen ik thuiskwam van mijn werk, had Daisy haar kleren en schoenen opgeborgen. Ze heeft zevenentwintig paar schoenen. Er zijn schoenen bij waar ze niet op kan lopen, dus die heeft ze nog nooit gedragen.

Ze heeft mijn meubels verplaatst en de boekenkast opgeruimd. En ze had duidelijk boodschappen gedaan: er stond een vaas met witte bloemen en de koelkast ligt vol met allemaal dingen die we allebei lekker vinden. Ons ondergoed zat gezellig bij elkaar in de wasmachine.

'Ik weet niet wat me vandaag overkwam,' zei ze. 'Ik voelde me net Sneeuwwitje.'

'Doe het maar niet nog een keer, Daisy,' zei ik. 'Huishoudelijkheid is de dood voor romantiek.'

Mijn e-mails gelezen.

Hoi Moley,

Groot nieuws! Marigold heeft de gelukkigste man van de wereld van me gemaakt en erin toegestemd om ons boterbriefje te gaan halen. Ja, ze heeft gezegd dat ze mevrouw Henderson wil worden.

We laten er geen gras over groeien, en stappen op zaterdag 19 juli in het huwelijksbootje. We houden de receptie in het Heritage Hotel in Little Smeton. En nu komt het, Moley, zou jij mijn getuige willen zijn?

Marigold is het ermee eens, hoewel het haar een goed idee lijkt als je voor de 19e naar de kapper gaat.

Poppy wordt Marigolds getuige, en ik weet zeker dat Daisy bruidsmeisje wil zijn; we moeten haar alleen zien op te sporen.

Marigold is erg flink over de miskraam. Ze heeft er niet een keer over geklaagd.

Groet,

Bruce

Laat alsjeblieft snel weten of ik op je kan rekenen.

Later, toen we in bed lagen, vroeg Daisy me of er iets is wat ik niet leuk aan haar vind.

'Dat je vaak grove taal gebruikt,' zei ik. (Ik laat wel eens wat weg, dagboek.) Toen vroeg ik haar of er iets is wat zij niet leuk vindt aan mij.

'Je zit veel te vaak met je gok in een of ander kloteboek,' zei ze.

Zondag 29 juni

Vandaag samen met Daisy op bezoek gegaan bij mijn vader. Hij is bezig aan zijn vierde antibioticakuur en het gaat nog steeds niet beter. Toen we door de gang naar zijn afdeling liepen, vertelde Daisy me dat er elk jaar ongeveer vijfduizend patiënten in Engelse ziekenhuizen aan MRSA overlijden. Ik kan me niet voorstellen dat mijn vader er niet meer zou zijn.

We kwamen langs Edna, die bij de ingang van de zaal een groezelige dweil over de vloer haalde.

'Ik heb je pa net z'n avondhap gevoerd,' zei ze. 'Hij heb bijna niks gegeten.'

Mijn moeder was blij ons te zien en vertelde dat ze een uitnodiging voor de bruiloft had ontvangen. 'Je vader kan niet mee, hij is te ziek,' zei ze tegen me. 'Zou je het erg vinden als ik samen met Beest ga?'

'Ja, mam,' zei ik. 'Heel erg.'

Maandag 30 juni

Mijn vaderlandslievende steun aan Henman is voorbij. Een interviewer vroeg hem wat hij in de kleedkamers doet als het regent. Of hij misschien een boek las?

Tim, een van de helden van dit land en een nationaal rolmodel, antwoordde: 'Nee, ik lees nooit boeken. Boeken zijn saai.'

Ik dacht aan Arthur Ashe, John McEnroe, Boris Becker en Bjorn Borg, stuk voor stuk boekenwurmen, en vroeg me af of er een verband bestaat tussen literatuur en het winnen van het heren enkelspel op Wimbledon.

Dinsdag 1 juli

Vanochtend de afschriften van mijn drie creditcards in de bus. Ik heb ze ongeopend in de snufjesla gelegd.

Woensdag 2 juli

Jo Jo belde uit Nigeria. Ze zei: 'Je zoon heeft gisteren de hele dag op zijn verjaarscadeau uit Engeland gewacht. Ik moest het met bloedend hart aanzien. Toen ik hem naar bed bracht, zei hij: "Mama, misschien is het vliegtuig met het cadeau van papa wel neergestort."

Ik heb gezegd dat hij waarschijnlijk gelijk had. Elk halfuur keek hij of hij al een mailtje van je had, en als de telefoon ging, rende hij erheen om op te nemen. Glenn heeft eraan gedacht om een kaart te sturen, net als zijn vriend Robbie, die William nog nooit heeft gezien. Ik hoop dat je je heel diep schaamt.'

Natuurlijk schaam ik me, dagboek. Hoe heb ik Williams verjaardag kunnen vergeten? Waarom heeft mijn moeder me niet helpen herinneren?

Donderdag 3 juli

Een brief van Robbie.

Beste meneer Mole,

Heel erg bedankt voor de laarzen. Ze passen precies.

Glenn heeft laatst wel geluk gehad, vindt u niet? Ik krijg de indruk dat het behoorlijk hard is aangekomen, maar hij laat er niet veel over los. Ik neem aan dat hij u meer heeft verteld. Hij schept er altijd over op dat hij u alles kan vertellen.

Sommige Iraakse mensen zijn oké, maar we moeten tegenwoordig de hele tijd onze helm dragen. Soms zijn het stenen, soms kogels. We geven de kinderen maar geen snoepjes meer.

Ik zou een flinke Engelse plensbui nu helemaal niet zo erg vinden; het is vijfendertig graden in de schaduw.

Nou, dat was het dan weer voor vandaag.

Hartelijke groet,

Robbie

Ik heb Sharon meteen gebeld om te vragen of ze iets van Glenn had gehoord. Ze vertelde dat hij haar midden in de nacht heeft gebeld, maar de lijn was zo slecht dat ze geen woord kon verstaan van wat hij zei.

Alle lijnen van het ministerie van Defensie waren in gesprek.

22.00 uur

Henman is vandaag in de kwartfinale in vier sets uitgeschakeld door Sebastien Grosjean. De laatste set duurde maar tweeëndertig minuten. Henmans vrouw en ouders zaten uiteraard op de tribune. Wanneer leert hij het nou eens?

Vrijdag 4 juli

Onafhankelijkheidsdag (VS)

Vandaag bij mijn vader geweest in het ziekenhuis. Edna stond bij zijn bed, en ze vertelde hem dat asielzoekers de zwanen van de koningin stelen en opeten. Het schijnt dat er uit de River Lea in het Londense East End meer dan honderd zwanen zijn verdwenen.

Edna vindt dat de asielzoekers teruggestuurd zouden moeten worden naar de moorddadige regimes die ze ooit zijn ontvlucht.

Ik kon wel zien dat mijn vader het eigenlijk met Edna eens was, maar hij hield zijn mond.

Om hem op te vrolijken had ik het tijdschrift *Jane's Missiles and Rockets* voor hem meegebracht.

Er was geen verplegend personeel beschikbaar, dus hebben Edna en ik mijn vader samen gewassen en een schone pyjama aangetrokken.

Onderweg naar huis van het ziekenhuis heb ik naar Peter Allen en Jane Garvey op Five Live geluisterd. Ze hadden het over de zwanen-etende asielzoekers.

Mevrouw Garvey was van mening dat het een broodje aap betrof, vergelijkbaar met het verhaal over de dode opoe die in een opgerold tapijt op het dak van een auto was vervoerd.

Een luisteraar uit Wolverhampton belde om zijn mening te geven. Hij tierde dat asielzoekende zwanenmoordenaars een boete van vijfduizend pond of een halfjaar cel zouden moeten krijgen.

Als het hele verhaal waar is, lijkt deze straf me onnodig hardvochtig. Zwanen behoren tot de categorie ongedierte.

Zaterdag 5 juli

Brief van Glenn.

Lieve pa,

Sorry dat ik niet heb geschreven, maar we hebben niet veel tijd, en als we niet op patrouille zijn moeten we eten en de was doen en proberen wat te pitten. De Amerikanen hebben mazzel, die hebben airconditioning, maar wij niet. Ik weet ook niet waarom.

Vanochtend kregen Robbie en ik de laarzen, ze zijn te gek, heel erg bedankt, en het gemengde snoep viel goed bij de jongens, ook daarvoor bedankt.

Pa, ik weet niet wat ik hier doe. De helft van de mensen is blij dat Saddam weg is, en de andere helft probeert ons om zeep te brengen. Het probleem is: wij kunnen niet zien wie wie is.

Een van de koks hier, Tommy Cumberbush, heeft het kookboek gelezen dat jij jaren geleden had geschreven. Toen Robbie hem vertelde dat jij mijn pa bent, vroeg Tommy me om een handtekening.

Ik wil hier zo graag weg, pa. Ik heb er zo genoeg van dat mensen me de hele tijd proberen op te blazen.

De wegblokkades zijn het ergst. Robbie en ik wilden die kaartjes van jou proberen, maar een Iraakse tolk die aan ons peloton is verbonden zegt dat het Arabisch belachelijk ouderwets is en niet betekend wat er in het Engels op de andere kant staat. We doen het nu dus weer met uitbeelden, dat spel wat we van jou vroeger moesten spelen met Kerstmis. Alleen was ik er niet goed in. Niemand kon het raden toen ik *The Good, the Bad, and the Ugly* deed. Weet je nog?

Ik zat laatst in een pantserwagen toen we in vriendschappelijk vuur terechtkwamen. De vingers van onze sergeant werden afgerukt.

Pa, als mij iets overkomt, beloof me dan dat je voor mama zult zorgen. Die klootzak van een Ryan gaat er op een dag vandoor, net als alle anderen.

Liefs voor opa. Ik hoop dat hij snel weer beter word.

Liefs,

Je zoon, Glenn

p.s. Sorry dat ik zo klaag, maar ik zie het vandaag even niet meer zitten.

Zondag 6 juli

Vandaag bij mijn vader in het ziekenhuis, en Daisy vertelde hem over de Summer of Love-video die ze de afgelopen week in Londen heeft helpen promoten. 'Herinner je je Acid Bungalow, George?' vroeg ze. 'Hun grootste hit was "I am a Greenhouse".'

Mijn vader glimlachte. 'Ik heb ze gezien bij een popfestival. Ik was achttien. Ik had een taille van vierenzeventig centimeter en mijn haar was langer dan dat van Adriaan nu. Een meisje met belletjes aan haar rok stak een bloem achter mijn oor en zei: "Dit is de dageraad van de eeuw van Aquarius." Ik had geen idee waarover ze het had.'

'Ik herinner me Acid Bungalow nog heel goed,' zei mijn moeder. 'Ik was verliefd op Terry, de gitarist, die met dat lange rode haar.'

'Arme Terry,' zei Daisy. 'Toen we naar Broadcasting House gingen, dacht hij dat hij in de Priory-kliniek was voor zijn eetstoornis. Ik voelde me meer zijn verpleegster dan zijn pr-vrouw.'

'Ik benijd je wel, Daisy,' zei mijn moeder. 'Het moet fantastisch zijn om elke dag met beroemdheden om te gaan.'

Daisy slaakte een zucht. 'De meeste beroemdheden zijn zeikerds zonder enig talent. Ik heb mijn buik vol van de idiote eisen die ze stellen, ze hebben van die afschuwelijke kleine hondjes en die moet ik dan roomboterborstplaat en Frans mineraalwater voeren.' Ze liet haar stem dalen. 'Toen ik een boek moest promoten van een zekere solozeiler bekende hij me op een avond in de bar van het hotel dat hij de hele reis om de wereld in een haven op Malta had gelegen.'

Maandag 7 juli

'A Bad Day at Black Rock'

Barclays bank

Betreft: *Debetsaldo*

Geachte heer Mole,

Hierbij deel ik u mede dat uw saldo niet toereikend is voor onderstaande betalingen:

verzekering	£ 40,00
Debenhams	£ 200,00
hypotheek	£ 723,48

We hebben per openstaande post een bedrag van £ 35,00 aan kosten in rekening gebracht, in overeenstemming met onze voorwaarden. Wij verzoeken u dringend het saldo aan te vullen, zodat het toereikend is voor toekomstige betalingen.

Hoogachtend,
Jason Latch
personal accountmanager

Barclays Bank

Betreft: *Geweigerde cheque*

Geachte heer Mole,

Hierbij laat ik u weten dat we uw cheque voor £ 58,00 met nummer 001876, uitgeschreven aan restaurant The Imperial Dragon, onbetaald hebben teruggestuurd aangezien het saldo op uw rekening niet toereikend is.

We brengen u £ 25,00 aan kosten in rekening, in overeenstemming met onze voorwaarden.

Hoogachtend,
Jason Latch
personal accountmanager

Dat is dan honderddertig pond voor twee brieven. De verleiding om Jason Latch een boze brief te schrijven is groot, maar ik kan me zijn antwoord niet veroorloven.

Dinsdag 8 juli

Alweer een brief van de bank.

Barclays Bank

Geachte heer Mole,

Ik wil u er graag op attenderen dat u het bedrag dat u rood mag staan met £ 1.282,76 hebt overschreden. Ik verzoek u vriendelijk doch dringend zo spoedig mogelijk telefonisch contact met mij op te nemen, zodat u mij kunt laten weten wanneer u denkt het probleem op te lossen.

Voorlopig kunt u geen cheques meer uitschrijven.

Hoogachtend,
Jason Latch
personal accountmanager

In paniek de telefoon gepakt om Parvez te bellen, maar hij was in de moskee. Fatima grapte dat Parvez voor me zit te bidden dat Barclays soepel met mijn saldotekort zal omgaan. 'Wat heb jij toch opeens, Moley?' zei ze. 'Je geeft geld uit alsof je Michael Jackson bent of zo.'

Ik vertelde haar dat ik een emotionele leegte probeer op te vullen, en dat het de schuld is van mijn ouders omdat ik als kind mijn gevoelens altijd moest verbergen. Ik beschreef haar die keer toen ik beneden kwam en mijn goudvissen Cagney en Lacey morsdood en opgezet op het water in hun kom dreven. Ik barstte in snikken uit, maar mijn ouders reageerden onverschillig op mijn verdriet. 'Spoel die krengen toch door de plee,' snauwde mijn vader. 'Ze stinken goddomme een uur in de wind.'

Mijn moeder heeft me, dat kan ik niet ontkennen, een stukje wc-papier aangegeven om mijn ogen af te vegen, maar vervolgens gaf ze mij de schuld van de dood van mijn vissen. 'Toen je op de kermis bij de grabbelton een prijs won, heb ik nog zó tegen je gezegd dat je een knuffel moest nemen, maar jij moest en zou die vissen hebben, weet je nog?'

'Iedereen weet dat vissen van de kermis al half bedorven zijn als je ze krijgt,' voegde mijn vader eraan toe.

'Dus jij geeft twee dode vissen er de schuld van dat je een sprekende koelkast hebt gekocht?' zei Fatima.

Ik kreeg duidelijk het gevoel dat ik van haar geen begrip hoefde te verwachten, en ik zei tegen haar dat ik Parvez wel zou bellen als hij terug was van de moskee.

Nog een keer gebeld, en weer Fatima. 'Hij heeft de kinderen meegenomen naar de kermis,' zei ze, 'en ik heb gezegd dat hij vooral niet naar de grabbelton moet gaan.'

Ik belde hem op zijn gsm maar ik kon geen woord verstaan van wat hij zei vanwege het gegil. Hij zat in de achtbaan met zijn kinderen.

Woensdag 9 juli

Toen ik vanochtend in de winkel kwam, stonden er achtendertig kartonnen dozen van Gorgon Press, Pandora's uitgever.

Bernard Hopkins had het verzoek gekregen om online 350 exemplaren van *Out of the Box* te bestellen.

Meneer Carlton-Hayes wierp een geoefend oog op de dozen en zei: 'Ik denk dat Bernard een foutje heeft gemaakt.'

Hij schat dat we nu 750 exemplaren op voorraad hebben en vroeg me hoeveel ik er denk te kunnen verkopen. Ik vertelde dat Pandora niets had losgelaten over de inhoud van haar autobiografie. Hij gaf me een exemplaar. Op de omslag staat een foto van haar mooie gezicht, maar ze kijkt nogal humeurig. Op haar voorhoofd staat haar naam geschreven – zo te zien met rode lippenstift – en het puntje van haar tong steekt tussen haar vochtige volle lippen uit.

De uitgever heeft een brochure met een paar eerste recensies in het boek gestoken. Ze zijn wat wij in het vak 'gemengd' noemen, stelde ik met een snelle kennersblik vast.

'Een vlijmscherpe aanklacht tegen de morele leegheid van de regering Blair en een ongewoon openhartig verslag van Pandora Braithwaite's politieke en seksuele credo.' *Spectator*

'Een ondeugend en geestig kijkje achter de schermen van Westminster.' *Sun*

'Braithwaite is opvallend openhartig over alles wat ze meemaakt, zowel in de schijnwerpers als privé. 'Toen ik staatssecretaris van Landbouw en Visserij was, ben ik op eigen verzoek een keer mee geweest op een trawler die kabeljauw ging vangen. Wat was dat een barre tocht! Mijn Cartier-horloge sloeg overboord; het werd door een immense golf van mijn pols gerist. De vissers waren ongelooflijk lief voor me en de schipper kwam elke nacht bij me liggen in mijn kooi om me de visquota te overhoren.'

'Ik heb nergens spijt van. Ik beschouw het als een groot voorrecht dat ik heb bijgedragen aan het functioneren van een van de mooiste democratieën van de wereld. Zoals ik een keer tegen Bill Clinton heb gezegd: "Mijn seksleven is een afwisseling van licht en schaduw, iedereen heeft Monica's en Hilary's nodig."

Bill lachte op die guitige manier van hem en zei: "Pan, als je die mooie benen van je wat vaker bij elkaar zou houden, zou je een groot Labour-leider zijn geworden."'

Ik bekeek de index en zag tot mijn schrik en blijdschap dat 'Mole, Adriaan' drie keer werd vermeld.

Pagina 17: 'Mijn eerste vriendje was een verlegen, puisterige jongen die Adriaan Mole heette. Mijn liefde voor hem was zo hartstochtelijk dat ik blind was voor zijn onaantrekkelijke uiterlijk. Het had misschien wel iets moederlijks wat ik voor hem voelde; ik wilde hem tegen de wereld beschermen.'

Pagina 38: 'Mijn politieke ontwaken viel samen met het eerste kriebelen van mijn seksualiteit. Mijn jeugdliefde protesteerde als eerste tegen het kledingvoorschrift van de school, dat alleen het dragen van zwarte sokken toestond. Op een dag was Adriaan zo dapper om met rode sokken naar school te komen. Het was mijn eerste georganiseerde protest. In die tijd zag ik zijn keuze voor de kleur rood als het symbool van revolutie en opstandigheid, maar Adriaan heeft me veel later verteld dat hij alleen rode sokken droeg omdat de zwarte in de was waren.'

De laatste verwijzing, op bladzijde 219, bleek helemaal niet over mij te gaan, maar over een anonieme tipgever bij de geheime dienst, 'een mol'.

Pagina 219: 'Een mol van MI6 heeft me een keer mee uit eten genomen en hij vertelde dat in het dossier over de massavernietigingswapens die Cyprus binnen drie kwartier zouden kunnen bereiken het noodzakelijke voorbehoud ontbrak.'

Opnieuw keek ik in de index. Bij 'minnaars' stonden 112 namen, 112! Ik kan de vrouwen met wie ik vleselijke gemeenschap heb gehad op de vingers van één hand tellen!

Nadat meneer Carlton-Hayes de factuur van Gorgon Press Ltd. had gelezen, zei hij tegen me: 'Volgens mij, lieve schat, heeft onze computer een monumentale vergissing gemaakt. Er zijn 750 exemplaren besteld, die we niet terug kunnen geven als we ze niet verkopen. En zoveel exemplaren raken we aan de straatstenen niet kwijt.'

Zaterdag is Pandora in de winkel om haar boek te signeren, en ik heb beloofd dat ik voor de publiciteit zal zorgen.

Donderdag 10 juli

Een brief van mijn hypotheekbank.

Geachte heer Mole,

Wij hebben met de nodige bezorgdheid moeten vaststellen dat de aflossing van uw hypotheek al drie keer achterwege is gebleven. Indien er sprake is van een vergissing, zorgt u dan zo snel mogelijk voor een betaling van minimaal £ 2.100. Een acceptgiro is bijgesloten.

Mocht u financiële problemen hebben en assistentie behoeven, neemt u dan contact op met een van de medewerkers van onze afdeling Hypotheekschulden.

Wij voelen ons verplicht u erop te wijzen dat het eigendomsrecht op uw appartement in gevaar komt indien betaling uitblijft.

Hoogachtend,
Jeremy Yarnold
manager hypotheekachterstanden

Na twee glazen wijn ben ik naar de keuken gegaan en heb ik alle brieven uit de snufjesla gehaald. Ik heb ze allemaal gelezen, en het is nog erger dan ik dacht.

Ik kon niet slapen, dus heb ik naar de World Service op de radio geluisterd. Een vrouwelijke arts was rechtstreeks in de uitzending vanuit Bagdad. De kraamkliniek waar ze werkt heeft geen water of elektriciteit, en de medicijnen en narcosemiddelen zijn sinds een week op.

Ze vertelde: 'Dieven en plunderaars komen hier gewapend naar binnen en stelen onze apparatuur. Voor de invasie was de situatie slecht vanwege de sancties, maar nu is alles nog veel erger.'

Op de achtergrond gilde een vrouw.

Ik ben opgestaan en heb de rest van de wijn opgedronken. Wat zou het heerlijk zijn als ik gewoon kon slapen.

Vrijdag 11 juli

Ik was vanochtend op Radio Leicester om over *Out of the Box* te praten.

De interviewer, John Florence, was joviaal en goed geïnformeerd. Hij stelde me allerlei indringende en lastige vragen over Pandora.

'Vind je ook niet, Adriaan,' zei hij, 'dat Pandora Braithwaite in zekere zin een mysterie is? Aan de ene kant is ze intellectueel briljant. Ik denk dat ze iedereen in Leicester versteld deed staan toen ze verleden jaar tijdens de partijbijeenkomst van de Labour Party de Chinese handelsdelegatie in vloeiend Mandarijn welkom heette, in een toespraak die wel een halfuur duurde. Aan de andere kant heeft ze... hoe zal ik het zeggen... heeft ze de neiging om ronduit schaamteloos mannen te verslinden.'

Met het oog op de vele luisteraars gaf ik heel behoedzaam antwoord. 'Pandora is een moderne vrouw. Ze laat zich geen beperkingen opleggen door historische taboes op het seksuele gedrag van de vrouw.'

Florence vroeg: 'Steunde je haar recente beslissing om af te treden of denk je dat ze gewoon de aandacht op zichzelf wilde vestigen?'

'Mijn zoon Glenn zit in Basra,' antwoordde ik. 'Het baart mij ook zorgen dat de massavernietigingswapens nog niet zijn gevonden, hoewel ik vanzelfsprekend buitengewoon opgelucht ben dat ze niet tegen onze troepen zijn gebruikt.'

'De vorige keer dat ik je interviewde, Adriaan, werkte je aan een komisch toneelstuk dat *The White Van* zou gaan heten. Is dat een succes geworden?'

'Helaas niet,' zei ik. 'Ik had het voor een specifiek gezelschap geschreven, maar geen van de acteurs was beschikbaar.'

'Nou, luisteraars, parlementslid Pandora Braithwaite signeert haar autobiografie *Out of the Box* morgenmiddag vanaf een uur in de boekwinkel van meneer Carlton-Hayes in de High Street. Zorg dat u er vroeg bij bent, want Adriaan verwacht dat het storm zal lopen.'

Vervolgens drukte hij op een knopje en begon een dame van de verkeersinformatie de files op te sommen. Het verkeer op de London Road stond muurvast door een gesprongen waterleiding.

Parvez@Wong's. 19.00 uur

Het moest een bespreking over mijn financiën worden, hoewel Parvez het hardnekkig 'crisisberaad schuldsanering' bleef noemen.

Ik overhandigde hem twee vellen papier. Op het ene had ik mijn maandelijkse inkomsten en uitgaven op een rijtje gezet, en op het andere had ik een lijst gemaakt van mijn schulden.

Inkomsten:			
Salaris		1.083,33	p. maand
Vordering op Latesun Ltd		57,10	

Maandlasten:		
Hypotheek Rat Wharf		723,48
Inboedelverzekering		40,00
Servicekosten woning		83,33
Erfpacht		20,83
Lening auto		225,00
Kosten auto		100,00
Barclaycard		300,00
Mastercard Bank of Scotland		280,00
Visacard AA	(onbekend, wacht op eerste afschrift)	
Debenhams		200,00
Rekeningen	elektr.	60,00
	water	15,00
	gemeentebelasting	79,12
	kabel	60,00
	breedband	35,00
	gsm	55,00
	Wong's	200,00
	boodschappen	200,00
Totaal:		2.676,76

Schulden:		
Hypotheek		181.902,00
Barclaycard		12.168,00
Mastercard		10.027,00
Visacard AA	(onbekend, wacht op eerste afschrift)	
Debenhams klantenkaart		9.011,00
Habitat klantenkaart		627,00
Juridisch adviseur		150,00
Rood bij de bank		4.208,00
Totaal:		218.093,00

Parvez liet zijn accountantsoog snel over mijn lijstjes gaan en zei: 'Je zit in de stront, Moley. Je verdient £ 1083,33 per maand en je geeft £ 2676,76 uit! Bovendien heb je voor twee ton aan leningen, hypotheek en uitgaven met creditcards, en je houdt de betalingen niet bij, dus je betaalt je scheel aan rente.'

'Je moet het in perspectief zien, Parvez,' betoogde ik. 'Het menselijk oog kan met behulp van een telescoop miljoenen keer miljoenen sterren zien.'

Ik schreef op het papieren tafelkleed hoeveel het er precies zijn: 7.000.000.000.000.000.000.000.

'En wat wil je daarmee eigenlijk bewijzen?' vroeg Parvez.

'Een zeven met eenentwintig nullen is vier keer het aantal zandkorrels op de hele wereld. Voel jij je niet heel erg onbeduidend als je de zaak in perspectief ziet?'

Parvez haalde het deksel van een bamboe stoommandje en viste er met zijn eetstokjes een pannenkoekje uit.

'Met andere woorden,' vervolgde ik, 'afgemeten aan het grote geheel is een aardse schuld van tweehonderdduizend pond niets, helemaal níéts!'

Parvez deed hoi-sinsaus op zijn pannenkoek. 'Barclays en de anderen zullen niet automatisch aan de sterrenhemel denken, of wel soms?' Hij probeerde een stukje komkommer tussen zijn eetstokjes te klemmen, maar toen dat mislukte gebruikte hij zijn vingers. 'Die lui willen gewoon hun geld!'

Hij deed er ringetjes bosui bij en een stukje knapperige eend, rolde het pannenkoekje op en nam er met zijn grote tanden een hap van. In een van zijn voortanden glinsterde een diamant, die dateert nog uit de tijd dat Parvez geen moskeebezoeker was. 'De computer van Barclays heeft geen hart of ziel, Moley, dat ding weet niets niemendal van de sterren. Het is een machine, snap je?'

'Ja, maar in het grote geheel...' begon ik.

'In het grote geheel,' viel Parvez me ruw in de rede, 'moet je gewoon ophouden meer uit te geven dan je verdient! En je kunt het je niet permitteren om in dat appartement van je te wonen, dus het eerste wat je nu moet doen, is je huis te koop zetten.'

Wayne Wong, die het wiebelen van ons tafeltje probeerde tegen te gaan door een verfrommeld sigarettenpakje onder een recalcitrante poot te schuiven, zei: 'Er was hier gisteravond een stel, en hun voornaamste onderwerp van gesprek was Adriaan Mole en de sprekende koelkast die hij heeft gekocht.'

Ik vroeg hem wie het waren geweest.

'Een zwarte vrouw met rood haar en een witte kerel met een vierkante kop en een tatoeage van een roos in zijn nek,' legde Wayne uit.

Lorraine Harris en Darren Birdsall, *tête-à-tête*!

'En je vorige cheque kwam onbetaald terug, Moley,' voegde Wayne eraan toe, 'dus voortaan alleen nog contante betalingen.'

Woensdagavond na mijn werk heb ik een afspraak bij Parvez, op zijn kantoor.

Zaterdag 12 juli

Daisy wist vanochtend niet wat ze aan moest, en uiteindelijk lagen al haar kleren verspreid over de vloer.

Ik vroeg haar wat er mis was.

'Het komt door dat kreng, Pandora Braithwaite,' zei ze in tranen. 'Ze is zo elegant en zo mooi en zo slank.'

Ik vertelde Daisy dat ik uit de eerste hand weet dat Pandora een voorgevormde beha draagt en een professionele kledingadviseur betaalt om haar kleren uit te zoeken. 'En,' zei ik ook nog, 'ze is alleen maar zo mager omdat ze minstens de helft van haar lichaam heeft laten wegliposuceren.'

Dat laatste was niet waar, maar we moesten snel de deur uit om niet te laat in de winkel te zijn. Er moest nog een hele hoop gebeuren voordat Pandora om een uur zou komen signeren.

Daisy werd niet geheel overschaduwd door Pandora's verschijning, maar het scheelde niet veel.

Nadat ik de twee belangrijkste vrouwen in mijn leven aan elkaar had voorgesteld, namen ze elkaar van top tot teen forensisch op. Het was net een eerste ontmoeting tussen Maigret en inspecteur Morse. Elk detail van de kleding en elke nuance van de gezichtsuitdrukking werd beoordeeld.

Toen zei Daisy: 'Is dat pakje van Yves St Laurent?'

'Ja,' zei Pandora. 'Ik lijk wel gek dat ik in een stoffige boekwinkel wit linnen draag.'

'Het is hier niet stoffig!' zei Daisy gepikeerd. 'Ik heb hier vanaf negen uur vanochtend staan schoonmaken. Daarom draag ik ook een spijkerbroek en dit oude jasje van Gucci.'

Pandora keek naar Daisy's zwart leren jasje. 'Ik had dat jasje zelf bijna gekocht, maar...' De impliciete belediging bleef in de lucht hangen.

Daisy liet haar nervositeit blijken door een lippenstift uit de zak van haar jasje te halen en haar lippen bij te werken.

Pandora stak een sigaret op. 'Ik heb van Adriaan gehoord dat je pr doet. Ken je Max Clifford?'

'Natuurlijk,' zei Daisy. 'Max is de meester, hij heeft me alles geleerd wat ik weet. Ik moet je bekennen dat ik sindsdien geen woord meer geloof van wat politici me vertellen.'

'Heel verstandig,' zei Pandora. 'We zijn allemaal leugenaars, maar de meesten van ons bedoelen het goed.'

'Beeldige schoenen heb je aan,' zei Daisy. 'Ik heb ze zelf in het roze.'

En ik kon me ontspannen. Volgens mij begin ik vrouwen te begrijpen.

Uit voorzorg had ik eerder die week het politiebureau gebeld om te vragen of er een wijkagent kon komen helpen met het in bedwang houden van de mensenmassa. De agent die ze stuurden was Aaron Drinkwater, en hij keek niet bepaald vrolijk toen hij om kwart voor een in de winkel kwam en drie mensen voor de tafel met 750 exemplaren van *Out of the Box* in de rij zag staan. Hij liep door naar de achterkamer en zei tegen Pandora: 'We moesten verleden week de mobiele eenheid laten uitrukken toen tv-presentator Nicholas Parsons de nieuwe Kwik Save in Peatling Parva kwam openen.'

Om stipt een uur werd Pandora naar de tafel begeleid door meneer Carlton-Hayes, die een korte toespraak hield om haar welkom te heten.

Tegen die tijd stonden er niet langer drie maar vier mensen in de rij, alleen dacht deze vierde persoon dat Pandora in de boekwinkel werkte. Hij vroeg haar of ze hem kon helpen bij het zoeken naar Ann Widdecombe's *The Clematis Tree*.

Om kwart over een was er niemand meer die een boek wilde laten signeren.

Aaron Drinkwater zei sarcastisch: 'Ik geloof niet dat er een gevaar bestaat dat u door de meute onder de voet wordt gelopen, mevrouw Braithwaite, dus dan ga ik maar weer eens.'

'Misschien komt het door de regen dat de mensen liever thuis blijven,' opperde meneer Carlton-Hayes.

'Het heeft al drie dagen niet geregend,' zei Pandora van achter de falanx van onverkochte boeken.

'De eerste twee weken van juli is heel Leicester met vakantie,' zei ik.

Je hoefde maar uit het raam te kijken om te weten dat dit schromelijk overdreven was. Er kwamen hordes potentiële boekenkopers voorbij, sommige mensen bleven zelfs even staan om naar ons etalage-arrangement van *Out of the Box* te kijken voordat ze verder liepen om andere dingen te gaan kopen in andere winkels.

Om halftwee kwam Tania Braithwaite de winkel binnen en ze kocht vijf boeken, maar dat was duidelijk een daad van ouderlijke liefde.

Om twee uur, met nog maar tien verkochte boeken, kocht ik een exemplaar voor mijn moeder en meneer Carlton-Hayes nam er een voor Leslie. Pandora zeilde met haar hoofd hoog de winkel uit.

'Zodra ze de hoek om is,' wist Daisy, 'barst ze in tranen uit. Zal ik haar achterna gaan?'

Dat heb ik haar afgeraden.

Bolleboos belde vanavond om te vragen of ik zijn vrijgezellenavond al had georganiseerd. Ik schrok me een hoedje en zei dat ik me niet had gerealiseerd dat dit van een getuige werd verwacht. Bolleboos zei dat hij me de nummers van zijn vrienden zou mailen, en liet weten dat het maar op één bepaalde dag kon: dinsdag de 15e. Daisy zei dat ze iemand kende van bureau Vrijgeil, en dat ze meteen zou bellen om te vragen wat er aanstaande dinsdag beschikbaar is.

Toen ze had neergelegd, zei ze dat ik kon kiezen tussen een kroegentocht in Dublin, een georganiseerde tour langs seksclubs in Amsterdam, survivalen met pistolen en verfkogels op een particulier landgoed, of skelteren in Noorwegen.

'Daze,' kreunde ik, 'is er niet iets met een meer intellectueel karakter?'

'Nee, Kipling,' zei ze, 'het moet een overgangsrite zijn. Mannen zijn bang voor vrouwen. Met de vrijgezellenavond moeten ze hun manlijkheid bevestigen.'

Ze vertelde dat zij voor Marigolds vrijgezellenavondje was uitgenodigd, met het verzoek of ze zich als een Franse serveerster wilde verkleden. 'Dat is toch zo typisch Engels,' zei half Mexicaanse Daisy. 'Ze denken dat alleen vunzige buitenlanders sexy kunnen zijn.'

Ik vroeg Daisy of ze die kennis van haar wilde bellen om voor twaalf personen de kroegentocht in Dublin te reserveren.

Zondag 13 juli

Daisy was al om vijf uur op om haar kleren te strijken en haar kleine koffertje met wieltjes te pakken. Ik heb haar naar het station gebracht voor de trein van zestien minuten voor halfacht naar Londen. Onderweg vroeg ik haar waar ze de energie toch vandaan haalt. 'Drugs,' zei ze.

Ik hoop dat ze een grapje maakte.

Daarna de gewone zondagse routine: de Varkensstallen, het ziekenhuis, brieven schrijven. Zonder Daisy heeft mijn leven geen kleur.

Maandag 14 juli

Ik las dat het vandaag *Swan Upping Day* is, de dag dat de zwanen in de Theems worden geteld. Misschien was het mijn verbeelding, maar Gielgud keek nog arroganter dan gewoonlijk.

Het schijnt dat de koningin eigenaresse is van alle ongeringde zwanen en verantwoordelijk is voor hun welzijn en dus ook, neem ik aan, voor hun gedrag.

Ken kwam vanavond bij me langs voor de bijeenkomst van de schrijversclub. Het was een zachte avond, en ik stelde voor om over het jaagpad naar de Navigation Inn te lopen om iets te gaan drinken.

'Daar hebben ze gelukkig nog tafels en stoelen,' zei Ken. 'En als je om een rietje vraagt voor bij je bier smijten ze je in het kanaal.'

De problemen begonnen zodra we voet op het jaagpad hadden gezet. Gielgud en zijn vrouw hadden net de kleintjes naar bed gebracht of zo. Toen ze ons over de kwaliteit van de hedendaagse Engelse literatuur hoorden praten, vlogen ze met klapperende vleugels het jaagpad op, en ze kwamen blazend en met fonkelende ogen op ons af. Mijn bril vloog van mijn neus, en in alle verwarring ging Ken erop staan.

Er zijn geen armen gebroken, maar het scheelde niet veel.

We liepen door naar de Navigation Inn nadat ik tegen Ken had gezegd: 'Ik laat me niet door een stel paranoïde zwanen van mijn culturele activiteiten weerhouden.'

'Ik weet niet hoelang we onszelf nog een groep van creatieve schrijvers kunnen noemen,' zei Ken. 'We zijn wel creatief, maar kun je twee mensen eigenlijk wel een groep noemen?'

'Ik weet dat ik de laatste tijd geen erg goede voorzitter ben geweest,' gaf ik toe.

'Er zijn nog wel een paar dingen om trots op te zijn,' zei Ken. 'Gladys Fordingbridge is tweede geworden bij een nationale dichtwedstrijd.'

Hij haalde een halve pagina uit de *Ashby Bugle* uit zijn zak en liet me die zien. Gladys zat thuis op de bank te midden van ontelbare katten, met een ingelijste oorkonde in haar hand. Het winnende gedicht stond ernaast.

Gladys Fordingbridge – Een Iraaks kind stelt vragen aan wapeninspecteur Hans Blix

Heeft Saddam misschien een kat?
Heeft Saddam een poesje?
Ja, mijn kind, mijn snoesje,
onder zijn pet draagt hij een mat.

Waarom heeft hij een mat op zijn hoofd?
Omdat hij van al zijn haar is beroofd,
maar liever dood wil zijn dan toe te geven
dat het komt door zijn gemene en slechte leven:
Al zijn zwarte haren zijn uitgevallen
door het leven van zijn volk te vergallen.

Dus daarom heeft Saddam een kat onder zijn baret!
Precies, mijn kind, zo is het maar net.
Maar eigenlijk ben ik in dit pandemonium
nog steeds op zoek naar de uranium,
Dus als jij weet waar ik die rommel vinden kan,
Kom op, vertel het me dan!

'Wat een kolder,' zei ik.

'Eerlijk is eerlijk,' zei Ken, 'het heeft gewonnen in de categorie "Kolder".'

'Saddam is niet eens kaal!' wierp ik tegen.

'Wind je niet zo op, Adriaan,' suste Ken. 'Kolder is kolder. Heb jij wel eens twee beren broodjes zien smeren? Enfin, ze heeft tweehonderdvijftig pond gewonnen, denk je eens in hoeveel kattenvoer je daarvan kunt kopen.'

'Ik ben heel erg blij voor Gladys,' zei ik, en ik hoop dat het oprecht klonk, maar in werkelijkheid, dagboek, kon ik nauwelijks meer ademhalen. Jaloezie verstikte mijn longen, en ik had het gevoel dat ik door dikke vla liep.

Ken bleek een bekende te zijn in de pub. Verschillende oude heertjes die een nogal verwarde indruk maakten knikten toen we binnenkwamen. De vrouw achter de bar had een tatoeage van een slang om een zwaard op haar ene biceps en op de andere een van de maagd Maria en Jezus.

We kregen onze drankjes en gingen naast elkaar op een bankje aan een van de tafeltjes zitten. Ken haalde een opgevouwen vel papier uit zijn portefeuille en vroeg of ik wilde lezen wat hij heeft geschreven.

Er viel een bom op een huis in Irak
Een gezin lag te slapen
Maar goddank werden er geen burgers gedood en niemand raakte gewond, niemand werd levend verbrand, niemand werd uit elkaar gereten door de bommetjes van de moederbom.
Niemands benen werden afgereten,
Niemand werd blind,
Niemands kind bloedde dood,
Niemands echtgenoot raakte bedolven onder het puin.
Niemands baby stikte in het eigen braaksel,
Niemands vrouw dook weg in een hoekje en stierf.
Niemands moeder gilde van angst of van pijn.
Het was geen bom, het was geschut,
Het was geen oorlog, maar een conflict,
Niemand raakte gewond, niemand werd gedood,
Er was alleen materiële schade.

Ik vond dat de interpunctie beter kon en wees hem erop dat hij twee keer het werkwoord 'rijten' had gebruikt. Verder vond ik dat hij het gedicht met een paar regels uitleg moest afsluiten, maar Ken zei dat de lezer het zo ook wel zou begrijpen.

Samen werkten we aan het gedicht, en de verwarde oude heertjes gaven nu en dan luidkeels commentaar. Het zien van pennen en papier leek ze op te winden.

Een van hen riep op schrille toon: 'Wat ben je daar aan het schrijven, Ken, je testament?'

'Nee, het is een gedicht, Jack,' zei Ken.

Jack lachte en piepte: 'Hé, pas maar op, jongens. Pas maar op, daar zit een Oscar Wilde.'

Kens gezicht betrok. 'Ga maar aan mijn vrouw vragen of ik een nicht ben, en als je haar niet gelooft, vraag het dan maar aan mijn vriendin.'

Iedereen lachte, maar ik vroeg me af hoe lang het zou duren voordat iemand Glenda, Kens vrouw, gaat vertellen dat hij in de pub heeft opgeschept over zijn vriendin. Wat roddels betreft is Leicester net een dorp.

Niemand gewond, door Ken Blunt

> Er viel een bom op een huis in Irak.
> Een gezin lag te slapen.
> Maar goddank werden er geen burgers gedood;
> Niemand raakte gewond, niemand werd levend verbrand, niemand werd uit elkaar gereten door de bommetjes van de moederbom.
> Niemands benen werden afgerukt,
> Niemand werd blind,
> Niemands kind bloedde dood,
> Niemands echtgenoot raakte bedolven onder het puin.
> Niemands baby stikte in het eigen braaksel,
> Niemands vrouw dook weg in een hoekje en stierf.
> Niemands oude moeder gilde van angst of van pijn.
> Het was geen bom, het was geschut,
> Het was geen oorlog, het was een conflict.
> Niemand raakte gewond, niemand werd gedood,
> Er was alleen materiële schade.

De rest van de avond hadden we het over vrouwen. Ken vertelde me dat de vrouw in Nottingham niet zomaar een maîtresse is, maar dat hij al vier jaar hartstochtelijk van haar houdt. 'Ik heb een slecht hart,' zei hij. 'Stel nou dat ik op mijn werk dood neerval, wie vertelt haar dat dan? Denk je dat ze naar mijn begrafenis zou komen?'

Ik bood aan om als contactpersoon op te treden tussen Ken en de vrouw in Nottingham en haar zo nodig naar Kens begrafenis te vergezellen.

Het maakte Ken een stuk vrolijker. 'Als ik voor jou ooit iets kan betekenen op dit gebied,' zei hij tegen me, 'dan laat je het me maar weten.'

Ik vertelde hem dat mijn problemen financieel en spiritueel van aard zijn, maar ik heb hem toch bedankt.

Dinsdag 15 juli

Besloten om de Beschermvrouwe van de Zwanen een brief te schrijven.

Aan de Beschermvrouwe	The Old Battery Factory, Unit 4
van de Zwanen	Rat Wharf
Windsor Castle	Grand Union Canal
Windsor SL4	Leicester LE1

15 juli 2003

Geachte Beschermvrouwe van de Zwanen,

Ik schrijf u in verband met een bende zwanen die voortdurend rondhangt op het jaagpad onder mijn appartement. Ik weet dat meerdere zwanen normaal gesproken met het woord 'zwerm' worden aangeduid, maar gezien hun delinquente gedrag is het toepasselijker om van een bende te spreken. Deze bende zwanen, aangevoerd door een mannetje dat ik Gielgud noem, maakt er een gewoonte van om voorbijgangers en bezoekers van mijn woning lastig te vallen.

Ik ben een groot natuurliefhebber – ik heb zelfs ooit als vaste medewerker *Newt Development* voor het ministerie van Milieu gewerkt – maar ik ben van mening dat als puntje bij paaltje komt de mens voorrang dient te hebben.

Ik wil u hierbij dan ook formeel verzoeken om de zwanen naar een ander gebied over te (laten) plaatsen, hoewel Gielgud misschien beter geruimd kan worden, aangezien hij duidelijk een psychopaat is.

Gieldgud zal jammer genoeg nooit begrijpen dat het liberaliseringsbeleid van vice-premier Prescott ertoe zal leiden dat steeds meer fabrieken langs kanalen tot appartementen verbouwd gaan worden, en dat zwanen en mensen moeten leren om vreedzaam naast elkaar te leven.

Met spanning kijk ik uit naar uw reactie op mijn brief. De situatie is zeer ernstig; ik word belegerd. U weet ongetwijfeld dat een zwaan iemands arm kan breken.

Met de meeste hoogachting,

A.A. Mole

p.s. Graag wil ik u erop wijzen, wellicht ten overvloede, dat hare majesteit de koningin voor de rechter gedaagd kan worden als er slachtoffers vallen. Zij is per slot van rekening de eigenaresse van alle zwanen in Engeland, en draagt in die hoedanigheid een zware verantwoordelijkheid voor hun gedrag.

De deelnemers aan het vrijgezellenfeestje gingen om vijf uur aan boord van het vliegtuig naar Dublin. Bolleboos was binnen de kortste keren dronken van de twee glazen gratis champagne. Hij haalde een paar reusachtige plastic borsten uit zijn weekendtas en paradeerde heen en weer over het gangpad, tot grote ergernis van de meeste andere passagiers. De stewardess verzocht hem verschillende keren om te gaan zitten, en toen hij bleef weigeren, dreigde ze de gezagvoerder te vragen om rechtsomkeert te maken en terug te gaan naar East Midlands Airport.

Als getuige moest ik de leiding nemen, en ik heb Bolleboos teruggebracht naar zijn stoel.

'Bruce is echt iemand met wie je kunt lachen,' zei Michael Flowers. 'Marigold en hij hebben hetzelfde gevoel voor humor.'

'Ik zie werkelijk niet wat er te lachen valt als een volwassen man met plastic borsten rondloopt.'

'Het is een mooie Engelse traditie,' vond Flowers.

Michael Flowers nam de hele groep op sleeptouw door Dublin. Craig Thomas en ik zorgden om beurten voor de begeleiding van Nigel, en Bolleboos werd ondersteund door zijn vrienden van de Grasmaaier Raceclub waar hij lid van is.

De secretaris van de club, een dikke kerel die Brian heet, zei: 'Sommige mensen noemen ons Graskoppen.'

'Maar de meeste mensen noemen jullie stomkoppen,' mompelde Nigel binnensmonds.

Het is verbazingwekkend wat je bij dit soort gelegenheden over mensen aan de weet komt. Ik wist helemaal niet dat het racen met grasmaaiers een hobby van Bolleboos was.

Het Shelbourne Hotel wilde ons niet binnenlaten, maar Nigel dreigde dat hij Radio Eire zou bellen om te melden dat ze een blinde man de toegang weigerden, dus lieten ze hem naar binnen. Hij is er de rest van dc avond gebleven; het was een opluchting om van hem af te zijn.

Als ik in mijn eentje was geweest, zou ik het leuk hebben gevonden om in de voetsporen van James Joyce te treden, maar in dit geval trad ik in de voetsporen van Bolleboos, die inmiddels grote plastic billen droeg en onverschillige Dubliners vertelde dat hij zaterdag met het mooiste meisje van Engeland gaat trouwen.

Uiteindelijk belandden we in de bar van het Bridge Hotel met uitzicht op de Liffey. Michael Flowers kreeg ruzie met de barman omdat hij het rondje waar hij ons op trakteerde wilde betalen met Ierse ponden die hij over had van een bezoek aan Ierland in 1989.

'We accepteren hier alleen euro's, meneer,' zei Fergal, de barman, in alle redelijkheid.

Flowers begon af te geven op de Europese Unie, en hij schreeuwde dat de Ieren hun roemruchte verleden hadden opgeofferd en nu niet langer een knieval maakten voor de paus maar voor de bureaucraten in Brussel.

'Daar heb ik geen verstand van, meneer,' zei Fergal.

Gelukkig zakte Bolleboos op dat moment op de tafel in elkaar, met een ravage van Guinness en zoute pinda's tot gevolg. Samen met Craig Thomas droeg ik hem naar boven naar zijn kamer, waar we zijn kleren uittrokken en hem in bed stopten. Tot mijn verbazing droeg hij een boxershort van rode zijde, waar de volgende tekst op was geborduurd: 'Opgepast: bevat massavernietigingswapen.'

'Bolleboos is nogal fors geschapen,' zei Craig. 'Weet je dat dan niet meer van de douches op school?'

Ik zei dat de tijd de herinnering gelukkig had uitgewist.

Woensdag 16 juli

Nigel, met wie ik samen een kamer had, strompelde bij het ontbijt het hotel binnen, nadat ik bijna de hele nacht wakker had gelegen omdat hij maar niet kwam. Hij zei: 'Ik heb een verrukkelijk beest ontmoet, John Harvey.'

'Hoe ziet hij eruit?' vroeg ik.

'Geen idee,' zei Nigel, 'maar hij voelde goed aan.'

Bolleboos en de grasmaaimachineracers waren heel erg stil in het vliegtuig terug, en Michael Flowers had een spectaculair blauw oog.

Ik was om elf uur in de winkel. Meneer Carlton-Hayes vertelde dat de imam van de moskee in Pandora's kiesdistrict tien exemplaren van *Out of the Box* heeft gekocht, als gebaar van solidariteit.

Na mijn werk rechtstreeks naar Parvez gegaan.

'Ik heb vanochtend de belastingdienst gesproken, Moley,' vertelde hij, 'en ik heb geen goed nieuws, man.'

Ik voelde een slagader samentrekken in mijn nek terwijl ik wachtte op wat hij verder te melden had.

'Toen je als chef-kok in de keuken van Hoi Polloi stond, hoeveel belasting betaalde je toen?'

Ik vertelde hem dat mijn baas Peter Savage me niet bepaald regelmatig uitbetaalde. Deze Savage, een dronkelap en cocaïnesnuiver, griste aan het eind van de week op goed geluk een handje bankbiljetten uit de kassa, en dat gaf hij dan aan mij, vaak zonder het geld te tellen.

'En je betaalde geen belasting?' vroeg Parvez voor de zekerheid.

'Nee,' gaf ik toe.

'En Savage droeg niet voor jou de loonbelasting af?' drong Parvez aan.

'Savage kon meestal niet eens praten,' zei ik.

'Omdat er geen gegevens zijn, schat de belastingdienst je inkomen op duizend pond per week,' legde Parvez uit.

'Belachelijk!' riep ik uit. 'Ik verdiende een schijntje. Ik woonde boven het restaurant. Ik had een diepvriezer als nachtkastje.'

'Dat kan wel waar zijn,' zei Parvez, 'maar Hoi Polloi was een restaurant voor de jetset, en jij was een beroemde Londense chef-kok, Moley.'

'Ik ontdooide slachtafval!' wierp ik tegen.

'Hoe dan ook, de FIOD doet momenteel onderzoek naar je, dus je kunt beter voor betrouwbare gegevens zorgen,' zei Parvez. 'Hield je in die tijd geen dagboek bij?'

Ik legde hem uit dat mijn dagboek in vlammen is opgegaan toen mijn huis in 1998 tot de grond toe afbrandde.

Fatima kwam koffie brengen, en ze vertelde Parvez dat ze urenlang in de koran had zitten lezen en nergens dat stukje kon vinden waar stond dat vrouwen niet parttime op scholen konden werken als overblijfjuffen.

Ik dronk de koffie op en nam zo snel mogelijk afscheid, voordat Fatima me naar mijn mening kon vragen.

Tijdens de rit naar huis besefte ik dat ik nog steeds niet weet welke verschrikkingen de belastingdienst precies voor me in petto heeft. Ik belde Parvez en vroeg hoeveel ik ze schuldig was.

'Ik kan nu niet praten, ik zit midden in een huiselijke twist,' zei hij. 'Kom morgenavond maar langs.'

Donderdag 17 juli

Bepaalde dingen die Ken maandagavond heeft gezegd zitten me dwars, dagboek.

Meneer Bush beweert dat Amerika vecht voor democratie en gerechtigheid, en toch zitten 608 mensen zonder enige vorm van proces gevangen in Guantanamo Bay. Dan is er nog de onjuiste bewering dat Saddam Hoessein heeft geprobeerd uranium te kopen van Niger. En het feit dat Hans Blix, de wapeninspecteur, ervan overtuigd is dat er geen massavernietigingswapens bestaan. Plus wat Glenn me vertelt over de anarchie in de straten van Basra.

Ik voel me slecht, zowel geestelijk als lichamelijk. Het komt door Parvez, hoewel het niet zijn schuld is. Ik heb een ramp over mezelf afgeroepen. Het lukt me nauwelijks om een pen vast te houden en deze woorden op te schrijven, maar ik moet de onverteerbare waarheid onder ogen zien. Afgezien van mijn hypotheek, ik herhááI, afgezien van mijn hypotheek, heb ik een schuld van £ 119.791!

Ik wist al dat het niet goed was toen Fatima de deur voor me opendeed. Ze kon me niet eens aankijken. Zwijgend nam ze me mee naar boven naar Parvez' werkkamer.

Parvez stond op achter zijn bureau toen ik binnenkwam en gaf me een hand, terwijl hij me anders altijd joviaal een klap op mijn schouder geeft.

Ik ging zitten en Parvez zei: 'Moley, je zit tot over je oren in de nesten. Volgens de belastingdienst ben je ze over de jaren 1996 tot 1999 £ 72.800 aan achterstallige belasting schuldig.' Hij wachtte even voordat hij eraan toevoegde: 'Plus rente.'

Toen ik na een hele tijd weer iets kon zeggen, vroeg ik Parvez wat er gaat gebeuren als ik niet kan betalen.

'Je moet ze betalen, Moley,' zei hij. 'Zoals Shakespeare zei: "Er zijn maar twee zekerheden in dit leven, de dood en de belastingen."'

Ik stond op en keek uit het raam naar Fatima's mooie, kleurige kleren, wapperend aan de waslijn. 'Ik moet zelfmoord plegen,' zei ik.

'Je kunt het je niet permitteren om zelfmoord te plegen,' zei Parvez. 'Bovendien ben je mij driehonderd pond schuldig voor mijn diensten.'

Ik vertelde hem dat ik nog wat krediet heb op mijn AA Visacard.

'Moley,' zei Parvez, 'je graaft jezelf alleen maar dieper de stront in.'

Ik vroeg wat ik moest doen.

'Je zou om te beginnen moeten leven in de wereld waar Fatima en ik in leven. Ik verdien niet veel, dus wonen we in een klein huis, en we hebben geen sprekende koelkast. De onze staat gewoon in een hoekje en houdt z'n waffel dicht. Je bent niet rijk genoeg voor een luxe leven, je zult het met een gewoon leven moeten doen.'

Hij riep naar beneden en vroeg Fatima of ze koffie wilde zetten. Nadat ze het dienblad op het bureau had gezet, sloeg ze een arm om me heen en zei ze dat ze met me te doen had. Ze praatte tegen me alsof ik net te horen had gekregen dat een van mijn dierbaren was overleden.

Bij mijn vertrek zei Parvez: 'Je zult je appartement moeten verkopen, Moley.'

'Mijn oom zit in de gemeenteraad,' vertelde Fatima, 'en hij zit in zak en as omdat er een vergunning is afgegeven voor de bouw van een casino aan het jaagpad van jouw kanaal.'

'En er worden allemaal bars met paaldanseressen geopend,' vulde Parvez aan. 'Een van mijn cliënten maakt de palen; ze zijn niet aan te slepen. Rat Wharf is hard op weg om de rosse buurt van Leicester te worden.'

Terug in mijn loft sloop ik naar het balkon, in de hoop dat de zwanen het niet zouden merken. Maar Gielgud zag me zodra ik ging zitten en hij vloog letterlijk op me af, zodat er niets anders opzat dan weer naar binnen te gaan.

Vanachter het raam keek ik naar de zon, die onderging achter de textielververij. Alles binnen de muren wordt weggebroken, en er komen zesendertig appartementen in. Ze hebben de prachtige boogramen eruit gesloopt en in een afvalcontainer gegooid.

Vrijdag 18 juli

Parvez heeft zijn contacten aangeboord en een spoedafspraak voor me gemaakt met Eunice Hall, een medewerkster van het gemeentelijk bureau schuldsanering.

Ik kon meteen terecht, terwijl ik anders eindeloos lang had moeten wachten. Ik moest zo veel mogelijk gegevens meenemen: rekeningen, onbetaalde facturen, bankafschriften, bonnetjes, loonstroken enz. Voor de zekerheid heb ik ook mijn creditcards en klantenkaarten maar meegenomen.

Eunice Hall draagt grijze schoenen in dezelfde kleur als haar haren. Ik vertrouwde haar meteen en heb haar alles opgebiecht. Het was een opluchting om met een vreemde te praten, iemand die onbevooroordeeld tegen me aankijkt.

Ze liet me ongeveer twintig minuten doorgaan over mijn zorgen. Ze keek weliswaar meerdere keren op haar horloge, maar ik was niet te stuiten.

Uiteindelijk zei ze nogal bruusk: 'Meneer Mole, ik ben er niet voor opgeleid om u te vertellen hoe ik denk over meneer Blairs al dan niet misleidende uitspraken over massavernietigingswapens. Ik ben gespecialiseerd in schuldsanering.' Toen vroeg ze om mijn financiële gegevens en begon ze zwijgend te lezen.

Ik overhandigde haar een overzicht van de achterstallige inkomstenbelasting, dat Parvez had opgesteld.

'Volgens uw accountant heeft u in de jaren 1996, '97, '98 en '99 geen belasting afgedragen,' zei ze.

'Kennelijk niet,' zei ik en vervolgens probeerde ik mijn situatie uit te leggen: mijn baan als ontdooier van slachtafval, mijn echtscheiding van een Nigeriaanse prinses, mijn televisieserie als beroemde chef-kok, het huis dat ik erfde, mijn alleenstaande ouderschap, de brand waarbij mijn huis en al mijn bezittingen verloren gingen, ook waardevolle niet-gepubliceerde manuscripten.

'Wat voor soort manuscripten?' vroeg mevrouw Hall.

Ik legde uit dat ik een schrijver zonder gepubliceerd werk ben, maar terwijl ik het zei besefte ik met een gevoel van verdriet dat ik tegenwoordig eerder een verspreider van literatuur ben dan een schrijver ervan.

Ik vertelde haar over de jaren dat ik met mijn twee zoons in een gemeenteflatje woonde en rond moest zien te komen van een bijstandsuitkering.

Aan het eind van mijn relaas zei ze: 'Dus u zat er eerst warmpjes bij, en vervolgens hebt u jarenlang op kosten van de belastingbetaler een luizenleventje geleid.'

Ik verdedigde me door haar te vertellen dat ik onlangs mijn dokterskosten en de tandarts uit eigen zak heb betaald wegens gebrek aan medische voorzieningen voor ziekenfondspatiënten in de buurt waar ik woon, waarmee ik de gemeenschap geld heb bespaard.

'Ik krijg de indruk dat u in een fantasiewereld leeft, meneer Mole,' zei mevrouw Hall.

Ik zei dat ik niet begreep wat ze bedoelde.

'U komt bij me voor hulp omdat u tot over uw oren in de schulden zit,' zei ze. 'Het eerste wat ik moet doen, is zorgen dat u uw verantwoordelijkheden onder ogen ziet, en een onderdeel daarvan is dat u in de échte wereld moet leven, niet in een fictieve wereld met Afrikaanse prinsessen, tv-programma's, erfenissen en vuurzeeën waarbij waardevolle manuscripten verloren zijn gegaan. U hebt meer hulp nodig dan ik u kan geven, meneer Mole.'

Ik smeekte haar om me niet te laten vallen. 'Goed dan,' zei ze zuchtend, 'maar ik wil dat u me van nu af aan de volledige waarheid vertelt.'

Ze keek me diep in de ogen, een beetje zoals een hypnotiseur, en ik vroeg me af of ik over drie minuten wakker zou worden en dan van mevrouw Hall te horen zou krijgen dat ik onder hypnose allerlei vernederende taken had uitgevoerd.

Ik beloofde haar dat ik alles zal doen wat ik kan om uit de schulden te komen.

'Om te beginnen moet u verhuizen naar een woning die past bij uw inkomen,' stelde ze.

Thuis belde ik het makelaarskantoor van Mark B'astard, en ik liet een boodschap achter om hem te vragen of hij zo snel mogelijk langs kan komen, zodat hij mijn appartement kan taxeren.

Ik werd gewekt door zingende Zoeloes. Het was Daisy, die me vertelde dat ze in Beeby on the Wold was om haar bruidsmeisjesjurk te passen. 'Die kutjurk is niet pistachegroen,' zei ze, 'de kleur lijkt meer op zwanenstront.'

'Trek het je niet aan,' zei ik. 'Je hoeft dat ding maar een keer te dragen.'

'Het is niet alleen die achterlijke jurk,' zei ze. 'Ik heb mezelf elf weken geleden op de wachtlijst laten zetten voor een tas van Gucci, en de winkel belde me gisteren. Ik ben erheen gegaan en heb bijna een heel maandsalaris uitgegeven aan een handtas, een lapje leer met wat frutsels eraan. En nu, Kipling, kijk ik ernaar en ik ben er helemaal niet blij mee.'

'Daisy,' zei ik, 'zo te horen heb je gewoon spijt van een lichtzinnige aankoop. Ga voorlopig maar niet meer naar Bond Street.'

Er viel een lange stilte, en toen zei ze: 'Ik sta op de wachtlijst voor zilveren Birkenstocks. Misschien laat ik mijn naam wel doorstrepen.'

Zaterdag 19 juli

De bruiloft vond plaats in de grote oranjerie van het Heritage Hotel. Terwijl we zaten te wachten op de komst van de bruid en de bruidsmeisjes scheen de zon meedogenloos door het dubbele glas, en Bolleboos en ik zaten te zweten in ons jacquet.

Margaret, de dominee, nam haar plaats in achter de bloemstukken op het geïmproviseerde altaar. Toen klonk 'The Arrival of the Queen of Sheba' uit de boxen van het hotel. We keken om en zagen Marigold, geholpen door Daisy, Poppy en een mollige nicht van Bolleboos, langs de gasten lopen en haar plaats innemen.

Marigold droeg een strapless jurk van roomkleurige zijde, en haar gezicht ging schuil achter een sluier. Daisy had de kleur van de bruidsmeisjesjurken heel treffend beschreven, en ik vond dat de pofmouwen en de asymmetrische rok haar niet flatteerden.

Het was de eerste keer dat ik Michael Flowers in een pak zag, en met een keurig bijgeknipte baard. Zijn ene oog vertoonde nog steeds de sporen van de vuistslag die Fergal hem heeft toegediend om de scheldnaam 'vuile protestantse onderdrukker' kracht bij te zetten. Netta had als moeder van de bruid voor een abrikooskleurig pakje en een enorme hoed gekozen.

Mijn moeder had een ongeschreven wet overtreden en was in het wit. De hanenkam van Beest was gekortwiekt, en hij droeg een onberispelijk driedelig pak, een wit overhemd en een grijze das met gele olifantjes. Hij zag eruit als een dommere en grotere Robert Redford.

Toen Marigold haar sluier optilde, zag ik dat ze geen bril droeg en door een expert was opgemaakt. De groeven van ontevredenheid bij haar mond waren kunstig weggewerkt.

Het is waar, dagboek, dat elke bruid mooi is totdat ze bij de disco haar haren en make-up verpest.

Ik was zenuwachtig voor mijn toespraak, maar toen ik eenmaal was begonnen, spraakwatervalde ik er lustig op los, en pas toen ik mijn moeder 'Genoeg!' hoorde zeggen, besefte ik dat ik al twintig minuten aan het woord was.

Toen ik voorstelde om een toast uit te brengen op de bruidsmeisjes keek Daisy me aan en maakte ze een sexy beweging met haar tong. Ik weet niet wat me bezielde, dagboek, maar opeens voelde ik de behoefte om in het openbaar het boetekleed aan te doen en de waarheid te vertellen. Ik verloor de goede omgangsvormen uit het oog, gooide de remmen los en hoorde mezelf zeggen: 'Nu ik hier toch tegenover u allen sta, wil ik graag bekendmaken dat Daisy en ik van elkaar houden en al een tijdlang samen zijn.'

Dom genoeg (zie ik nu in) had ik een rondje applaus verwacht, gejuich en misschien zelfs een paar cowboy-kreten, maar niets daarvan. Ik ging te midden van zwijgende mensen weer zitten, en de stilte werd alleen verbroken door het schrapen van de poten van Daisy's stoel toen ze opstond en de zaal uit rende.

Zondag 20 juli

Niemand weet waar Daisy is. Haar koffer is weg uit het huis in Beeby on the Wold.

Ik ben gisteren van een hele hoop dingen beschuldigd. Van alle kanten klonken boze stemmen. Marigold was het boost van iedereen; ze betichtte me van het saboteren van haar bruiloft.

Ik heb me in allerlei bochten gewrongen en nederig excuses aangeboden aan Bolleboos, Netta Flowers en mijn moeder, omdat ik haar 'in haar hemd' heb gezet. En vanochtend heb ik de hotelmanager een e-mail gestuurd om mijn verontschuldigingen aan te bieden omdat het me gisteren niet is gelukt een eind te maken aan de vechtpartij op het parkeerterrein tussen mijn moeder en Netta Flowers, waarbij een hele kar met gewassen en gestreken linnengoed is omgevallen.

Maar zelfs terwijl ik door het stof kroop, bleef een klein stemmetje in mijn hoofd zeggen: 'Maar ik heb alleen de waarheid verteld.'

Maandag 21 juli

Mark B'astard is vanochtend langs geweest om mijn loft te taxeren. Hij vertelde dat de mensen die een appartement aan Rat Wharf willen kopen letterlijk in de rij staan voor zijn kantoor, wapperend met hun chequeboekjes.

Hij was vooral erg te spreken over de Smeg-koelkast; het was alleen jammer dat het ding steeds bleef zeuren over een doosje eieren waarvan de uiterste verkoopdatum was verstreken. Hij denkt dat mijn appartement met een likje verf en het verwijderen van de rattenvallen wel £ 220.000 kan opbrengen.

'Tegenwoordig kan niemand het zich nog permitteren om in Londen te wonen,' verklaarde hij, staand op het balkon, 'en Leicester is maar zeventig minuten met de trein.' Hij vroeg waarom ik mijn loft wilde verkopen.

Ik antwoordde dat ik te dicht bij de zon had gevlogen.

Hij begreep me niet, maar ik begreep mezelf nog veel minder. Waarom heb ik dat gezegd? Wat gebeurt er toch met me?

Ik zat Nigel vanavond hardop voor te lezen toen hij plotseling riep: 'Jezus, doe me een lol! Geen *Misdaad en straf* meer!'

Ik was gekwetst, dagboek, maar ik wist mijn stem licht en melodieus te houden. 'Heb je liever dat ik je iets minder intellectueels voorlees?'

'Ik heb geen probleem met het boek,' bitste Nigel, 'ik heb een probleem met de manier waarop jij het voorleest. Probeer er een beetje van Dostojevski's getourmenteerde ziel in te leggen, wil je? Zoals jij het voorleest, klink je als een metroseksuele man.'

'Metroseksueel?' herhaalde ik.

'Ja,' snoof hij minachtend. 'Een hetero die aan huidverzorging en binnenhuisarchitectuur doet.'

Ik ging verder met voorlezen, met een rauwere klank in mijn stem, maar toen de held, Rodion Romanovitsj Raskolnikov, Rodya in de wandeling, probeerde te bedenken of hij de oude vrouw nou wel of niet zou vermoorden, zei Nigel: 'Jij leest het voor alsof hij zit te bedenken of hij gordijnen of luxaflex zal nemen!'

Graham, de blindengeleidehond, ging staan, begeleidde me naar de voordeur en liet me uit.

Ik zei goedenavond, en hoorde de hond de grendel voor de deur schuiven.

Dinsdag 22 juli

Robbie is dood.

Een reserveofficier van zijn regiment, kapitein Hayman, klopte gisteravond op mijn deur.

Mijn eerste reactie toen ik hoorde dat Robbie dood was, gesneuveld door de scherven van een raketgranaat, was opluchting dat het Glenn niet was.

Ik heb koffie gezet voor kapitein Hayman. Hij was gekleed in een stijlvol bruin uniform met een beige overhemd, en op zijn borst zat een hele rij lintjes gespeld.

Ik vroeg hem waarom ik formeel op de hoogte werd gebracht.

'Robert heeft u als naaste familie opgegeven,' zei hij.

'Maar ik ben helemaal geen familie van hem,' zei ik. 'Hij is de beste vriend van mijn zoon.' Ik vroeg hem of alles goed was met Glenn.

'Het spijt me, ik weet geen details van het voorval,' meldde hij.

Ik vroeg of hij wilde bellen om het te vragen. Ik wilde huilen, maar vond dat niet netjes tegenover deze brave man, die naar me toe was gestuurd om zulk akelig nieuws te vertellen.

Ik vroeg of Glenn nu buitengewoon verlof zou krijgen.

'Nee,' zei kapitein Hayman, 'vrienden tellen niet bij het leger.'

Hij vertelde me dat het leger Robbies begrafenis zou regelen en vroeg mij om de teksten en muziek te kiezen.

Het stoffelijk overschot wordt over een paar dagen naar Engeland overgebracht, legde hij uit, en dan neemt hij later deze week contact met me op om de details te bespreken.

Een halfuur later kwam het telefoontje dat ik vreesde. Het was Glenn.

Hij beschuldigde mij ervan dat ik verantwoordelijk ben voor Robbies dood. 'Jij zei dat ik ging vechten voor democratie,' zei hij, 'maar Robbie is dood, pa. Robbie is dood!'

Hij zei ook nog: 'Jij bent mijn vader, je had me nooit naar Irak mogen laten gaan. Je had me tegen moeten houden.'

Ik liet hem razen en tieren en probeerde mezelf niet te verdedigen, want hij had namelijk volkomen gelijk met alles wat hij zei.

Toen ik tegen hem zei dat hij naar bed moest gaan en wat moest slapen, zei hij tegen me: 'Na wat ik vandaag heb gezien kan ik nooit meer slapen.'

Toen ik meneer Carlton-Hayes belde om hem van Robbie te vertellen, zei hij: 'De smeerlappen! Ze sturen kinderen eropuit om hun vuile oorlog uit te vechten.'

Ik vertelde hem dat ik in de put zit en vandaag thuis zou blijven.

Woensdag 23 juli

Ik ben moreel, spiritueel en financieel bankroet.
De hele dag in bed gebleven.

Donderdag 24 juli

De hele dag in bed gebleven, met mijn telefoon uit.

Vrijdag 25 juli

De hele ochtend in bed gebleven. De koelkast vertelde me dat de uiterste verkoopdatum van de inhoud van de groentela is verstreken. Ik heb geprobeerd het gezeur zo lang mogelijk te negeren, ben toen uit bed gekomen, heb de groentela uit de koelkast getrokken en de sla gevoerd aan Gielgud, die zijn zoons en dochters zwemles gaf in het kanaal.

Om halfzeven vanavond hoorde ik meneer Carlton-Hayes mijn naam roepen vanaf het jaagpad. Ik heb mijn badjas aangedaan en ben naar het balkon gegaan. Hij schudde met zijn wandelstok naar Gielgud.

Ik riep dat ik hem binnen zou laten en liep naar de deur om op de zoemer te drukken; het was heel vreemd om hem in deze omgeving te zien.

Hij liep meteen naar mijn boekenkast en bekeek wat er op de planken stond. Hij haalde een van de boeken eruit en mompelde: 'Thoreaus *Walden: Or Life in the Woods*, is dat een van je favoriete werken?'

Ik vertelde hem dat ik negentien was toen ik over Thoreaus rurale experiment las en toen al tot de conclusie ben gekomen dat het eenvoudige leven voor de eenvoudigen van geest was.

Hij legde het boek op mijn salontafel. 'Misschien moet je het nog een keer lezen,' zei hij. Hij was net een ouderwetse huisarts die een recept achterliet.

Ik kon geen thee of koffie voor hem zetten, want er was geen melk, thee of koffie in huis, dus maakte ik een fles wijn open. We zijn op het balkon gaan zitten en hebben naar de jonge zwaantjes gekeken.

Hij vroeg me waarom ik hem niet heb gebeld.

Ik legde uit dat ik verlamd was van schaamte en mezelf er niet toe kon brengen om met iemand te communiceren. 'Ik geloofde ze,' zei ik, 'toen ze me vertelden dat ons land oorlog moest voeren. Ik heb mijn zoon zelfs aangemoedigd om te gaan vechten.'

Ik vertelde hem de waarheid over alle andere dingen die er mis zijn gegaan in mijn leven en biechtte op dat ik al bijna een jaar lang op veel te grote voet leef, dat ik geleend geld over de balk heb gesmeten en nu gedwongen ben om mijn appartement te verkopen.

Meneer Carlton-Hayes schonk me nog een glas wijn in. 'Net als Icarus ben je te dicht bij de zon in de buurt gekomen, en nu is de was van je vleugels gesmolten, maar ik laat je niet in zee vallen, schat, zoals hem overkwam. Ik kan de boekwinkel niet zonder jou runnen. Bernard is een hopeloze dronkelap en ik hoop dat hij snel iets anders krijgt. Ik heb een beetje genoeg van hem.'

Toen vertelde ik hem ook nog dat ik een verhouding heb met Marigolds zus, Daisy.

Hij haalde zijn pijp tevoorschijn, stopte geurige tabak in de kop en stak die aan. 'De liefde maakt idioten van ons allemaal,' zei hij. 'Leslie en ik hebben ruim dertig jaar geleden onze partners verlaten om samen te kunnen zijn. Het heeft destijds een vreselijk schandaal veroorzaakt, maar er gaat bijna geen dag voorbij zonder dat ik naar Leslie kijk en bedenk dat ik er goed aan heb gedaan.'

Hij voegde eraan toe dat hij vaak met Leslie over me heeft gepraat, en dat Leslie me graag een keer wil ontmoeten. Hij heeft me laten beloven dat ik mijn best zou doen om morgen weer aan het werk te gaan. Hij zei dat we de laatste tijd goede zaken doen, dankzij mijn recente vernieuwingen, en dat hij het over mijn salaris wil hebben.

Zaterdag 26 juli

Vannacht nauwelijks een oog dichtgedaan. Ik bleef in gedachten berekeningen maken en probeerde te bedenken wanneer ik uit de schulden kan zijn. Ik ben tot de conclusie gekomen dat ik de uitgaven met mijn creditcards nog steeds aan het terugbetalen ben als ik straks eenmaal met pensioen ben. Ik kan het kapitaal op geen enkele manier aflossen, en de rente blijft stijgen en stijgen en stijgen met elke keer dat ik inadem.

Om halfvier ben ik opgestaan. Ik liep rusteloos heen en weer, maar alle luxeartikelen waar ik zo roekeloos andermans geld aan heb uitgegeven leken de spot met me te drijven. Toen ik tegen het ochtendgloren langs de koelkast liep, hoorde ik hem spottend zeggen: 'Zielenpoot.'

Ik ben naar mijn werk gegaan en werd hartelijk, bijna liefhebbend, welkom geheten door meneer Carlton-Hayes. Hij vertelde me, blozend en hakkelend, dat hij gisteravond met Leslie had gepraat en dat ze het erover eens waren geworden dat de winkel genoeg opbrengt om mij tweehonderd pond per maand meer te betalen. Ik bloosde en hakkelde een bedankje. Toen draaiden we ons om en zijn we aan verschillende kanten van de winkel aan het werk gegaan.

2004

Zaterdag 21 juli 2004

Het is vandaag een jaar geleden dat Robbie omkwam. Mijn moeder bracht me vanochtend een brief, met de datum van gisteren erop.

Adriaan Mole
De Oude Varkensstal 1
De Varkensstallen
Laatste Veld
Karrenpad
Mangold Parva
Leicestershire

Beste heer Mole,

Zoals u onlangs in de kranten hebt kunnen lezen, of hebt opgemaakt uit het Butler-rapport, heeft meneer Tony Blair toegegeven dat er nooit massavernietigingswapens zijn geweest die het eiland Cyprus binnen drie kwartier konden bereiken.

Ik hoop dan ook dat u me geen brieven meer zult sturen waarin u teruggave eist van uw aanbetaling van £ 57,10.

Voorts wil ik u er nog op attenderen dat er tot nu toe zestig Britse en meer dan duizend Amerikaanse militairen bij de oorlog zijn omgekomen. Er zijn naar schatting tussen de tien- en twintigduizend Irakezen omgekomen. Niemand kan het met zekerheid zeggen, aangezien er geen officiële telling is bijgehouden.

Vriendelijke groet,
Johnny Bond
Latesun Travel Ltd.

'Schrijf Johnny Bond en zeg dat hij gelijk had,' zei Daisy.

Om vier uur vanmiddag duwden Daisy en ik Gracie Mangold Parva binnen om een *Leicester Mercury* te kopen. Ik mis mijn auto eigenlijk helemaal niet, maar Daisy klaagt dat het niet meevalt om op hoge hakken over landweggetjes te lopen.

Op de terugweg naar de Varkensstallen kwamen we langs mijn moeder en Beest, die aan het foerageren waren in het struikgewas en af en toe een rijpe bes voerden aan mijn vader in zijn rolstoel.

Mijn arme vader is tegenwoordig een sir Clifford Chatterley, met mijn moeder en Beest respectievelijk in de rollen van Connie en Mellors. Toch schijnt dit ménage à trois de babyboomers uitstekend te bevallen.

Mijn moeder tilde Gracie uit haar kinderwagen en kirde: 'O, je bent echt om op te eten!'

Beest plukte een stengel fluitenkruid en Gracie nam de bloem in haar mollige knuistje.

Thuis sloegen we de *Mercury* open bij de pagina met familieberichten, en we lazen de twee in memoriams voor Robbie, een van mij en een van Glenn, gedicteerd vanuit Bosnië.

Soldaat Robert Patrick Stainforth, op 21 juli 2003 omgekomen tijdens de strijd in Irak. Hij was erheen gestuurd omdat een ijdele, arrogante man oorlog wilde, en hij is een afschuwelijke dood gestorven. Hij was slechts achttien jaar.

Voor soldaat Robbie Stainforth
Veilig achter hun bureau zaten de wereldleiders,
En bedienden ze hun raketgeleiders.
Toch zullen zij boeten voor alle doden,
Zíj waren het immers die de oorlog geboden.
In hun hart weten ze dat jij nu nog zou leven
Als zij niet zo blind waren geweest in hun streven
Om voor het gulzige koekoeksjong van het Westen te garanderen
Dat het ons niet zal ontberen
Aan het levenselixer van onze economie:
Olie.

A.A. Mole

Robert (Robbie) Stainforth, je was de beste kameraad die ik me kon wensen. Hieronder het gedicht dat je uit je hoofd had geleerd.

Glenn Bott-Mole

Survivors
No doubt they'll soon get well; the shock and strain
Have caused their stammering, disconnected talk
Of course they're 'longing to go out again,' –
These boys with old, scared faces, learning to walk.
They'll soon forget their haunted nights; their cowed
Subjection to the ghosts of friends who died, –
Their dreams that drip with murder, and they'll be proud
Of glorious war that shatter'd all their pride...
Men who went out to battle, grim and glad;
Children, with eyes that hate you, broken and mad.

Siegfried Sassoon, oktober 1917

Zondag 22 juli

'Gelukkige mensen houden geen dagboek bij.' Dat zei ik vanochtend in bed tegen Daisy.

'Waarom begin je er dan weer mee?' vroeg ze een beetje geschrokken.

'Ik overweeg een autobiografie te schrijven,' zei ik.

'Kipling,' zei ze, 'ik vind je geweldig fascinerend, maar ik weet niet of andere mensen dat ook vinden. Ik bedoel, je woont in een varkensstal met je vrouw en kind, je gaat op de fiets naar je werk, je fietst weer naar huis, je speelt met Gracie, je werkt in de tuin, je gaat naar bed, je leest een boek, je vrijt met mij en je slaapt. Wat is er dan te vertellen?'